U0789423

金陵全書

甲編·方志類·縣志

萬曆六合縣志

（明）李篋修
黄驊等纂
（明）張啟宗增修
施所學等增纂

南京出版傳媒集團
南京出版社

圖書在版編目（CIP）數據

萬曆六合縣志 /（明）李箴 等修. -- 南京 ：南京出版社，2013.11

（金陵全書）

ISBN 978-7-5533-0347-5

Ⅰ. ①萬… Ⅱ. ①李… Ⅲ. ①南京市—地方志—明代 Ⅳ. ①K295.31

中國版本圖書館CIP數據核字（2013）第211621號

書　名　【金陵全書】（甲編・方志類・縣志）
萬曆六合縣志

編著者　（明）李箴　主修 黃驊　等纂　（明）張啟宗　增修　施所學　等增纂

出版發行　南京出版傳媒集團
南 京 出 版 社

社址：南京市老虎橋18-1號　郵編：210018

網址：http://www.njcbs.com　淘寶網店：http://njpress.taobao.com

電子信箱：njcbs1988@163.com

聯系電話：025-83283871、83283864（營銷）　025-83283883（編務）

出版人　朱同芳

責任編輯　嚴行健　吴新婷

裝幀設計　楊曉崗

責任印製　楊福彬

製　版　南京新華豐製版有限公司

印　刷　南京凱德印刷有限公司

開　本　889毫米×1194毫米　1/16

印　張　48.75

版　次　2013年11月第1版

印　次　2013年11月第1次印刷

書　號　ISBN 978-7-5533-0347-5

定　價　1300.00元

總序

南京，俗稱金陵，中國著名的四大古都之一，是國務院首批公佈的國家歷史文化名城。

南京有着六十萬年的人類活動史，近二千五百年的建城史，約四百五十年的建都史，享有『六朝古都』、『十朝都會』的美譽。南京歷史的興衰起伏在某種程度上可以説是中國歷史的一個縮影。在中華民族光輝燦爛的歷史長河中，古聖先賢在南京創造了舉世矚目、富有特色的六朝文化、南唐文化、明文化和民國文化，爲中華民族文化的傳承和發展作出了不朽貢獻。然而，由於時代的遞遷、戰争的破壞以及自然的損毁等原因，歷史上南京的輝煌成就以物質文化形態留存下來的相對較少，見諸文獻典籍的則相對較多。南京文獻内涵廣博，卷帙浩繁，版本複雜。截至一九四九年中華人民共和國成立，南京文獻留存下來的有近萬種，在全國歷史文化名城中名列前茅。以六朝《世説新語》、《文心雕龍》、《昭明文選》，唐朝《建康實録》，宋朝《景定建康志》、《六朝事迹編類》，元朝《至正金陵新志》，明朝《洪武京城圖志》、《金陵古今圖考》、《客座贅語》，清朝《康熙江寧府志》、《白下瑣言》，民國《首都計劃》、《首都志》、《金陵古蹟圖考》等爲代表的南京地方文獻，不僅是南京文化的集中體現，也是中華民族優秀傳統文化的重要組成部分。這些南京文獻，積澱貯存了歷代南京人民的經驗和智慧，翔實地反映了南京地區的社會變遷，是研究南京乃至全國政治、經濟、軍事、文化、外交和民風民俗的重要資料。

歷史上的南京文化輝煌燦爛，各類圖書典籍琳琅滿目。迄今爲止，南京文獻曾經有過三次不同程度的整理。

第一次是距今六百多年前的明朝永樂年間，明朝中央政府在南京組織整理出版了《永樂大典》。《永樂大典》正文二萬二千八百七十七卷，凡例和目録六十卷，分裝成一萬一千零九十五册，總字數約三億七千萬字。書中保存了中國上自先秦、下迄明初的各種典籍資料達七八千種，是中國古代最大的類書。

第二次是民國年間，南京通志館編印了一套《南京文獻》。《南京文獻》每月一期，從一九四七年元月至一九四九年二月共刊行了二十六期，收入南京地方文獻六十七種，包括元明清到民國各個時期的著作，其中收録的部分民國文獻今天已經成爲絶版。

第三次是二〇〇六年以來，南京出版社選取部分南京珍貴文獻，整理出版了一套《南京稀見文獻叢刊》點校本，到二〇一三年初，已經出版了三十六册七十一種，時代上起六朝，下迄民國，在學術普及方面作出了一定的貢獻。

新中國成立六十年來，尤其是改革開放三十年來，南京的政治、經濟、文化建設飛速發展，但南京文獻的全面系統整理出版工作一直没有得到應有的重視，這與南京這座國家歷史文化名城的地位頗不相稱。據調查，目前有關南京的各類文獻主要保存在南京圖書館、南京市檔案館，以及全國各地的高等院校、科研院所、圖書館、檔案館、博物館，少數流散於民間和國外。一方面，廣大讀者要查閲這些收藏在全國各地的南京文獻殊爲不便；另一方面，許多珍貴的南京文獻隨着歲月的流逝而瀕臨損毁和失傳。南京文獻的存史、資治、教化、育人功能没有得到應有的發揮。

盛世修史（志）。在中華民族和平崛起和大力弘揚民族傳統文化、全力發展民族文化事業的大背景下，在建設『文化南京』的發展思路下，中共南京市委、南京市人民政府於二〇〇九年十二月作出决定，將南京有史以來的地方文獻進行全面系統的匯集、整理和影印出版，輯爲《金陵全書》（以下簡稱《全書》），以更好地搶救和保護鄉邦文獻，傳承民族文化，推動學術研究，促進南京文化建設；同時，也更爲有効地增加南京文獻存世途徑，提昇南京文獻地位，凸顯南京文獻價值。

爲編纂出能够代表當代最高學術水平和科技成就，又經得起時間檢驗的《全書》，我們將編纂工作分成三個階段進行。第一個階段爲調研階段，主要對南京現存文獻的種類、數量、保存現狀以及收藏地點等進行深入細緻的調研，召集專家學者多次進行學術論證和可操作性論證，撰寫出可行性調查報告，爲科學決策提供依據，此項工作主要由中共南京市委宣傳部和南京出版社組織完成。第二個階段爲啓動階段，以二〇〇九年十二月二十四日召開的『《金陵全書》編纂啓動工作會』爲標志，市委主要領導親自到會動員講話，市委宣傳部對《全書》的編纂出版工作作了明確部署。在廣泛徵求專家學者意見的基礎上，確定了《全書》的總體框架設計，確定了將《全書》列爲市委宣傳部每年要實施的重大文化工程，確定了主要參編責任單位和責任人，並分解了任務。第三個階段爲編纂出版階段，主要在全國範圍内進行資料的徵集、遴選和圖書的版式設計、複製、排版及印製工作。

爲了確保《全書》編纂出版工作的順利進行，中共南京市委、南京市人民政府成立了專門的編纂出版組織機構。其中編輯工作領導小組，由中共南京市委、市政府領導以及相關成員單位主要負責人組成；《全書》的編纂出版工作由市委宣傳部總牽頭；學術指導委員會，由蔣贊初、茅家琦、梁白泉等一批全國著名的專家學者組成，負責《全書》的學術審核和把關。

《全書》分爲方志、史料和檔案三大類。自二〇一〇年起，計劃每年出版四十册左右。鑒於《全書》的整理出版工作難度較大，周期較長，在具體操作中，我們採取了分工協作的方式。市委宣傳部和南京出版社負責《全書》的總體策劃，其中方志部分，主要由南京市地方志編纂委員會辦公室和南京出版傳媒集團·南京出版社共同承擔；史料部分，主要由南京圖書館承擔；檔案部分，主要由南京市檔案局（館）承擔。《全書》的編輯出版，得到了江蘇省文化廳、江蘇省新聞出版局、江蘇省檔案局（館）、南京大學、南京圖書館、南京市文廣新局、南京市社科聯（社科院）、南京市文聯、金陵圖書館以及各區委宣傳部和地方志辦公室等單位及社會各界的熱情鼓勵和大力支持，尤其是得到了中國國家圖書館和全國各地（包括港臺地區）高等院校、科研院所、圖書館、檔案館、博物館等藏書單位的鼎力相助，在此表示深深的謝意！

我們相信，在中共南京市委、南京市人民政府的長期不懈支持下，在各部門、各單位的積極配合和衆多專家學者的共同努力下，這項功在當代、利在千秋的傳世工程一定能够圓滿完成。

《金陵全書》編輯出版委員會

凡例

一、《金陵全書》（以下簡稱《全書》）收録的南京文獻，依内容分爲方志、史料和檔案三大類。

二、《全書》按上述三大類分爲甲、乙、丙三编，以不同的封面顔色加以區分；每编酌分細類，原則上以成書時代爲序分爲若幹册，依次编列序號。

三、《全書》收録南京文獻的範圍，以二〇一三年南京市所轄十一區，即玄武、秦淮、建鄴、鼓樓、浦口、六合、棲霞、雨花臺、江寧、溧水和高淳爲限。

四、《全書》收録的南京文獻，其成書年代的下限爲一九四九年。

五、《全書》收録方志和史料，盡量選用善本爲底本。《全書》收録的檔案以學術價值和實用價值較高爲原則，一般選用延續時間較長、相對比較完整的檔案全宗。

六、《全書》收録的南京文獻底本如有殘缺、漫漶不清等情況，必要時予以配補、抽换或修描，以保證全書完整清晰；稿本、鈔本、批校本的修改、批注文字等均保留原貌。

七、《全書》收録的南京文獻，每種均撰寫提要，置於該文獻前，以便讀者了解其作者生平、主要内容、學術文化價值、編纂過程、版本源流、底本採用等情況。

八、《全書》所收文獻篇幅較大時，分爲序號相連的若幹册；篇幅較小的文獻，則將數種合編爲一册。

九、《全書》統一版式設計，大部分文獻原大影印；對於少數原版面過大或過小的文獻，適當進行縮小或放大處理，並加以説明。

十、《全書》各册除保留文獻原有頁碼外，均新編頁碼，每册頁碼自爲起訖。

提要

《萬曆六合縣志》八卷，明萬曆二年（一五七四）李箴修，黄驊等纂；萬曆四十三年（一六一五）張啟宗增修，施所學等增纂。

李箴，字同伯，浙江臨海縣人，嘉靖三十一年（一五五二）舉人，隆慶五年（一五七一）任六合知縣，仕終曲靖知縣。

黄驊，字德遠，南京六合人，出生書香門第。他的父親黄肅官至湖廣兵備副使，有《靜庵集》。黄驊曾任江西豐城教諭、直隸曲周知縣。嘉靖四十一年（一五六二），黄驊在任廣平府曲周縣知縣時，因『克承家學，奮跡賢科，爰以儒校休聲，擢宰名邑，持身廉靜，莅政精明，節用愛民，教養兼舉，循良著譽，薦牘屢陞，可謂以文學飾吏治』（見本書卷六），而受到朝廷的嘉獎，奉勅進階文林郎。再陞江西南昌府同知，致仕，奉詔進階朝列大夫。

張啟宗，字汝礽，江西新喻人，萬曆二十八年（一六〇〇）庚子舉人，以廣東四會知縣奉文回避，於萬曆四十年（一六一二）補任六合知縣。

施所學，字志伊，一字務正，直隸婺源縣施村人，萬曆三十一年（一六〇三）癸卯應天鄉試中舉，由舉人於萬曆四十年（一六一二）任六合學官，卒於官。

《萬曆六合縣志》是六合現存的第二部縣志（之前有《嘉定志》、《永樂志》、《成化志》、《正德志》、《嘉靖志》五部，除《嘉靖志》外均佚），也是明代最後一部六合縣志。曾兩次編纂：第一次由『知縣李箴聘鄉官黄驊、楊郡修，教諭吳邦、訓導桑子美、盧文衢校正，庠生黄域、陸察、方澄澈、季宮、朱鎮同修』（見本書卷首），於萬曆二年（一五七四）刊行。它的編寫體例與《嘉靖六合縣志》基本相同，分爲八卷，除了『人物志』分目略有不同外，其他分目基本一致。記事承前志增纂二十餘年間史事。第二次由『知縣張啟宗聘教諭施所學、訓導張士奇、貢生錢兆暘校正，庠生陸懷橘、馬夢夔、侯元奎、周維新同修』（見本書卷首），於萬曆四十三年（一六一五）左右刊行。此次編寫是在前一次基礎上再增纂四十餘年間史事，其體例完全一致。萬曆二年（一五七四）所修《六合縣志》全書今已佚，現存的《萬曆六合縣志》都是增纂本。

《萬曆六合縣志》補充了自前次修志的嘉靖三十二年（一五五三）之後六十年的內容，並開創了以『志略紀沿革』的體例，將六合縣的建置沿革、隸屬關系，結合歷代權力更替和重大戰爭事件的變化，進行了集中梳理，並加以必要的考證，這被後世縣志所沿襲、采用並充實。另外，對部分類目的內容進行了重新分類，如卷五『人物志』，改變了《嘉靖志》將人物分爲歲貢、鄉貢、進士、雜途、忠賢、隱逸、文人、武功、旌表、仙釋十類的分類法，而改爲勳封、薦舉、科第、武科、歲薦、例貢、應例、冠帶、武弁、封蔭、雜職、忠賢、死節、孝友、一行、隱逸、尚義、文苑、列女、方技、方外等二十一類，這是歷代縣志中分類最細、最多的，分類增多了，但是有的類中人物極少，最少的只有一人，反而顯得過於煩瑣。另外本書保存了大量清代文字獄刪改古籍之前的文獻，如顧起元所著《六合縣知縣友石米公去思記》，對我們了解米萬鐘在六合的政績有很大幫助。

《萬曆六合縣志》現存極少，據載目前北京國家圖書館有原刻本殘卷，又有膠卷，上海、南京圖書館有膠卷，日本東洋文庫有曬印本，另外臺灣『中央圖書館』亦有藏本，均爲明代萬曆二年（一五七四）刊、萬曆四十三年（一六一五）增補刻本。六合區檔案館有一部據說是當年郭沫若從日本購回的膠卷翻拍的照片本，相片文字漫漶，閱讀非常困難，因此此照片本一直深藏館中。

《萬曆六合縣志》的最早版本爲萬曆二年（一五七四）的初刻本，但未見流傳；萬曆四十三年（一六一五）增纂刻本自印行後，明、清、民國時期均沒有再版或影印，由於保存不善，各種底本文字均較模糊，有些部分辨識比較困難。《金陵全書》本次影印以南京圖書館藏美國國會圖書館膠卷爲底本，並據臺灣『中央圖書館』藏明萬曆二年刊四十三年增補本校補。

劉榮喜

重修六合縣志序

在國爲史在郡邑爲志在歷

合諸郡邑志所歲輯日補以

供奔走於石渠天祿之纂而

後勒成國史余於太史公書

簪筆侍從

肅廟朝滑[illegible]觀字内諸郡邑志

國立中央圖書館收藏

本頁原闕字，現據臺灣『中央圖書館』藏本校補。

孰成一家言可備龍門採風採擇者孰闕佚不修因以諉其郡邑長之職不舉也則余皆得過庭而聞之然後知史之為道朝野內外合者也古之官不職史而史名之者周柱下史主藏書之官晉郡守

稱內史唐郡守稱刺史邑隸
於郡纂可互見蓋以文學飾
吏治而史寓焉桉字纂吏上
加一為吏故吏者師史者也
師在昔而後可為師者著於
後一行作吏即郡邑因革之
故何曰蔑有而顧視同焉前

廛俱湮淪乎余滋懼爲六合於
留都其不親於三輔乎版圖不古掌故無寄觀風者歎問乘而孜新猷何斷斷如也余雖不習爲吏視已成事竊以爲政之大端在文事欲補造化

之所不逮爰相國上於靈巖之童者塔之於河梁之嚙者閣之盜乙卯之役滑汪孝廉者應禎符爲諸如斐鋤姦蠹有托鬼神事爲漁獵者立寢其役因海稽守帑嚴及圜扉維壯快是辦鬻爲令而汰緝

本頁原闕字，現據臺灣『中央圖書館』藏本校補。

保也魁驛畣也絕羨瑀也[illegible]
鄉甲而新忠烈也造橋抒而
勤課練也凡可樹德不恤府
悲閔四歲所而蒙
當路上公號薦於
朝者幾十餘章然未路盖用是
稟〻屬頊者以䢈從棘門[illegible]

稍進諸邑子商榷舊志掇其蠹拾其遺綴其缺彙成完書而不敢以暴魚之勞遂干畧講也而諸邑子謬亦以余所興革併附著於篇末以識余四年間戴星寢火之苦思臆余敢忽[illegible]一視今亦猶今之

視昔孔乃先太史公昔以三寸桑翰藻繢
皇猷微有餘施而余以太史公牛馬走黽勉斗大邑冀收其文學飾吏之効而猶不忘也
余蓋信史之道大矣
萬曆乙卯歲閏穐既望

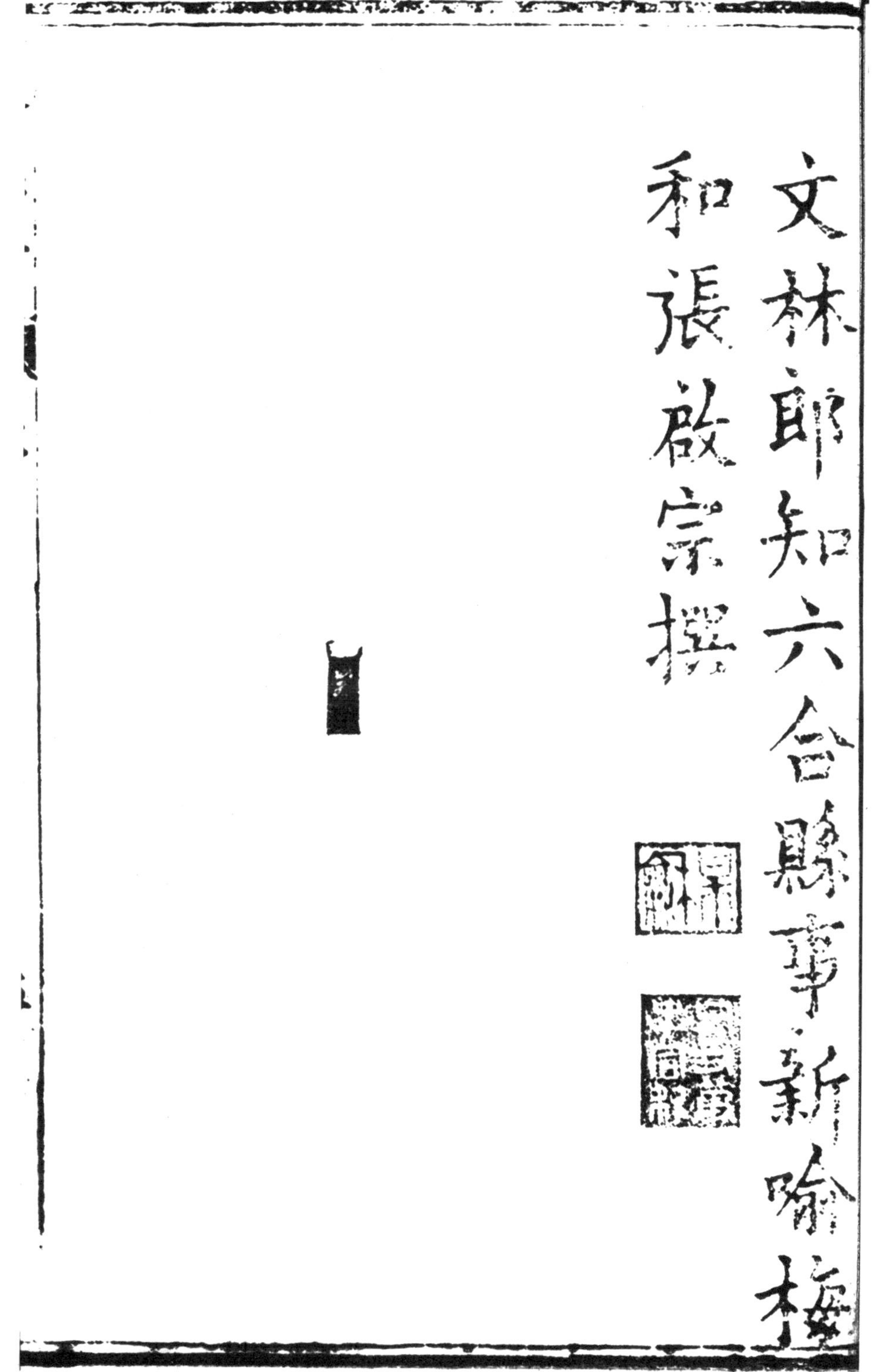

文林郎知六合縣事新喻梅
和張啟宗撰

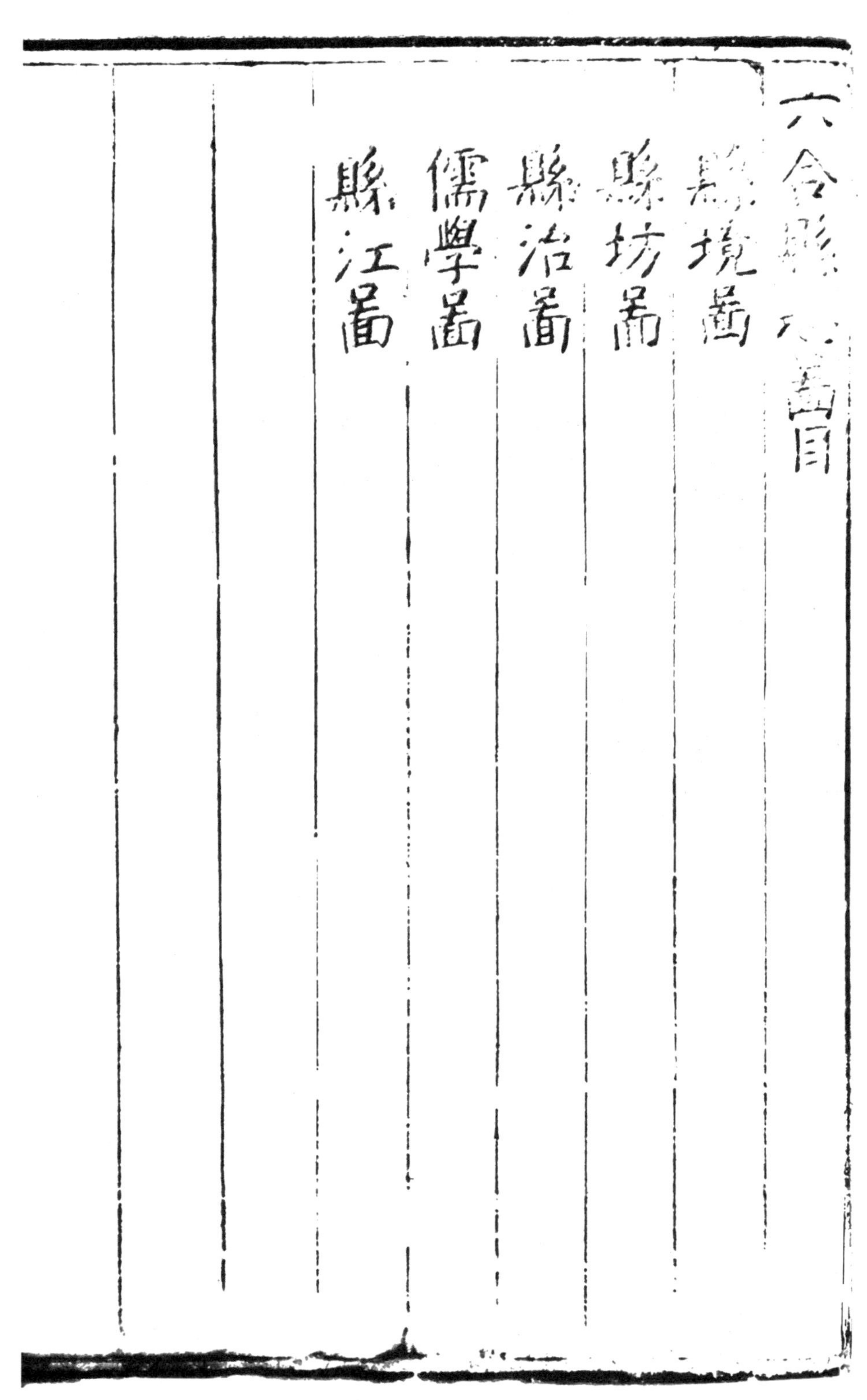

六合縣志圖目

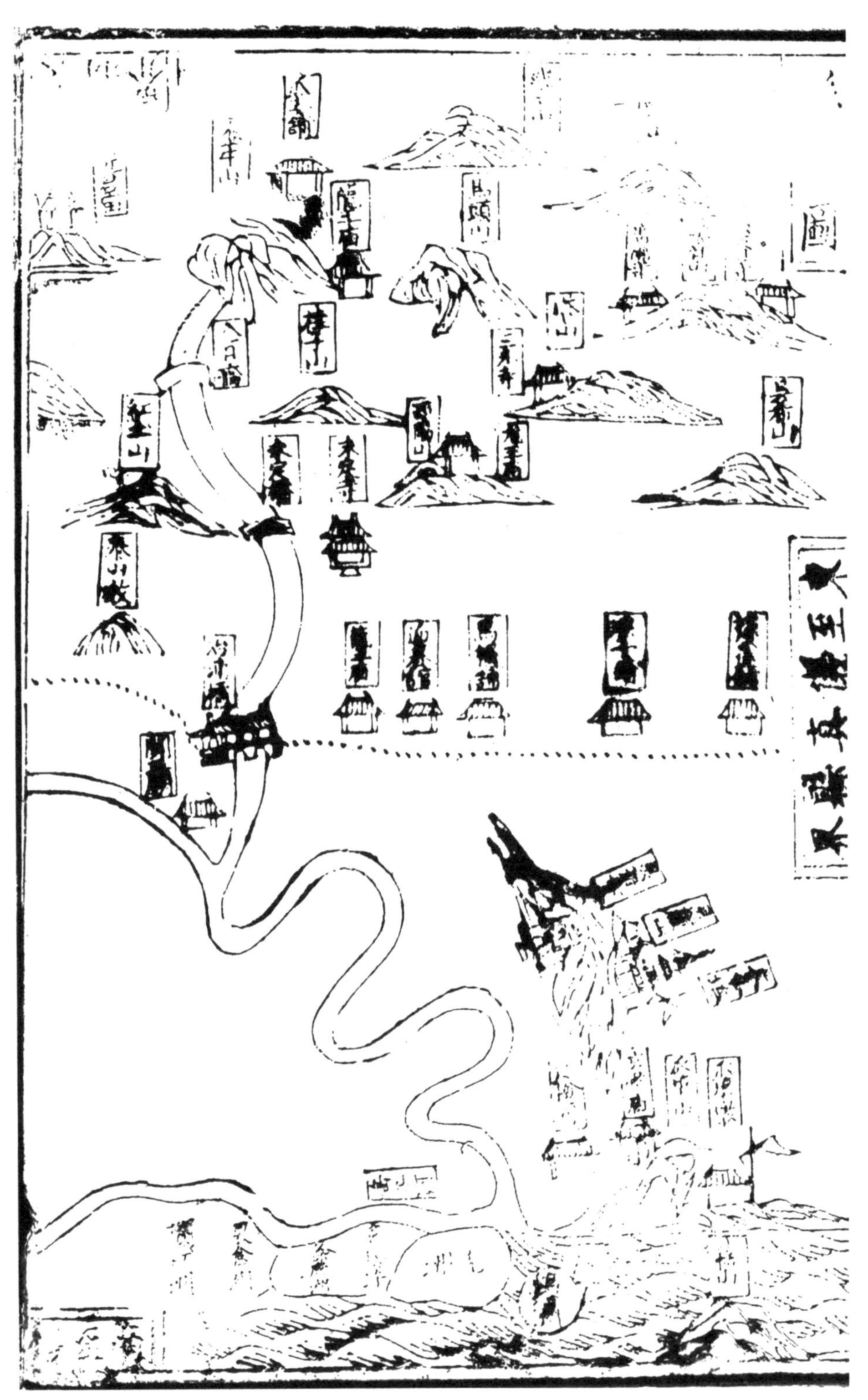
馬頭山

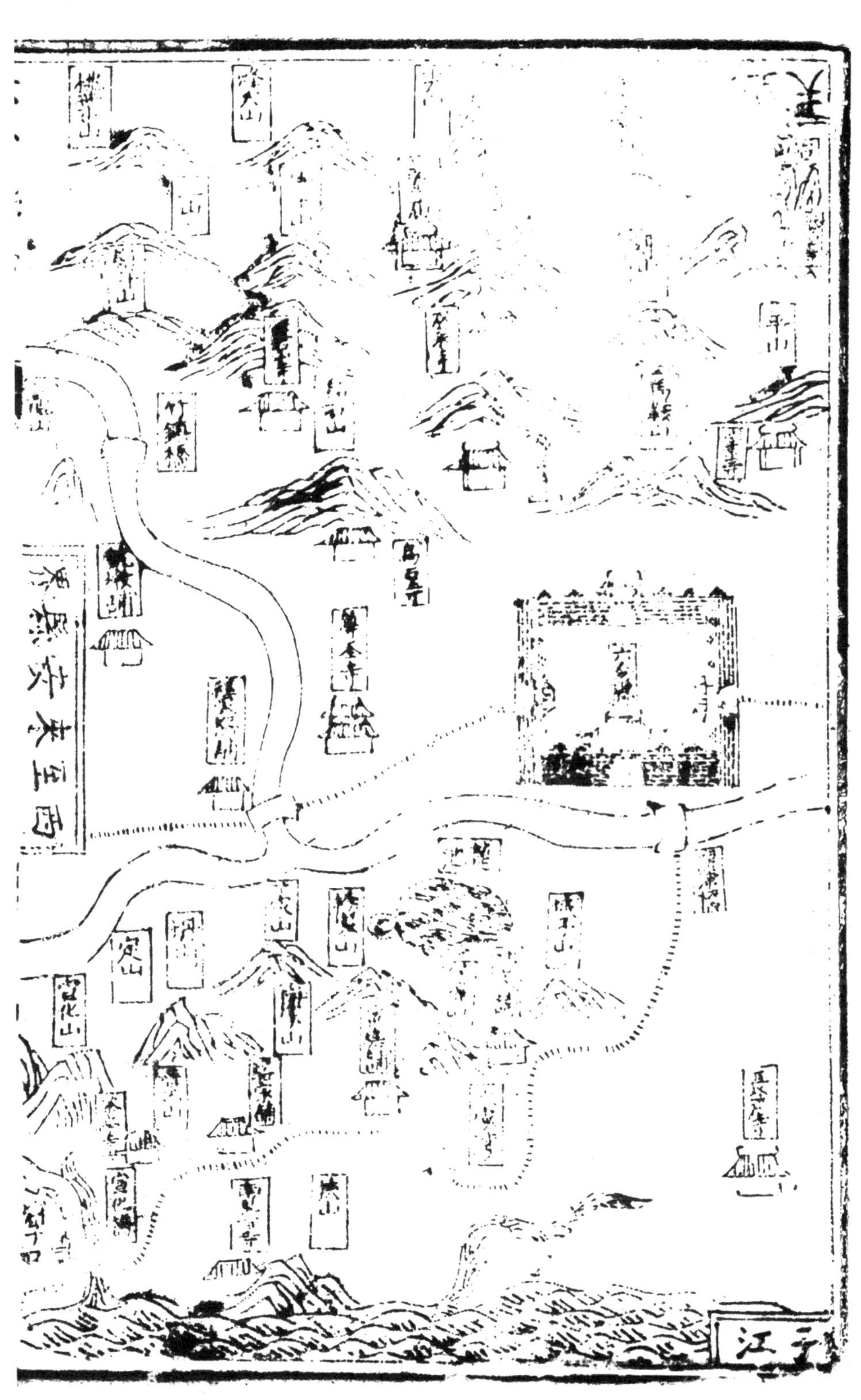
平山
定山
江

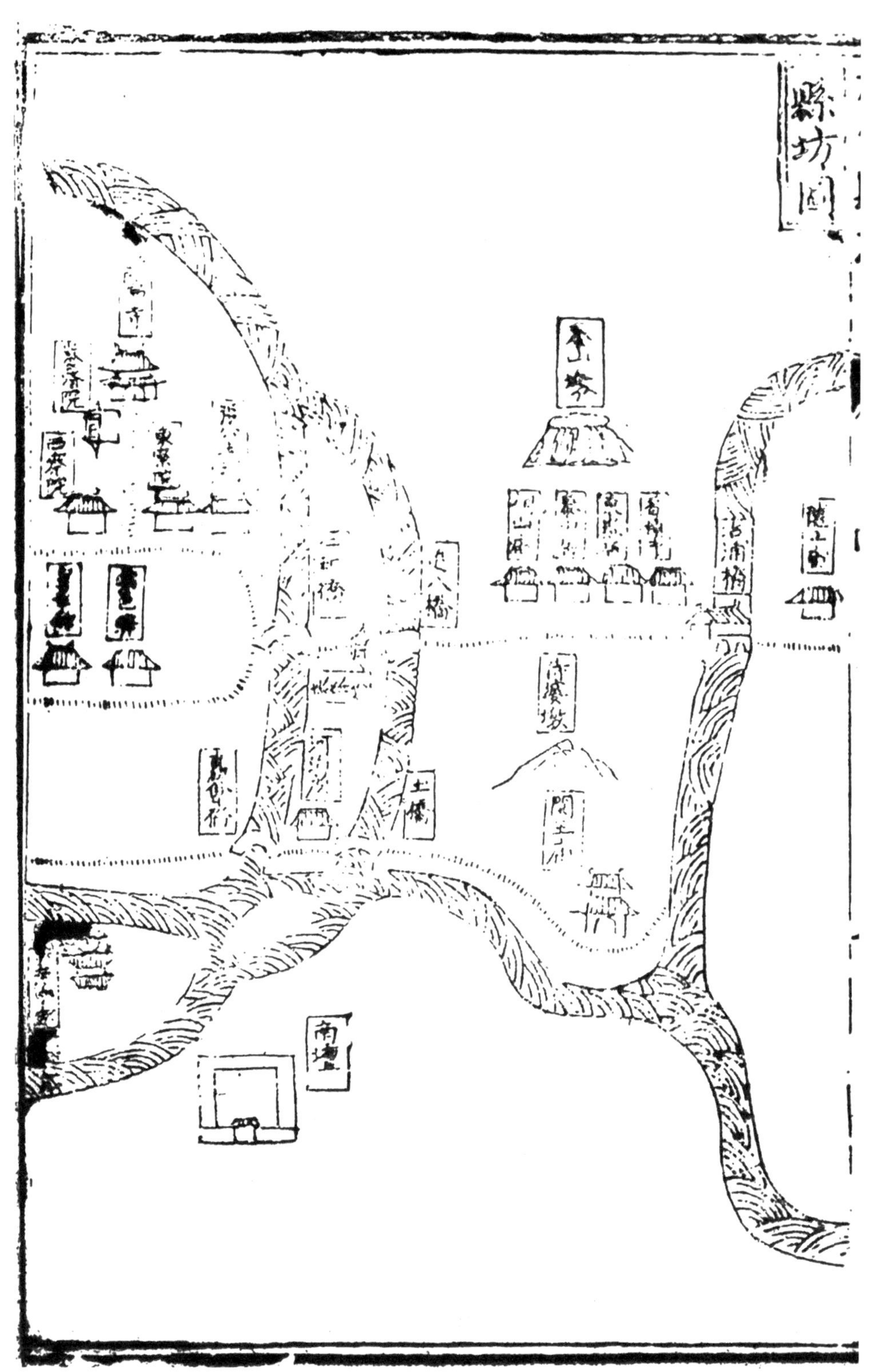
縣坊圖
南壇

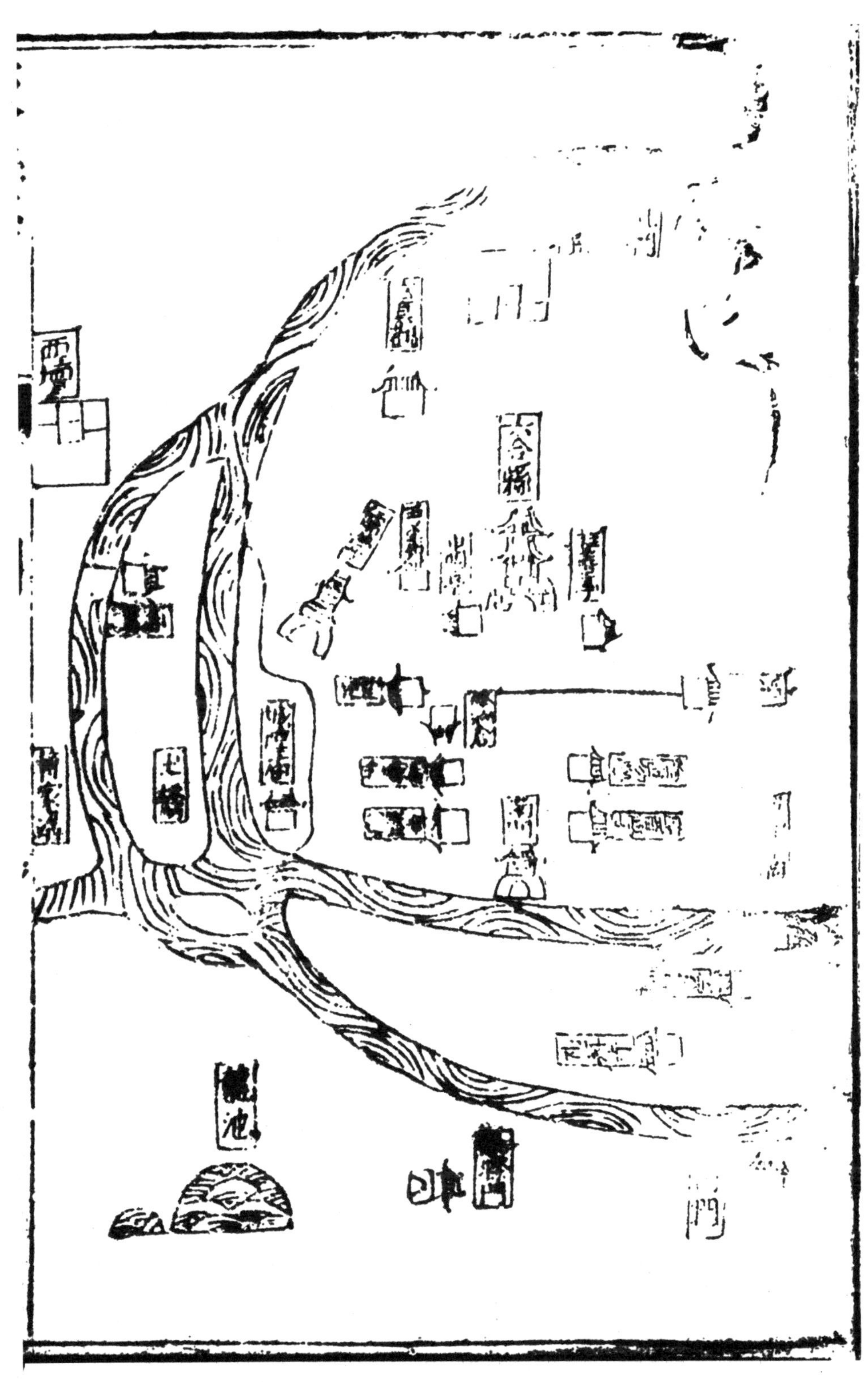
六合縣
龍池

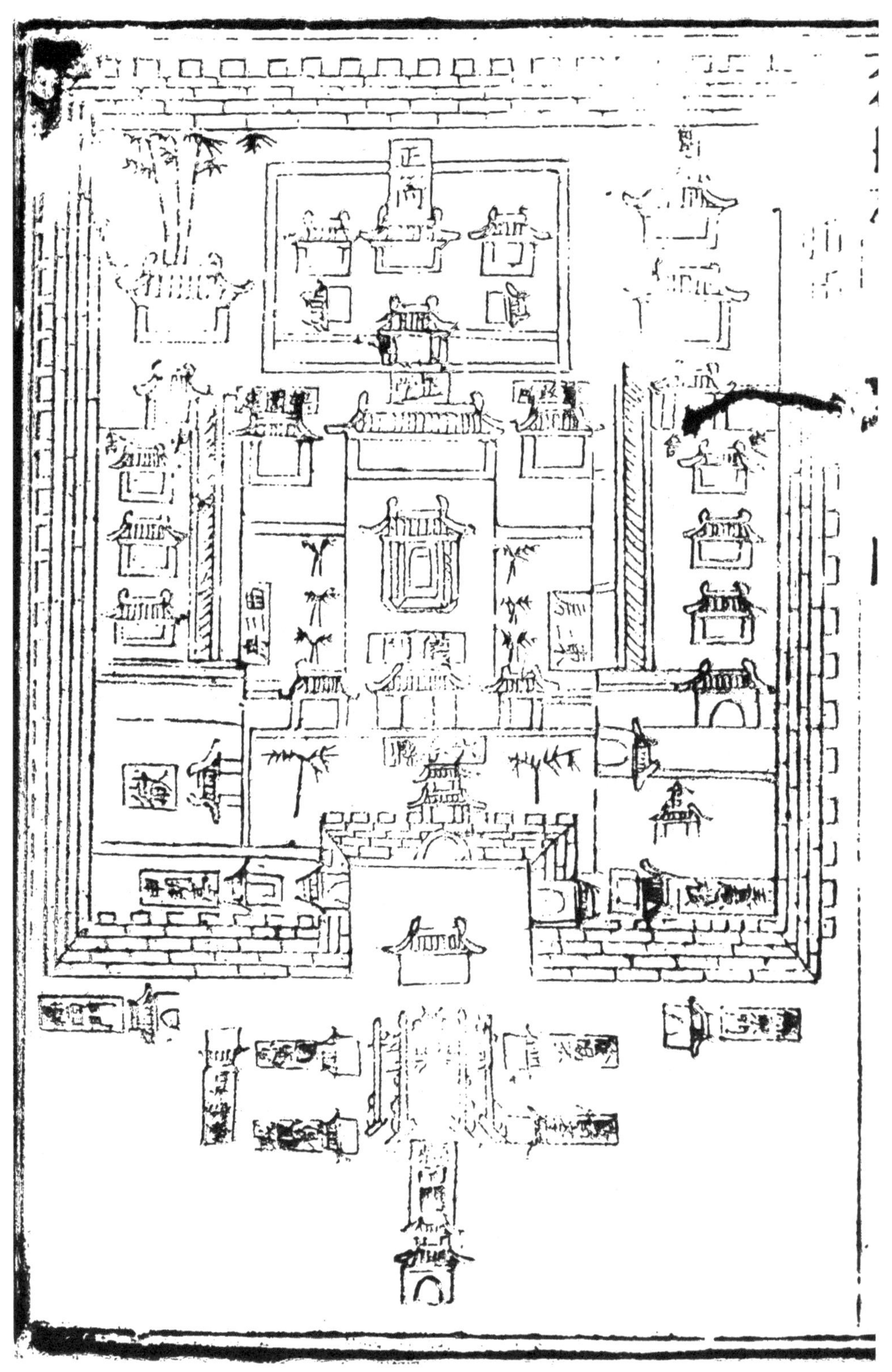

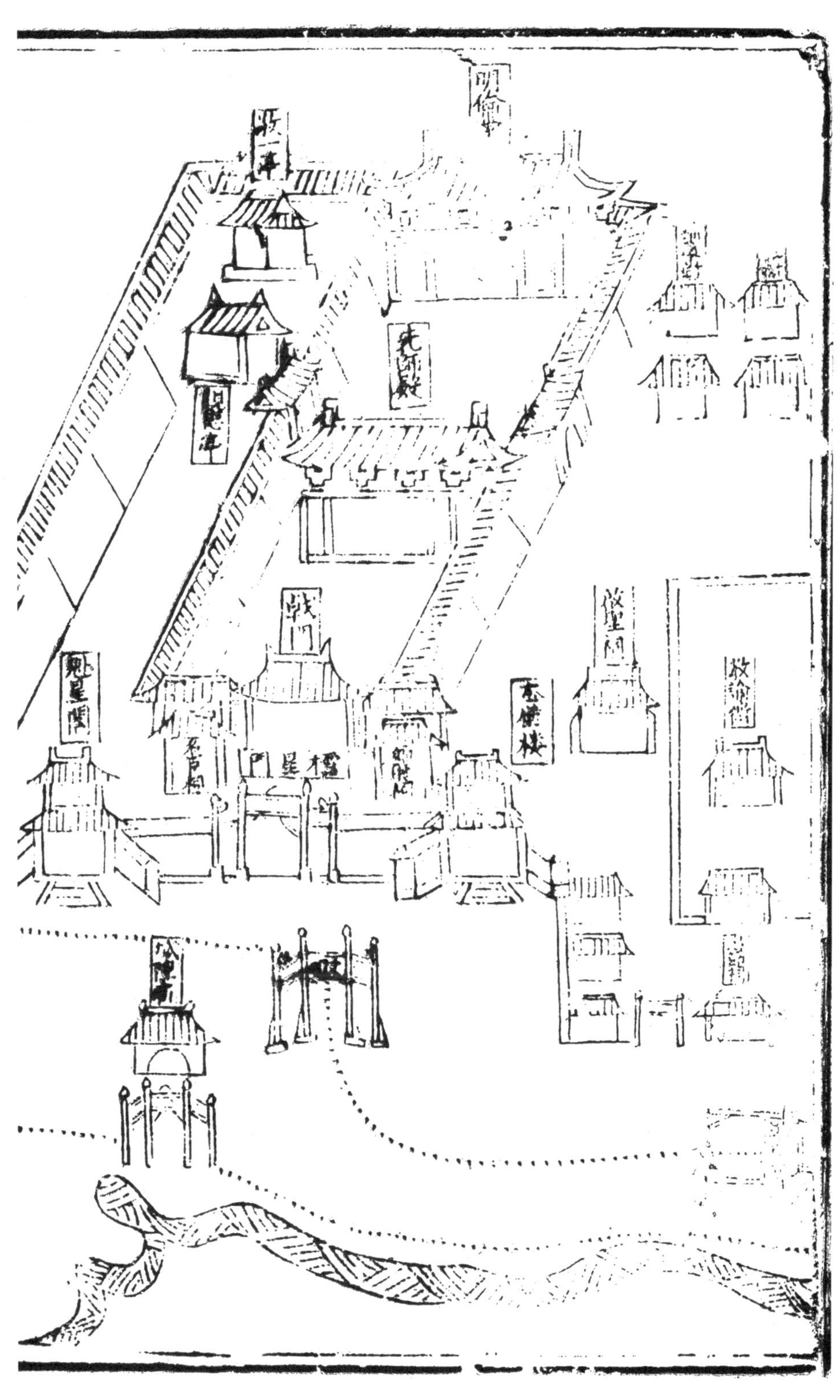
明倫堂
先師殿
戟門
櫺星門
魁星閣
教諭衙

六合縣志
境內江圖
巡檢司
紅山
北九山
江南

萬曆新修六合縣志

儒學教諭新安施一學

訓導南陵張士奇

貢生錢兆暘同校

庠生陸懷福

馬夢鼇

侯元奎

馮維新同修

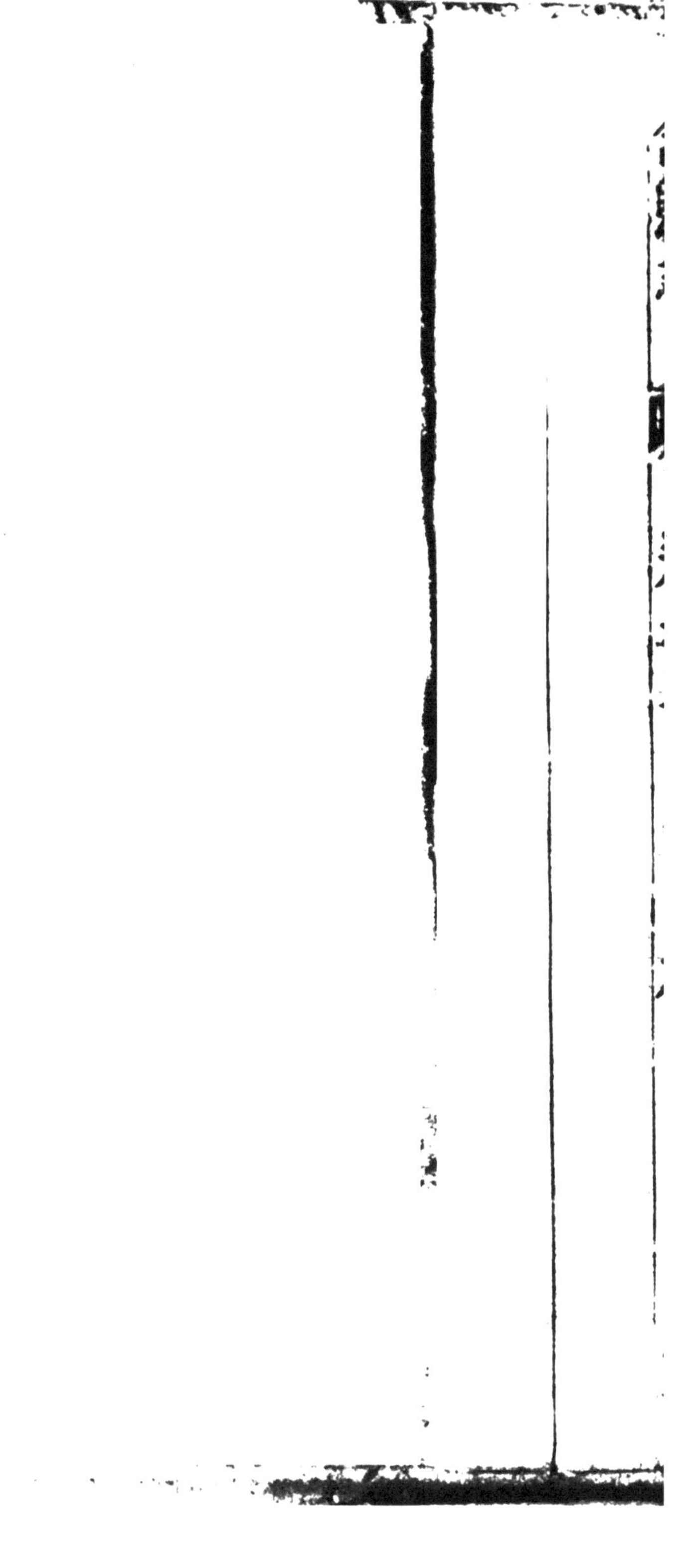

六合自嘉定有誌迄今修者凡六易諸刻矣[illegible]

[illegible]各不同而命意屬辭纂言敘事均有一[illegible]

[illegible]氏似不可沒因次第之以備稽考

宋[illegible]嘉定誌本縣知縣劉昌詩自修

永樂十七年奉

欽依備省郡邑俱脩

成化二年本縣知縣湛詔聘鄉官李璲脩周漏

校正

正德十六年本縣知縣林幹聘訓導師子阜庠生

鄭泰徐祿修

嘉靖[illegible]十二年本縣知縣董邦政聘鄉官黄紹文

[illegible]孫忱謝銳孫可久徐楠修

隆慶二年本縣知縣李箴聘鄉官黄驊楊郡修

諭吳邦訓導孫子羨盧文衢校正庠生黄[illegible]

察方澄瀓季宫朱鎮同修鎮改名應京

萬曆四十三年知縣張啟宗聘教諭施所學[illegible]

訓導[illegible]奇貢生錢垙賜校正庠生陸懷檣

侯[illegible]周維新同修

六合縣志凡例

一六合爲邑舊矣世遠言湮事多無考惟據成化志及考十七史并先哲文錄中所相關者輯之竊懼殘陋多所遺誤尚俟後之君子

一舊志所載間有文義不可曉者恐亦錯誤然未敢擅易皆仍其文而附所見于後其遺誤甚顯者則正之

一舊志止於萬曆二年至今又四十三年其事皆續之

一舊志分類未備今皆周詳增入其有分類其目
亦闕略今有考者皆增之攷縣志自宋嘉定修
至
國朝成化則年遠矣經歷兵燹難以考求故略
一宋嘉定間邑令劉昌詩所修志板已劘滅其本
無傳近於藏書之家覔得備本據其所載存可
采者增入
一分類爲綱列事爲目皆大書之其事下釋之
分註以便觀覽

凡例

萬曆六合縣志

六合縣志目錄

卷之一

天文志

星野

地理志

卷之五

人物志

卷之六

六合縣志目録終

天文志

○星野

周禮保章氏以星土辨九州之地春秋列國皆有分星觀妖祥古志載六合屬星紀或謂吳越南而星紀北牛女北也而[illegible]之揚州則慮若可鏡又況星經云[illegible][illegible][illegible]一千四百六里二十四步六寸四分有奇[illegible]一大府曾能當其一二處即今以[illegible]州當縣府亦姑取其縈耳區區一縣亦[illegible][illegible]分野殊非定論惟唐僧一行謂懸象[illegible][illegible]其本在地星與土以精氣相屬而不[illegible][illegible]屬其占則以山河爲限而不主中國眞一定之見然地有星野而郎官則上應列宿天人之際有感應之機焉[illegible][illegible]上義識能御

察天象審災祥修徵敗則
吉星恒見矣　星野志

周禮保章氏以星土辨九州之地鄭康成註云星
土星所主土也十二分之分星紀吳越也吳澄
[illegible]揚州[illegible]七
前漢[illegible]志云牽牛婺女揚州南斗之度
前漢地理志云吳地斗分野今之會稽九江丹陽
豫章廬江廣陵六安臨淮淮南皆吳地
後漢郡國志註帝王世記曰黃帝受命始作舟[illegible]
以濟不通乃推分星次以定律度自斗十一度[illegible]

至婺七度一名須女曰星紀之次於辰在丑謂

亦脅若於律爲黄鍾斗建在子今吳越分野

晉文志自南斗十一度至須女七度爲星紀吳

越之分野

隋地理志云揚州於禹貢爲淮海之地在天官自

斗十二度至須女七度爲星紀吳越俱其分野

唐志云揚楚滁和廬壽舒爲星紀分又云南斗在

雲漢下流當淮海間爲吳分

國朝清類分野書以六合為斗十分

地理志

〇沿革

厥初生民随地奠居先王建國視俗而區理有制此建置之始也六合濱揚子江[illegible]北在禹貢周職方揚州之域初爲棠邑自秦漢以來代有沿革[illegible][illegible][illegible]其因時啓治一也茲用志畧紀沿革

周靈王十三年 楚子昭元年

棠邑據于楚 楚地置棠邑大夫王而降楚然[illegible]傳得之今于服有貞之役棠於[illegible]

秋傳

資事林廣記通鑑古邑從以棠[illegible]

[illegible]伍尚爲諸侯[illegible]邑[illegible]

[illegible]人吞[illegible]則今泉棠邑縣等處了可安據

敬王三十四年吳子夫差十年

棠邑據于吳夫差城邗溝通江淮棠以為所有

按史記吳越春秋俱載專諸為吳棠邑人夷攷其時蓋景王二十三年也然棠至敬王始屬吳至漢始名堂邑二書抵據後事而載之耳故本縣嘉定志有譏

戊辰

元王三年楚子章十六年越子勾踐二十四年

棠邑據于越越尋與楚越勾踐是歲滅吳盡併其地惟江北淮上者則與楚

按嘉定志世表云春秋屬吳吳滅屬越越滅屬楚然楚有棠邑在靈王以前至顯王三十五年始滅越經史固章章也今正之如右

戊寅 秦王政二十四年
楚王負芻五年
棠邑襲于秦 秦王翦畧定城邑[illegible] 楚厲王負芻胥[illegible]

庚辰 秦始皇二十六年
始更棠邑為棠邑縣屬九江郡 始皇初郡縣天下分為三十六郡九江統棠邑縣
按諸志俱云秦屬九江郡未聞更邑為縣考太平御覽十道志并通鑑謹紀于篇

乙未 楚義帝心元年
西楚霸王項籍元年
棠邑縣據于西楚屬九江 羽立英布為九江王都六縣嘗屬焉

戊戌 西楚霸王項籍四年
漢王劉邦四年

棠邑縣屬廣陵淮南[illegible]

漢高皇帝六年

棠邑縣屬荊 從兄賈為荊王分封淮東五十二縣棠邑與焉

[illegible]年

以縣屬吳 賈為英布擊殺更為吳國以兄子濞王之統縣如故

景帝三年

以縣屬江都 更吳曰江都徙汝南王非為王縣仍屬

按志表漢初析九江為淮南與吳王[illegible]廣陵更名廣陵國各有棠邑隸屬之[illegible]可[illegible]淮南非析九江武帝始封胥廣陵[illegible]更封[illegible]廣陵止統四縣棠邑尚未與焉[illegible]

志謂滑南國除復爲九江郡後析置堂邑一
未考成周以前屬何州元狩後析彼而置者

世宗孝武皇帝元狩六年

始以堂邑縣屬臨淮郡下置臨淮郡領二十加縣是以郡縣與焉自後究名堂邑有

鐵官元封五年以
部隸徐州刺史部
按本縣永樂志載元狩元年屬臨淮郡未知何
自但漢書地理志最核而後之史籍類皆未據
角援入山東爲故也爲此地自漢以降未名
或爲縣恒沿堂邑之名時山東堂邑尚名
消與平樂耳隋始置堂邑於彼而定六人
故讀山東通志沿革之文而歷數各代
之隋以上堂邑皆今之六合隋以下堂邑
之山東堂邑而六合不與也考古者

天
元年

堂邑縣襲于莽屬淮平郡（莽改更郡名臨淮曰淮平仍領堂邑）

癸未

漢帝玄更始元年

堂邑縣寇于李憲（憲本莽廬江連率今據淮南九城遂有是地）

甲申

二年

堂邑縣歸于梁王永（永故梁王立之子也據國起兵臨淮等城皆下）

丙戌

世祖光武皇帝建武二年

後堂邑縣（蓋延克睢陽永走遂定臨淮郡縣為所復）

[illegible]

[illegible]年

以縣屬廣陵郡（郡領十一城仍隸徐州堂改屬於此）

按漢書郡國志大書堂邑於廣陵而註堂邑今
若猶屬之傳州矛盾若茲其餘可無惑矣第下
補註郡邑在廣陵嘉定志從漢志附
仍書棠邑蓋未嘗信縣為堂邑也

冲皇帝永嘉元年

順帝寇于張嬰尋復屬廣陵嬰攻堂邑縣撫尋討下見治亂紀

昭烈皇帝章武元年魏主丕黃初二年

堂邑縣襲于魏丕據中原有郡國六十縣仍屬廣陵郡隸揚州

帝禪延熙十三年吳主權赤烏十三年

堂邑縣襲于吳權作棠邑涂塘以吳讓為大[illegible]邑隸焉後亮曾城廣陵竟廢

廣陵餘見治亂紀

按嘉[illegible]舊志[illegible]所[illegible]後[illegible]當為實録[illegible]
村中[illegible]之[illegible]亦知人義[illegible]
所[illegible]任[illegible]闕之
[illegible]大[illegible]堂邑非[illegible]也

[illegible]世祖武皇帝太康元年

堂邑縣是歲伐吳吳主皓降得郡四十三堂邑遂升

按本縣嘉靖志云屬揚州秘考志云[illegible]在平吳時然晉書廣陵雖隸揚州而所[illegible]無堂邑故未敢紀其何屬

丁巳孝惠皇帝元康七年

始置堂邑郡郡即置于堂邑縣當隸揚州

按通鑑註及嘉定志儀真志皆紀于永興[illegible]晉書及永樂志載於是歲或者叙置郡援[illegible]

淮陵夫二郡國酒肝
地也豈同時而置耶

戊 顯宗成皇帝咸康四年

僑置堂邑郡于建康時江淮亂百姓多南渡乃置八郡幷所統縣寄居京
堂邑與焉以處
本邑流民也

按金陵世紀載於元帝渡江以後不係是年然
亦考晉書下觀嘉定志當以戊戌為正若山東
通志謂劉宋僑立
此郡則相去遠矣

丁 安皇帝隆安元年

始更堂邑郡為秦郡置尉氏縣初武帝分淮秦國及中原
亡南亂僑居堂邑故更置郡以處之治
宋化鎮江上尉氏亦為陳留附郡大夫

宋[illegible]郡[illegible]臨[illegible]劉
[illegible]元年[illegible]境

宋[illegible]郡劉宋之[illegible]
[illegible]本縣志俱無[illegible]真滁州志俗載其一
[illegible]見而紀之且臨江置於大明開始則元年下

宋順帝準昇明三年齊太祖高帝蕭道成建元元
年

秦郡襲于齊　蕭道成進爵為王增
封十郡秦郡與焉

齊治置于下邳郡　齊國[illegible]置此齊郡於都議者以江
[illegible]右土淤流民所歸乃置於氐[illegible]隸青
州[illegible]是時[illegible]三百九十有新置者齊是也
至[illegible]民[illegible]年僑齊[illegible]考廢於何時
[illegible]北[illegible]秦齊蘭菁熙亦僑立於是郡耳[illegible]
[illegible]自[illegible]陝[illegible]山右也故是編之外凡及秦[illegible]

[illegible]

昔匪宜援入六合桒儀真志備載六合[illegible]沿革而事悉紀之於彼豈爲吾六紀耶

齊和帝寶融中興二年梁高祖武帝蕭衍天監元年

秦郡襲于梁梁於郡始置六合縣縣有六合山故名

按[illegible]六合山前已辯其非晉[illegible]縣至[illegible]六合令必[illegible]於郡而令[illegible]六合而[illegible]六合之稱[illegible]自梁始而茲伯之老乃以山[illegible]豈有師次而非縣者耶

梁太清三年

郡陷于侯景景僭更為西兗州梁尋復之秦郡三郡侯景遂改秦為西兗尋復于梁

辛未　梁[illegible][illegible]文帝綱大寶[illegible]年

梁[illegible]以郡為秦州尋復郡　湘東王繹更郡為州以徐文盛為刺史後年齊人陷

是郡意未幾還後云

按通鑑註引五代志疑梁已置秦州與置六合同義但秦在北齊復為州而六合在後周復郡第更復之時莫詳耳

丁丑　梁敬帝方智太平二年陳高祖武帝陳霸先永定元年

秦郡襲于陳　霸先悉有梁郡縣秦郡仍隸南兗州未知何年為北齊所得改隸譙州

癸巳　陳宣帝頊太建五年齊後主緯武平四年

齊於郡置秦州及尅梁郡陳復取之　州前涂水過江浦當在秦

郡東南而郡置焉[illegible]即因地得名也

陳復之以秦郡[illegible]究餘尋廢

按來安志援秦州廣輿志援尤梁各與二邑違甚殆亦滁志許堂之淵單與綱目質實至謂尤梁為縣名則又誤矣

陳太建十一年

周宣帝贇大成元年靜帝闡大象元年

郡陷于周周改為方州隸六合郡尋割橫山縣置

石梁方州置於方山所屬當有方山縣尋置石梁省楠山入焉

按嘉定志縣紀謂陳為義州譙州世表謂周改秦州秦郡然然義乃所州等屬無與是邦是[illegible]有郡熊州周時改秦郡為方州耳月於周於六置方山縣則附焉得而省矣

陳[illegible]十三年

[illegible]三年隋高祖文帝楊堅開皇元年

六合縣[illegible]沿革[illegible]隸之其方州如故[illegible]

天名山

一縣

○[illegible]後[illegible]叛實至德元年

[illegible]三年

隋[illegible]六合鎮魏置於桃葉山

[illegible]德二年

○[illegible]皇四年

[illegible]改尉氏縣爲六合省堂邑方山二縣併入六合

屬方州後二年崔仲方上書有蘄和滁方吳海等州方州即此地也意隸揚州總管府按六合至是始爲定名而尉氏方山皆革矣本縣成化志據通鑑註載六合爲後周縣名其未聞嘉定之詳然

乙丑隋煬帝大業元年

廢方州以六合縣屬江都郡尋立方山府罷揚州總管府改爲江都郡遂廢方州即以縣隸之尋如江都立方山府於上游

丙子十二年

六合屬于社伏威方山府尋廢是年伏威屯六合州乍帝有宇文化及之從方山則當自廢矣

按方山在縣東境曰府曰州曰縣或六當罷真然周改秦州爲方而隋改方州爲六合縣唐書竹爵於古邑而能兵不貞也觀真志此帝於六而組揚志悉不入於真其非有見之筭

壬午唐高祖神堯皇帝李淵武德五年

六合歸于唐伏威入朝丁卯悉歸淮南州郡

甲辰 高祖神堯皇帝武德七年

置石梁縣復方州領之析六合西廿里置石梁縣以石梁六合二縣隸方州

丙戌 九年

以縣屬揚州廢方州為揚州總管六合與高揚仍立大都督府及淮南節度使

丁亥 太宗文武皇帝貞觀元年

廢方州省石梁併縣為緊縣時分十道揚州隸淮南府定六合為緊縣

按唐制定縣為七等而吾六為緊縣其等乃右于上縣云

唐玄宗明皇帝天寶元年

以縣屬廣陵尋割置千秋縣析縣東北境及江都高郵置千秋改揚州為廣陵郡按割合六至三皆為石梁千秋也二邑即今天長事見正史天長志顧漏武德七年之文何哉

唐肅宗皇帝乾元元年

以縣屬揚州復廣陵郡為揚州仍統六合

唐僖宗皇帝文德元年

[illegible]罹于黃巢六合自黃巢亂後遂經秦彥畢師鐸孫儒楊行密兵以寇賊不能制

昭宗皇帝景福元年

縣屬楊行密行密斬孫儒歸揚州遂制六合是為淮南後改號吳

[illegible]存敬塘天福二年係皇楊溥天祚三年南唐烈祖徐誥昇元元年

縣屬于唐唐改屬江寧府誥稱帝代唐有揚楚等三十三州六合隸揚乃改於江寧

漢高祖劉知遠乾祐元年南唐元宗璟保大六年

唐改縣爲雄州

按五代史職方考載是縣改州爲定遠載是事於後漢其事該矣但漢僅三年始紀於此[illegible]以爲南雄州而分野書中[illegible]志又以爲改天長爲雄州蓋[illegible][illegible]歐陽之筆也

周太祖郭威廣順二年

南唐保大十一年

唐復置六合縣

按五代史無唐復[illegible]之文然嘉定志備載同

唐之年且顯德三年[illegible]青六合則志必有

據

周世宗[illegible]帝柴榮顯德三年

南唐保大十五年 宋太祖及韓令坤等俱奉周

[illegible]屬于周 世宗命有事於縣縣已屬周

周顯德五年

[illegible]大寶元年

州鎮广周周尋廢之以縣屬揚州周平江北[illegible]十四縣

[illegible]雄州州乃廢州

[illegible]縣[illegible]揚州[illegible]

按一統志[illegible]志俱載南唐為[illegible]明為縣屬南[illegible]夫僕志謂五代為兩唐[illegible]三[illegible]紀[illegible]謂代更[illegible]不能悉進若江南歸[illegible]周志紀乎[illegible]諸[illegible]傳人[illegible]五年壽[illegible]獻淮南諸州由[illegible]考世宗實錄[illegible]當時若此[illegible]後世乎

[illegible]恭帝宗訓元年宋太祖神德皇帝趙匡胤建隆

庚申元年

縣襲于宋仍屬揚州宋建國代周尋平淮南李重進六合仍屬揚淳化四年分天下為十道揚屬淮南

丙申宋太宗皇帝至道二年

以縣屬建安軍割益永貞縣從知建安軍劉綜之請也縣同永貞並屬

明年定天下為十五路軍隸淮南其割附永貞者則縣之東境自帳慢港之東距胥浦也

按惟揚志嘉定事於三年今從嘉定志儀真志為是然成化寺志謂太祖時同求正隸建安軍真宗時亦以六合隸真州不知何所本也

癸丑 眞宗皇帝大中祥符六年

以縣屬眞州陞建安軍為眞州軍事至皇祐三年分淮南為東西州隸東路

丁亥 徽宗皇帝大觀元年

第縣為望縣陞州為望遂定六合為望縣云按嘉定志儀眞志載吾六為望縣及考太義稱宋縣有七等而望次于畿赤則又一之在矣故並表之以見六為職方之所重云

政和七年

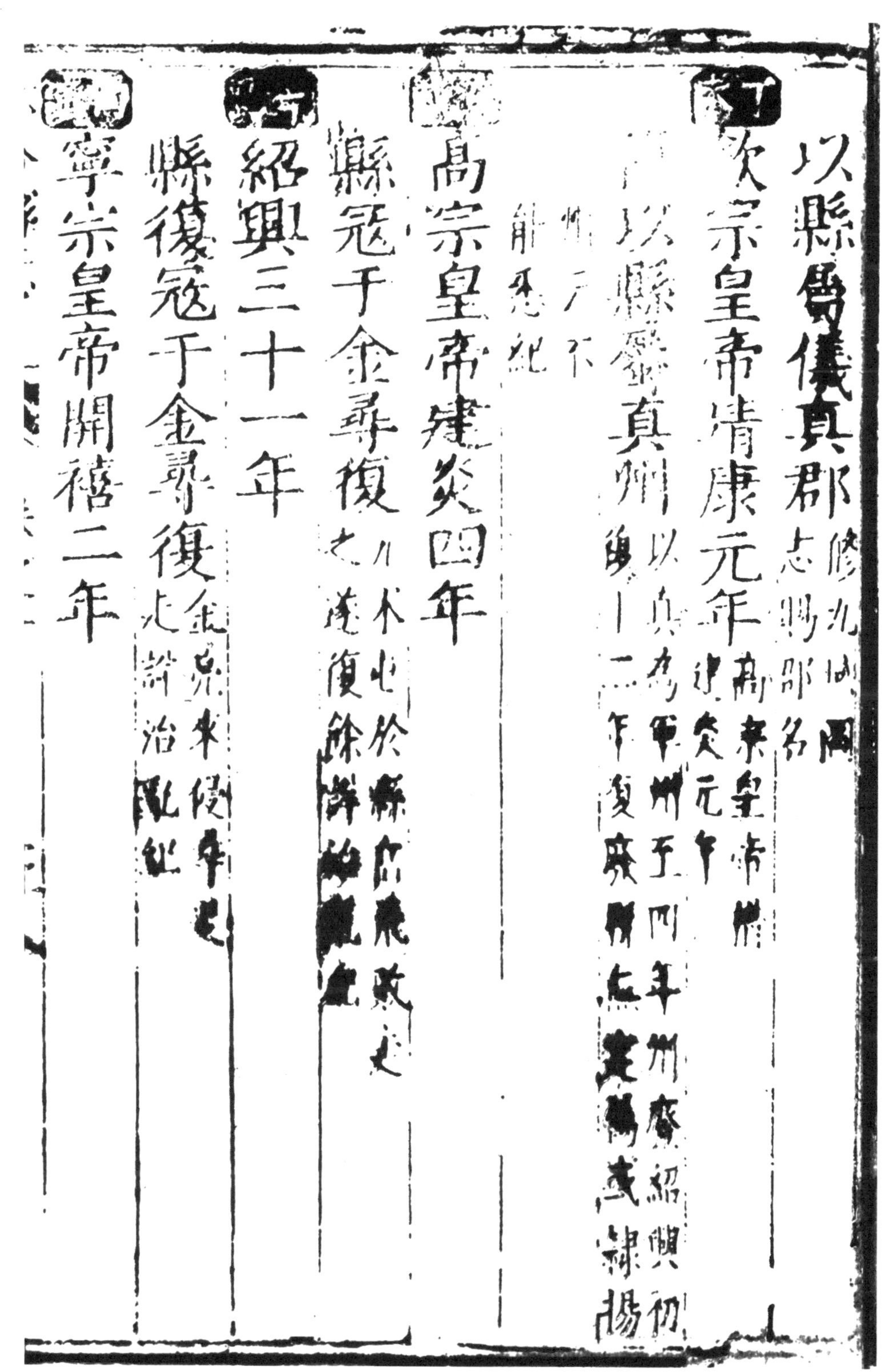

以縣屬儀真郡修九域圖志揚郡名

欽宗皇帝靖康元年高宗皇帝升建炎元年

以縣隸真州以真為軍州至四年州廢紹興初復一二年復廢州[illegible][illegible][illegible]隸揚州下不能悉紀

高宗皇帝建炎四年

縣寇于金尋復兀朮屯於縣[illegible]兵敗走之後復餘[illegible][illegible][illegible]

紹興三十一年

縣復寇于金尋復金兵來侵至是北[illegible]治亂紀

寧宗皇帝開禧二年

縣復寇于金尋復金紇石烈卜仁寇六合郭倪北走尋為郡兩淮復詳治亂紀

理宗皇帝嘉熙元年

縣寇于蒙古尋復縣尉程克己等戰沒蒙古兵尋引還互見治亂紀

帝㬎德祐元年

縣復寇于蒙古阿术既陷是邑遂東屠真揚明年苗再成建議以揚負取瓜步詳見治亂紀

元主忽必烈至元二十一年

以縣屬真州先是真州置安撫司尋改真州路屬江淮行中書省至是復為州隸揚州路按以六合為下縣隸揚州路明年改隸河南行省

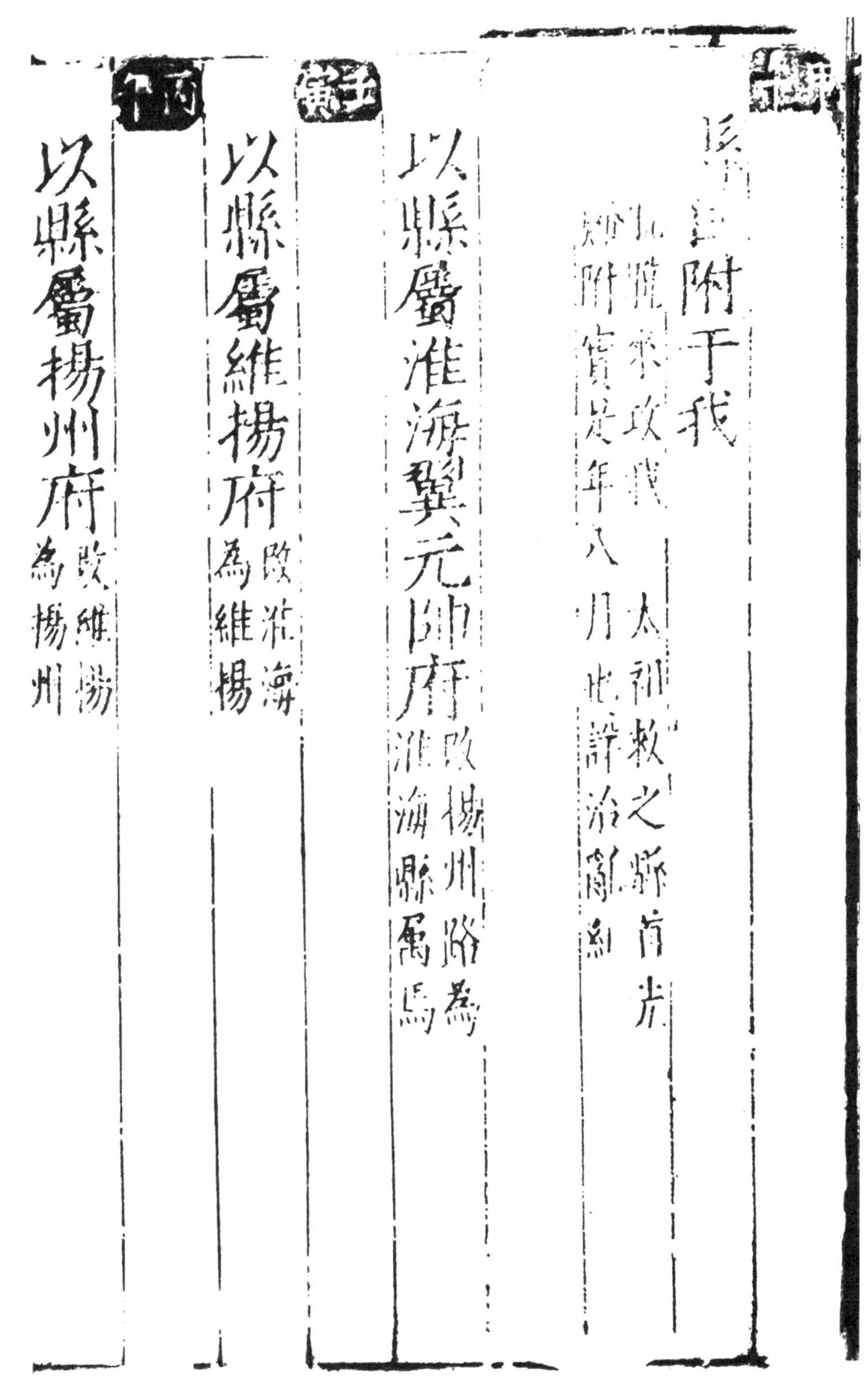

丁酉

[illegible]附于我 九月張士誠來攻我 太祖救之斬首岸 此附實是年八月也許治亂紀

壬寅

以縣屬淮海翼元帥府 改揚州路為淮海縣屬焉

以縣屬維揚府 改淮海為維揚

丙午

以縣屬揚州府 改維揚為揚州

設瓜埠三汊河泊所

宋　設瓜埠巡檢司

國朝　大明太祖高皇帝洪武五年

設儒學是年始給印買官並詳廟學

設稅課局後至正統間革景泰間巡撫周忱奏復之

[illegible]九年

割縣置江浦縣割縣之孝義鄉及滁和二州[illegible]江浦縣六合縣戶一十[illegible]

[illegible]天順間裁

廣輿志南京上[illegible]劉[illegible]江[illegible]南[illegible]紀[illegible]

[illegible]屬六合江浦志又[illegible]

[illegible]驛

辛酉 十四年

設僧會司

甲子 十七年

設陰陽醫學

己巳 二十二年

以縣屬應天府自是始別于揚矣應天爲京兆初領縣五自六縣來屬分析置江浦

續增高淳共八縣云

壬午 縣附于我
成祖五月六合歸附

癸未 成祖文皇帝永樂二年
設六合驛後革

壬辰 憲宗純皇帝成化八年
設道會司從知縣唐韶之請也

按六合歸附
皇明定爲開天首邑雖永陽姑孰莫先焉永樂志非
無據也公署之設謹詳紀之以昭
列宗重熙之治

○疆域

內中國外四夷次天下之疆域也盡天下爲九州中國之論郡布於藩國經野則封域之界益嚴爲按撫行州司守之道也疆域志略有考今之制可無志乎志

六合[illegible]接儀眞西連滁州東西廣八十里南接江[illegible]川至天長南北袤一百六十里

東至儀眞縣界褚家堡鋪三十里自鋪至儀眞縣四十里

西至來安縣號墩石界牌五十五里自界牌至來安縣三十五里

南至江浦縣界浦子口七十里自口至江浦縣二
十里
北至天長縣界瓜蔓舖五十里自舖至天長縣四
十里
東南至本縣瓜埠口二十五里渡江抵句容縣一
百二十五里
東北至儀真縣烏山五十五里自山抵高郵州
百九十五里
西南至江浦縣界真相舖八十里自舖抵和州一

其左滁水經其右據山水之間號佳麗地而
都城[illegible]之雄允賴此以拱衛云

○山川

粤自地闢神化攸寓山峙川流自嶽瀆而
下者何限六合雖僻於百里莫不有山川
為列六峯拱合邑以得名長江天塹名[illegible]
設險關一統志所載見齒於天下者不一
[illegible]山川之勝槩可
知巴因以類志之

定山在縣南六十里高二百六十丈周一十八里
有峯六曰寒山曰獅子曰雙雞曰芙蓉曰高
妙曰石人一名六峯山六峯對峙拱合又名
六合山邑之得名以此巖二曰觀音曰達摩
泉三曰虎跑曰真珠曰白龜山南屬江浦

氐埠山 縣東南二十五里舊名氐步山屹立數十仞內障滁河口外瞰大江魏太武南伐嘗建行宮於此山半有甘露井井側有民立玄武廟山頂有井俗傳瓜果所鑿二井俱湮塞止存遺蹟 國朝設巡檢司於山側[illegible]以司盤詰因山為峰據上建標樓窩舖[illegible]十年知縣董邦政因江盜竊發益[illegible]兵瞭戍後以昇平稍息然無虞之誡亦不可忘也 氐埠觀潮八景之一有詩見詩類李道備投拓跋燾緣即此

靈巖山 在縣東一十五里高二百二十一丈周一十九里山無銳峰而巖巒層聳四面如一郝滂叙云巖峻常有靈瑞故曰靈巖其南有偃月巖又前有鳳皇臺右有鹿跑泉白龍池萬山亭東有嵐光軒軒有碑書靈巖二大字亭軒俱廢碑字亦失所在巖下為法蒙禪院乃唐僧神建道場祊唐武宗會昌五年[illegible]毀嘗造道觀有仙遊亭綠羅亭望江亭新[illegible]

亭南軒亭思眞閣懿宗咸通中廢道觀今作
建塑佛像歸山今寺即遺刹也宋淳清間本府
通判劉懋知縣史朝宗作興文教建梓潼觀
萬曆年間知縣黃象烈造塔基于山四十一
年知縣張啟宗捐俸建塔七級升頂之日五
色雲環繞其巔縣丞湯賓尹撰文記其事

符融山在縣東北三十五里舊云符融城此因
名但符融至泗水而敗安得築城於此

黃董山在縣東北三十五里高一
百四十丈周一十六里

馬頭山在縣東北三十五里高七十五丈周一十
五里嘉定志云山峯雄秀絕頂一石高丈
餘窪嵬突出中一穴方圓徑尺水清而不竭
里人以絲纜懸石投之莫測其淺深世傳以
為有龍
居焉

西陽山在縣東北二十五里

牛頭山在縣東北五十里上有一石如牛狀成化志載嘉定志云俗傳山有鐵牛毋子在上昔日共子衝開河道九灣九曲是爲滁河按此似涉本經姑傳疑焉

冶山在縣東北五十里相傳爲吳王濞鑄錢之所因名山有天井白苧池鐵牛洞

峩眉山在縣東北四十里接儀真界縣秀如蛾眉然故名

柱子山在縣東北四十五里

吳沛山在縣東北三十里

栈子山在縣東北三十里

塔山在縣東去符融山五里舊名疊層山唐貞觀初勑改塔子山郟滂有詩見詩類

馬鞍山在縣北二十五里狀似馬鞍故名

尖山 在縣東北五十里高二十二丈周二里

龍山 在縣西北五十里高一百二十丈周一十八里其形蜿蜒如龍靜敍白山半有祠山廟北有龍山寺西連豆一山入來安界鄉民謂之西龍山謂此為東龍山

趙家山 在縣西北五十里高八十丈周一十九里

熨斗山 在縣西北四十五里高一百丈周七里

練山 在縣西北三十里高一百丈周九里

地龍山 在縣西北三十里高一百丈周九里

盤石山 在縣西北四十五里高九十丈周六里

巴山 在縣西北四十五里高四十丈周二里

佛子山在縣西北四十五里

三山在縣西北界天長來安二邑六十五里竹鎮港之水出焉

烏石山在縣西北四十五里上有烏石寺

麝香山在縣西北四十五里

烽火山在縣西北六十里

桃葉山在縣西北七十里隋開皇三年置六合鎮於此山見嘉定志

獨山在縣西四十里高六十丈上有湖周二里郟滂有詩見詩類

盤城山在縣南五十里有龍洞盤坡高原臨馬昌河通宣化鎮

宣化山在縣南六十里高三十七丈周三里按嘉定志晉安帝隆安初置秦令於六合[illegible]

[illegible]山在縣治東一里通衢北東[illegible]後高十餘丈周百餘步

滁[illegible]山在縣[illegible]南[illegible]十八[illegible]大[illegible]山[illegible]

晉王山在縣南六十里高[illegible]九丈周四[illegible]舊名[illegible]爲臨[illegible]出六合[illegible]於[illegible]山[illegible]之[illegible]名[illegible]晉[illegible]名[illegible]以廣[illegible]所晉王耳迪[illegible]一[illegible]名[illegible]以廣[illegible]所晉王耳迪[illegible]一紀[illegible]可據[illegible]云在[illegible]拔是後[illegible]晉王[illegible]時[illegible]豈百里外[illegible]

城子山在縣西南二十五里

狹山在宣化山東北去縣九十五里

堋山在[illegible]五里[illegible]

保得山 在縣西南二十五里

楊家山 在保得山北距縣二十二里

旋渦嶺 在保得山北距縣三十八里

龍洞 有二一在馬頭山上歲旱禱雨輒應一在盤石山上

豆姑坂 在胡村澗上按成化志載豆姑坂在胡村澗上胡村澗在豆姑坂下及考嘉定志云亦然竟不知一地所在不詢鄉民亦絕無人知者豈當時失考傳訛以至于今歟抑將有此地而何時改其名也殆不可曉矣

登山坂 [illegible]

[illegible]坂 在保□鄉

摩頂峯在縣南二十里四面岧嶤可愛　蓮花峯在縣南三十里

太子山在縣東南二十里六步山東金人嘗伏於此俗名接金太女立營壯伏僅俗誤通稱爲□子也　天井山在縣北三十里

小帆山在縣東南四十里大江中高丸丈高半里□挿江特出若片帆然一名礬山以讀□如礬上有落帆將軍廟北有出佛洞實□云小石山即小帆山也又名石帆堆宋鮑照有石帆銘見文類

紅山在縣東南四十里瓜埠山東以土色名一名赤岸山郭璞江賦鼓洪濤于赤岸羅君章詩赤岸若朝霞見南畿志兗州記曰瓜埠山東五里江有赤岸山南臨江中濤水自海入江衝激六七百里至此岸其勢方衰

屏山在縣東北四十里望之如屏

蜀岡在縣東北三十里東接儀真北抵江都綿亘數十里舊傳地脈通蜀土上有蜀井或云產茶味如蒙頂故名見維揚志按縣去蜀[illegible]千里山川隔越何緣通脉於此[illegible]說近是右[illegible]將軍陡[illegible]俊自常川行[illegible]泰州進故揚州也于此宋泰州[illegible]詩見詩類

松林岡在縣北三十里

盛家岡在縣北三十里

鐵牛墩在縣東北二十里聚如牛形有二泉從牛鼻出其氣腥止可溉田不可飲

青絲墩在縣北二里

五里墩在縣北五里

[illegible]在縣北二里

四號墩在縣北二十里

崑崙闕卽蜀岡也熊曉昧云柚[illegible]月指與相[illegible]是亦蜀岡殺名其說本宋蔡[illegible]文南唐後[illegible]蜀工貨行[illegible]竹洪六[illegible]對劉則地脉之說亦有之也

白[illegible]在縣北[illegible]州三十里

石子岡在西南五十里

唐公山在縣北五十里與冶山並

行徑山在縣西南三十里其北為牛齒陂

方山在縣東三十里宇文周置方州以此陳沈炯有自傷詩

橫山在縣東三十里[illegible]置橫山縣宋建元中劉綱嘗隱此咸淳中施忠等立功俱在此

丁家山在縣南[illegible]里高三十三丈周一里

張家山在縣東北十里

紅土山在縣東北五里

梅家山在縣南五十里

菖蒲蕩在滁河側

竹墩即竹鎮宋金兀朮屯此

煙墩在縣西南三十里

卓錫泉在定山寺門右宋劉昌詩詠六峯有四[illegible]卓錫一水也梁時僧達摩曇坐石岩思[illegible]域水以錫杖卓石遂涌泉

西河天禧二年范仲淹開長蘆西河又名沙河

[illegible]河在東南二十五里淳熙年郎劉即今河干葺也

揚子江　縣東南二十五里滁河入焉自□□□又至瓜埠東溝一帶皆係縣境照嘗□□自昔江寇出沒肆掠後知縣董邦政繪□江防爲務沿今承平日久然亦不可以忘備後之蒞茲土者且尚留意哉

滁河　在縣治前東自廬州府梁縣發源越滁和州界合五十四流入縣境有二汊又名二汊河其當縣治前人名龍津東南轉折三十餘里入大江湖旁有詩見詩類

冶浦河　在縣東二里許其水東北通天長界南入滁河合流

皂河　在縣西北三十里其水從北入滁河合流

濁河　在縣西北四十餘里其水從北入滁河合流

馬昌河　在縣南五十里其水從南入縣河合流

東溝 在瓜埠山東十里縣防江口臨接儀真境

黃湖港 在縣西北二十五里其水[illegible]河分流

程家港 在縣西南[illegible]水由[illegible]

梁家港 在縣西南水由東入滁[illegible]

龍關港 在縣東南十里近靈巖山下

時生港 在縣南二十五里其水水接瓜埠所入楊子江

芳草澗 在縣東水定[illegible]北通沈家湖橫塘入合[illegible]河府[illegible]滌物及郡漲俱有詩見後詩[illegible]

桃[illegible]澗 在香港上流成化志有載不詳所在[illegible]志小[illegible]且[illegible]言[illegible]京一山水竟不[illegible][illegible]

三山水[illegible]

[illegible]俗說豆粒如[illegible]下[illegible]湯[illegible]張[illegible]山

明[illegible]以[illegible]鑿[illegible]赤帝有經絡前[illegible]水[illegible]

[illegible]白浦 在縣東門內[illegible]餘步

通惰泉 在縣[illegible]其五十里冶山祇垣寺[illegible]云唐有梵僧八百至寺求齋[illegible]泉茶有小頭陀屈指[illegible]山泉[illegible]味同蜀木[illegible]僧去不知所在[illegible]名通[illegible]入有[illegible]者即此[illegible]也[illegible]化

花石浦 在縣治南門外

蝦蟆浦 在縣東南八十餘步

白家嘴 在[illegible]十五里

蓮花浦 在一都蓮花里

王家溝 在縣東南三十五里入江

石[illegible]灘 在縣東嘉定志在滁河東岸以河底有石故名[illegible]人呼為張家灘紹興間諸軍嘗期會於此

造浮橋直

造[illegible]界

[illegible]水[illegible] 縣東南十五里其水縈[illegible]三週[illegible]巖兩[illegible]溪口水逕而陸近疑即今大小長灘也[illegible]興甲申蔡開其灣[illegible]船往有詩見詩類[illegible]為魚[illegible]之中今之急水溝也淳熙[illegible]

河[illegible]灘 [illegible]河即此西河是范公領滁東[illegible][illegible]在[illegible]長蘆河引江[illegible][illegible]入江以便漕運蓋渡江[illegible]

龍池在縣南九里餘其水至清深尋丈無竇祭祀
細物宜流漂有兩鳥似人銜竹鳥下淵護焚
測舊傳懸絲費石後之不能及底有人泛舟
池內風濤驟起以為有神龍居之故以名池
池出魚肥美前任知縣鄧濟[illegible]政令人承
佃每歲春仲採捕獲魚甚多近歲[illegible][illegible]手咸
因禱雨靈應留出各佃假池為獲地[illegible][illegible]穀
職龍神致有乾旱拘至關撥每年止作春命
漁戶一次網魚辦養馬費餘歸河泊所管神
安民悅相傳六峯八景其一龍池釆網有詩
見詩
類

放生池攬嘉定志在香積寺側西有水關東有蔓
草亭九域志云舊為兵教寺即唐顏真卿
所書七十二碑之所也後因築城湮塞遷於
龍池按所謂兵教寺及顏真卿所書今皆無
考其築城湮塞則指池言遷於龍池疑為蔓
草亭耳非移放生於龍池也餘志界有辨

白龍池在靈巖山上

鹹池在縣北四十五里因池名鄉古有鹹池鄉

白墳池在縣西南一十五里

聖水在縣北二十五里能治瘋疾土人祠之後因一丐者滌瘡遂涸祠亦廢今有遺址可考此據成化志所載按嘉定志聖水有二此其一也其一在符融山頂米[illegible]窣間一僧造塔其側泉亦能已疾民爭取之有神足迹僧去井不復驗今二水俱涸惟名存爾

東溝水在長蘆寺側宋紹興十八年淮南運判流[illegible]謂開以艤舟舩所與上人相視地形即[illegible]應廟東疏為港命寺僧法空主其事港長六十餘丈闊六十丈餘有碑記今[illegible]

[illegible]

[illegible]

○城池

易曰王公設險以守其國設險成[illegible]城郭之防其不可闕不可無一[illegible]所在重務也六合今無城池而[illegible]古有之顧志之所存條[illegible]

宋嘉定志云六合舊城東過冶浦橋之東西過今城之西南跨滁河之南北過今城之北按北城今在宋以前有城可知乃跨河為城也後不知何時廢僅典籍無考

紹興二年步帥閭仲請于朝就舊濠築城命步司

統制楊世元董其役名北門曰德勝東門曰寧真西門曰清滁南門曰通濟在宋志云出真州按此南門曰通濟則河在南門之外乃河北自爲一城非復跨河之舊矣際興元年瀝禦郭振帥步軍築城戍守西展思治坊北展太平坊之地又於城北開濠積土固爲城壘而太平坊在城濠之內又數年修築河南遠城包順義坊之地由是縣之南北跨河爲二城矣右宋志所載文多訛舛殘缺擬郭振[illegible]城在闕仲城北添築一城而勢相連[illegible]河南則別爲一城乃三城也故宋志載有三城之制今錄于後

座通長八百六十四丈五尺垛頭八百一十二箇計四里[illegible]百八十九步高二丈二尺面一丈五尺磚包砌城上砲臺二十四座

座與土城相接通長五百七十五丈三尺垛頭四百四十九箇計三里七十步三尺高二丈五尺面濶一丈五尺磚包砌城上砲臺一十座

土城一座在縣浮橋之南通長五百五十四丈五尺垛頭五百一十三箇磚砌一十九箇土四百

九十四箇計二里三百九步高一丈六尺面濶

一丈二尺城上砲臺二座

絡城濠總一千七百八十丈四尺深一丈以上有

差（以上俱宋嘉定志）

成化志云本縣舊土城一座周圍七里許歲久

坍塌不存止有遺址成化十年知縣唐鎬以四

顧無門無以防禦乃構四門門爲屋三間各[illegible]

[illegible]東曰來宣西曰鍾秀南曰迎恩北曰[illegible]

[illegible]有闢城外四門[illegible]

揚州遂不復是築其徙城揚州不可考所謂不敢建築治不設成化志謂土城坍塌盡既有土城則支干土者自當相繼完葺錮久矣火變故皆有待發至斯塌者耶是或臆度之詞耳史有傳疑之法存之以俟

兹據見存之迹志之於後

來春門在縣東三里嘉靖十八年備迎梓宮初□□□撤之後不復建今即治浦橋東

鍾秀門在縣西三里萬曆四十二年知縣張啟宗建門樓一座

迎恩門在縣南一里

瞻闕門在縣北一里

小東門在縣東一里河下

迎秀門在縣治西萬曆四十二年知縣張啟宗建門樓一座俯瞰滁流浩淼一碧

通滁門 在迎恩門西舊名小南門嘉靖間燬于火知縣黎循典重建改名萬曆四十一年知縣張放宗鼎建樓一大楹路達滁陽祗迎恩使必由斯道

小北門 在縣治北仁和橋巷

城河 四門外水道周迴中通仁和橋

城埂 在城河內土阜延袤按城河城埂久為居民開墾嘉靖二十七年知縣邵琛謂民業官地而不納租非法也查名認租俾里長取為官馬之費後貧民不能辦知縣董邦政謂其民租則民以為巳業將遂廢其河埂之迹其作當興建城池者殆無可據況貧民不任租稅孰若蠲之為便遂巳

○坊市

易神農日中爲市□□□有凡各坊市之制尚矣今之坊市凡郡邑□□之有要別代之居址便民之□易爲民生計也凡坊爲科第立者則又章善樹聲之遺意云

文明坊 在儒學文廟前見廟學志

科第坊 在儒學街東嘉靖十二年民家火延及之知縣茅宰重建嘉靖二十七年知縣邵濂修更扁曰登瀛三十一年知縣董邦政重修增扁曰多士

魁英坊 洪武十七年爲舉人余文立

攀桂坊 洪武二十三年爲舉人許暘立

登科坊 洪武二十九年爲舉人傅繼立

晝榮坊 洪武二十九年爲舉人[illegible]立

登第坊洪武三十二年為舉人夏閏立

擢秀坊永樂三年為舉人尹昱立

攀雲坊永樂二年為舉人孫智立

步蟾坊永樂六年為舉人繆衍立

進士坊在崇德門永樂十三年為進士郭獻立

折桂坊永樂十六年為舉人劉晏立

冠英坊宣德七年為舉人田琮立

文魁坊在龍津橋南正統三年為舉人季[illegible]立

漱[illegible]坊在訓義坊東正統十二年為舉人[illegible]立

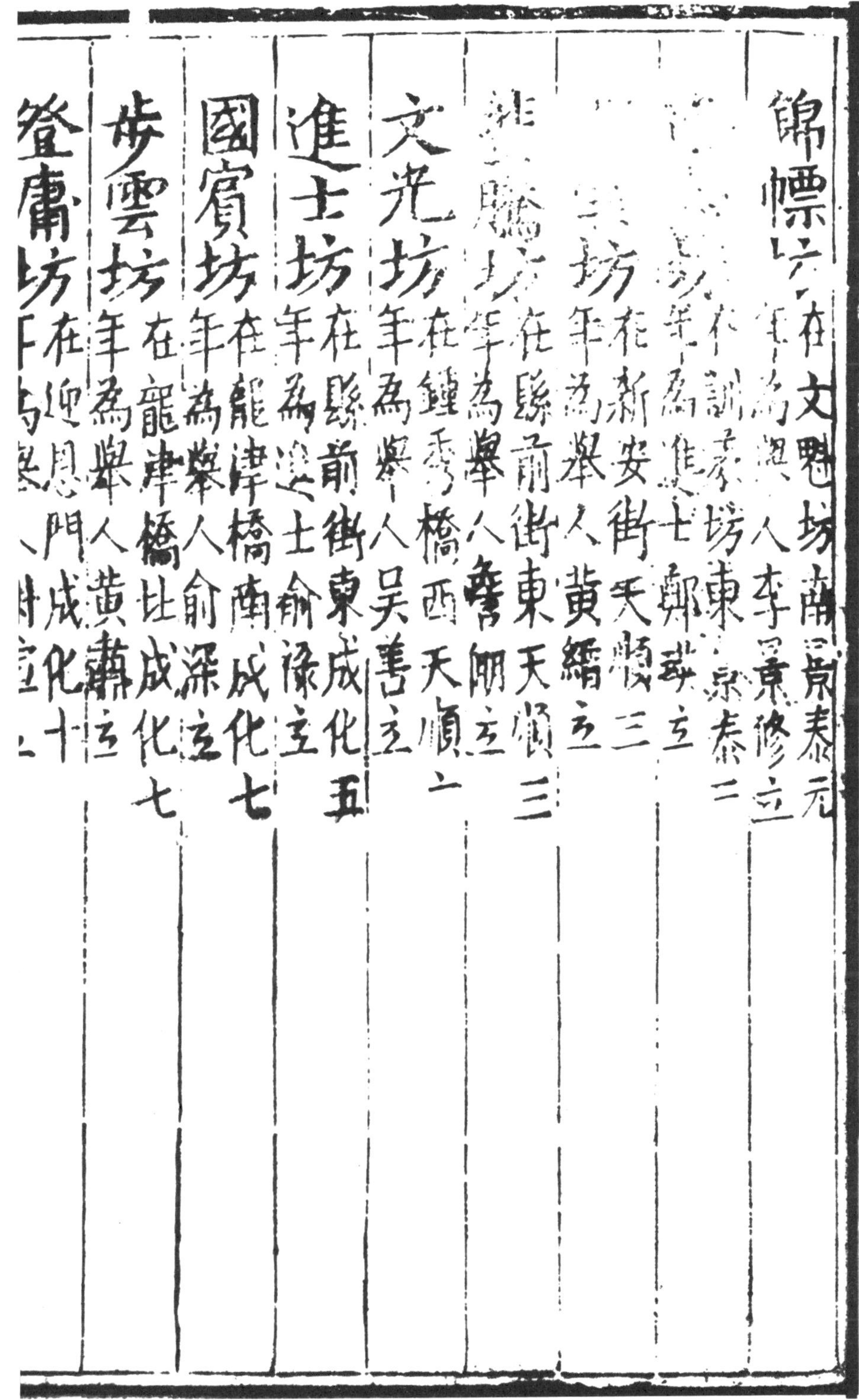

錦標坊在文魁坊南景泰元年為舉人李景修立

[illegible]坊在訓科坊東景泰二年為進士鄭珙立

[illegible]坊在新安街天順三年為舉人黃縉立

[illegible]坊在縣前街東天順三年為舉人魯朋立

文光坊在鍾秀橋西天順六年為舉人吳善立

進士坊在縣前街東成化五年為進士俞祿立

國賓坊在龍津橋南成化七年為舉人俞深立

步雲坊在龍津橋北成化七年為舉人黃蘄立

登庸坊在迎恩門成化十[illegible]

進士坊在冶浦橋東成化十四年為進士黃肅立

經元坊在來春街成化十六年為經魁王弘立

錦衣坊在縣東駱駝街為錦衣衛指揮僉事季全立　以上自魁英坊至此皆廢

昂霄坊在訓表街成化十三年為舉人袁文紀立

登科坊在新安街成化十三年為舉人印賓立舊名鷙鷹嘉請二十六年更今名

三錫殊恩坊在縣前為黃鼐父子立

重光坊在冶浦橋東為舉人黃驎立

清朝近侍坊在永寧街萬曆九年為廣[illegible]黃東幹立

清朝司馬坊在冶浦橋東萬曆間為主事厲昌謨立

登良坊　戢兇坊俱在城隍廟前萬曆四十二年知縣張欽宗建

德政坊在縣治前[illegible]縣治內

[illegible]坊[illegible]街[illegible]治前

宣化坊[illegible]街內[illegible]治前

澄清坊在縣治東北街內

太平坊在縣東騎鶴街內

訓義坊

演教坊俱在縣東

孝友坊在縣東門外館以[illegible]續志待[illegible]

移風坊已上五坊俱[illegible]舊志所載世經[illegible]

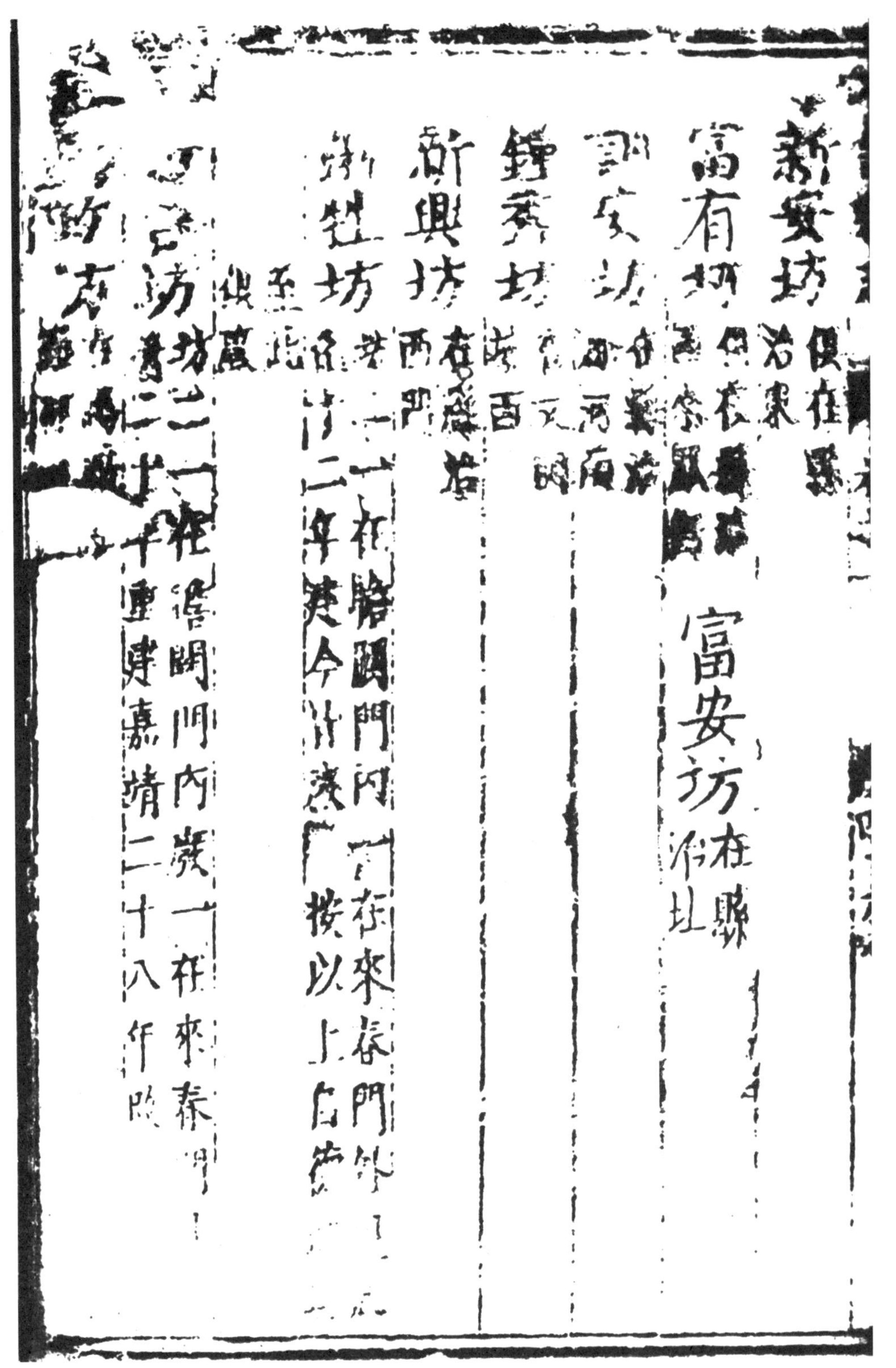

新安坊 俱在縣治東

富有坊 [illegible]

富安坊 在縣治址

歸安坊 [illegible]

鍾秀坊 在縣治西

新興坊 在縣治西門

衛壯坊 一在臨湖門內一在來春門外 [illegible]十二年建今廢 按以上坊[illegible] 至此俱廢

[illegible]坊二 一在臨湖門內 一在來春門[illegible] 嘉靖二十八年[illegible]

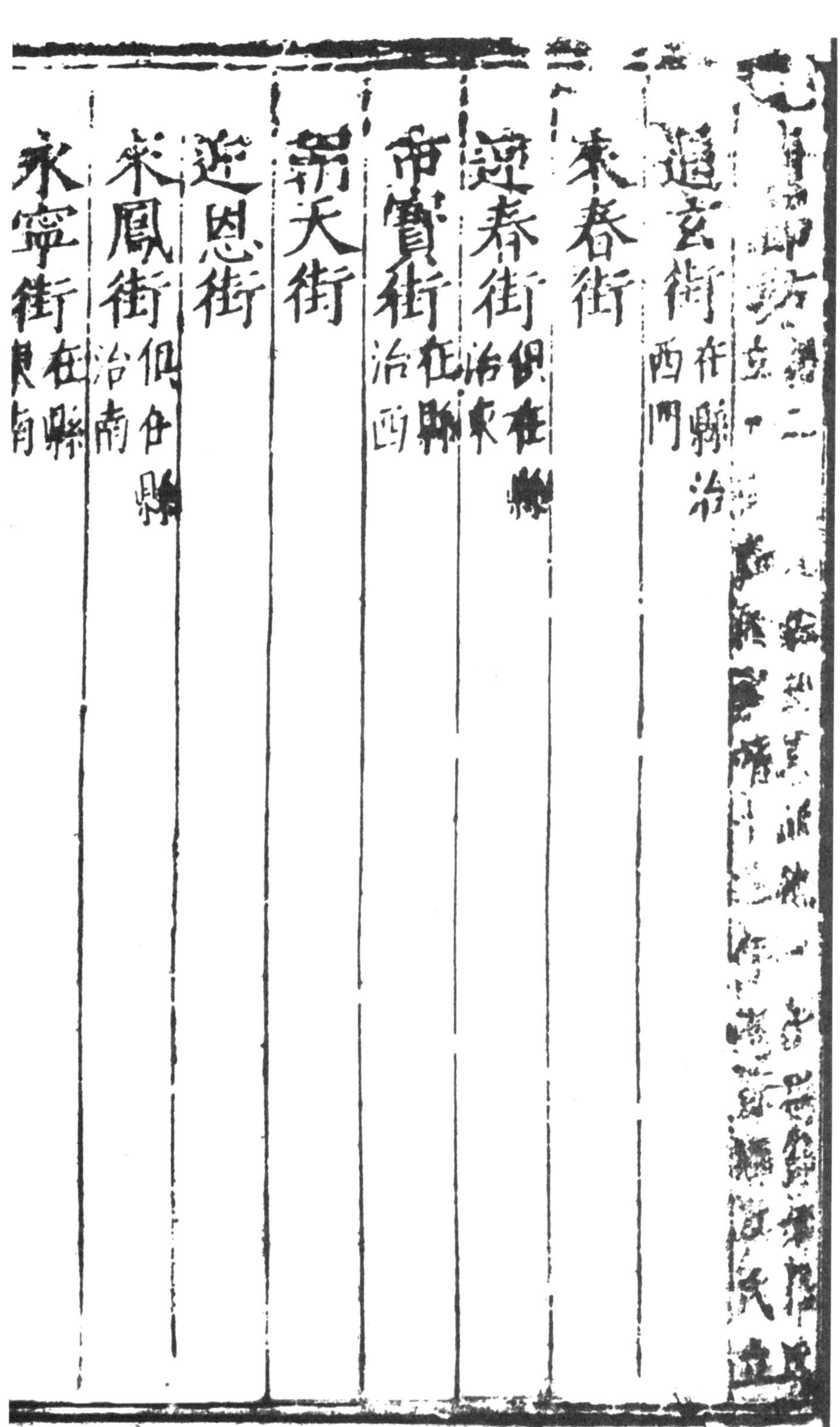

[illegible]

通玄街在縣治西門

來春街

迎春街俱在縣治東

市寶街在縣治西

朝天街

近恩街

彩鳳街俱在縣治南

永寧街在縣東南

利涉街 在縣治北

騎鶴街 在縣治前

東市 在縣治東

北市 在縣治北二市皆買賣牛羊牲畜之所

治浦橋市

仁和橋市

南市

西市 已上四市俱在城皆賣買糧食之所

竹鎮市 在縣治西北五十二里[illegible]北四五[illegible][illegible]定志竹鎮元名竹墩以大[illegible][illegible][illegible][illegible]名

八[illegible]橋集在縣治東北三十里縣東二都

[illegible]橋集在縣北三十里

[illegible]集在縣西南五十里

竹[illegible]集在縣西北十里

[illegible]集在縣西南五十里

煙墩集在縣西南三十里

[illegible]橋集在縣西二十里

馬家集在縣北五十里

[illegible]寺在縣西北[illegible]十里

頭橋集在縣南五十里

○鄉都

古以萬二千五百家為鄉今一方之聚遂謂之鄉古者國必有都故曰大都參之一中五之一小九之一今之都則比里言也蓋今之鄉邑即古諸侯之國曰縣曰都皆襲其名號視昔為不侔矣

縣原額一十七里半天順間改編一十九里

東里　在縣治東

西里　在縣治西

東二都一圖　孔家庄鄉

二圖　新王鄉

三圖　八百橋鄉

四圖　許家庄鄉

南四五都一圖　蘇家堡　王家堡

二圖　新安鄉　洸河[illegible]

道化里

三圖　南鄉　黃塘保

北四五鄉一圖　東官庄鄉

二圖　方凌鄉

三圖　香山鄉

四圖　盤石鄉

上三都一圖　盤城鄉　張家堡

二圖　朱家堡

三圖　塘西堡

下三都一圖　石子岡鄉

二圖　新興鄉

三圖　郭家堡

田土蘆洲也田附

禹貢厥田上中下而十壤之黄赤黑白咸致詳焉盖生養之所係也然曠膺存乎地而荒蕪墾闢則存乎人勸民者其留意哉

洪武二十四年官民田地塘九百二十三頃六六畝四分六釐八毫

官田一十二頃三十五畝二分地一頃五畝六分塘五畝民田六百一十一頃

七畝六分六釐八毫地二百八十一頃塘一十七頃四十一畝八分

永樂十年官民田地塘九百二十八頃六十九畝六分六釐八毫

官田一十五頃九十三畝八分地五頃三十畝六分塘一十畝民田六百一十三頃一十八畝六釐八毫地二百一十六頃七十四畝七分塘一十七頃三十二畝三分

正德七年官民田地塘九百七十頃二十畝一分七釐

官田二十二頃五十畝二分五釐地九頃二畝八釐六毫塘一十三畝民田六百四十頃六十二畝二分八釐六毫地二百八十頃五十四畝二分四里八毫塘一十七頃五十八

畝三分

嘉靖元年官民田地塘一千五十二頃二十八畝一分六釐三毫五絲官田二十二頃四十三畝五釐地八頃八十四畝三釐六毫五絲塘一十三畝民田七百二十頃二畝六分七釐七毫地一百八十頃二十七畝一分塘一十七頃五十八畝三分

嘉靖十一年官民田地塘一千五十五頃六十五畝六分五釐六毫官田二十二頃四十三畝五釐地八頃八十四畝三釐六毫塘一十三畝民田七百二十

三頃三十二畝四分地二百八十三頃[illegible]三分
四畝八分七釐塘一十七頃五十八畝三分

嘉靖二十一年官民田地塘一千五十六頃九毫

官田二十二頃四十三畝五釐地八頃八十
四畝三釐六毫五絲塘一十二畝民田七百
二十三頃六十三畝二分三釐二毫五絲地
二百八十三頃三十八畝三分七釐塘一十
七頃五十八
畝三分二釐

嘉靖三十一年官民田地塘一千五十六頃四十
三畝一釐一毫

官田二十二頃四十三畝五釐地八頃八十
四畝三釐八毫五絲塘一十三畝民田七百
二十四頃三十一畝一釐四毫地二百八十三頃
四十一畝五分九釐一毫塘一十七頃五

八畝三分二釐

嘉靖四十一年官民田地塘一千五十六頃四十三畝一釐一毫六絲六忽三微

官田二十二頃四十三畝五毫地八頃八十四畝三釐六毫五絲塘一十三畝民田七百二十四頃三畝一釐四毫六忽三微地二百八十三頃四十一畝五分九釐一毫一絲塘一十七頃五十八畝三分二釐

隆慶六年官民田地塘一千五十七頃八十一[illegible]七分八釐一毫六絲六忽三微

官田二十二頃[illegible]十[illegible]畝五釐地[illegible]四畝三釐[illegible]

[illegible]三十畝三分六釐四毫六絲一微
[illegible]十三頃五十三畝一釐一毫一絲
[illegible]十七頃五十
畝七分二釐

十官民田地塘一千五十七頃八十二畝
七分八釐二毫六絲六忽三微

官田二十二頃四十三畝五釐地八頃八十
四畝三釐六毫五絲塘一十三畝民田七百
五十四頃四十七畝六分一釐四絲九忽二
微地二百二十三頃三十四畝三分五釐
[illegible]六絲七[illegible]塘四十八頃
十九畝七分三釐三毫

萬曆二十年官民田地塘一千五十七頃八十一
畝七分八釐一毫六絲六忽三微

官田地塘一十一頃四十畝八釐六毫五絲
民田地塘一千二十六頃四十一畝六分九
釐五毫一絲
六忽三微

萬曆三十年官民田地塘一千五十七頃八十二
畝七分八釐一毫六絲六忽三微
官田地塘三十一頃四十畝八釐六毫五絲
民田地塘一千二十六頃四十二畝六分九
釐五毫一絲
六忽三微

萬曆四十年官民田地塘一千五十七頃八十一
畝七分八釐一毫六絲六忽三微
官田二十二頃四十[illegible]畝五釐地八頃八十
四畝三釐六毫五絲塘一十三畝民[illegible]

二十五頃三十畝三分六釐[illegible]址二百六十三頃五十三畝一釐一毫一絲塘一十七頃五十八畝三分二釐

按南齊頻太守劉懷慎墾卞部荒田二百頃宋嘉定志蕪本據水田二千七[illegible][illegible]十三頃一十七畝三角一十七步陸田二千一百五十四頃五十畝一十七步巴業田二千六百一十七頃九十八畝一角一十七步細田一者三十一頃三十九畝二角我

明田土以耕爲定洪武後見永樂志正德後見嘉靖志餘卅志畧傳述大都但硏田分官民疑賦分實免重輕名實莫之或增近本巡按御史宋纏建議扒平田無偏累萬曆三年豪大府府尹江　冊下該縣門開田地山塘九萬四千一百一十九畝五分六釐九毫一絲四忽三微除官田地塘如隆慶六年外其民田一萬六千三百一十六畝五分四釐三毫

一絲地六千三百一十畝四分二釐六毫一絲塘一千七百五十八畝三分二釐功臣田一三千一百四十六畝七分地一千二百二十一畝八分免徵田四萬一百五十六畝六八毫四絲四忽三微地二萬二千六十九畝八釐五毫共額一萬一千六百六十畝有奇

附蘆洲

按宋真州志賦蘆柴本縣志植蘆葦洲名尚未備也

國朝聽佃納課專官督洲至嘉靖二十四年佃戶告行開墾二十七年免京糧道鄭組謙與秉德奏准清查知縣邵淳奉委丈量悉召土民承佃共該二萬六千四百六十二畝五分六釐見熟俗錄隆慶四年增為二萬四百二十九畝七分六釐八毫見志各萬曆三年增為三萬一千八十畝分七釐已經冊報本府具列左方近知縣李儀奉兵道馮咨察驗郡志洲長江防益廣云

淮江洲二與任氏埠一處田埂塢共九百四八分八釐二毫一遶洲[illegible]

畝八分九釐七毫

內江洲灘在瓜埠地瀕江百五十二畝五分一釐五毫

新江柳洲在瓜埠地田埂場三百四十八畝三分二釐二毫

離江雞心洲在瓜埠地并水影一百四十一畝二分四釐二毫

新生沙灘洲在瓜埠地灘二百五十一畝二分

瓜埠對岸洲地六十一畝五分五釐六毫

又離江洲在瓜埠田埂塲三百一畝六分九釐四毫

沙碏邊新生蘆洲在王家潢地灘四十六百四十三畝一釐一毫

雞心洲在白家紫地七十三畝八分二釐五毫

菱角洲在白家嘴田埂塲四十七畝八分八釐五毫

四排河西老草洲在急水溝田地埂塲二千百一十四畝五分七釐一

三排河西老草洲在急水溝田地塲三千一百九十一畝八釐七毫

草洲在石陡門田地溝埂塲二百九十九畝二分九釐二毫

二排河西老草洲在急水溝田埂塲二千三十八畝四分六釐三毫

頭排河西老草洲在急水溝田埂塲三千四十五畝四分八釐九毫

白沙洲在急水溝田地塲一千八百六十五畝三分二釐五毫

團挪洲在急水溝田地塲一千一百四畝五分九釐三毫

琵琶洲在急水溝田埂塲七百四十六畝七釐九毫

□家嘴洲[illegible]四十畝□分三釐五毫

□樁洲在王家溝田蕩一千四百一十五畝九分五釐六毫

陡滸圍樁洲在丁家溝田二千一十九畝二分六釐九毫

陡滸鷄心洲在王家溝田二百三十一畝三分八釐

又團榔洲在上家溝地五百四十六畝

白沙老洲在王家溝田地蕩七百五畝三分六釐三毫

又白沙洲在王家溝田蕩一千二百六十二畝六分六釐五毫

□魚嘴洲在王家溝地八百九十九畝二分九釐二毫

夾圩洲在將山圩田地溝埂灘七百七十九畝一分七釐一毫

滁河西岸洲　在南門外地并餘洲一百一十九畝九分五釐三毫

龍池洲　在南門外地并餘洲一百七十六畝八分一釐

附屯田　按吾邑自周以降代有屯兵志畧具載宋始設屯營諸田計屯凡五十頃有渡[illegible]民維佃歲入租于官見嘉定志國朝[illegible]設轄軍倍於民厥田相參特置屯[illegible]歷年興革則屯田事宜屯操奏革[illegible]蒙屯院撤下知縣唐詔部漳帝世禎[illegible]那政除器董闖端[illegible]事成有濟近該加[illegible]歲奉委督與史陰丁河備修各屯圩岸[illegible]畢不能為之要茲錄屯田所在于後

武德衛屯　在縣南三里大廟地方

應天武衛屯　在縣西北三十里松林岡地方

[illegible]屯在[illegible]東五里永元[illegible]地方

府軍衛屯在[illegible]南十里[illegible]地方

豹韜衛屯在縣東十五里靈巖山地方

留守右衛屯在縣東五里

留守中衛屯在縣南十五里

驍騎衛屯在縣東十五里靈巖山地方

留守左衛屯在縣南三十[illegible]里龍王廟[illegible]方

江陰衛屯在縣東南二十里靈巖山南

府軍左衛屯在縣東北八里橫塘地方

虎賁右衛屯在縣南二十里九里平

水軍右衛屯在縣東南二十里[illegible]

龍虎衛屯在縣東南十五里靈巖山西

水軍左衛屯在縣東南十五里靈巖山北

羽林右衛屯在縣東北五里東王廟地

虎賁左衛屯在縣東北七里方脩山方

龍江左衛屯在縣東北三十里瓜頭山地方

○水利

舊志[illegible]利引於神禹歷商而周井[illegible]

[illegible]溝洫得今有可存如[illegible]

人職氏之職掌[illegible]區域四[illegible]宋嘗無法其留心[illegible]凡前代[illegible]之人六合水利有司[illegible]之[illegible]則[illegible]為[illegible]民[illegible]及[illegible]桑濬唯在良有司云

石陸門 在縣西十里蘇[illegible]山下今存石楚上有黑鳥二年字

瓦梁堰 在縣西北約廿里即滁塘也嘉定志云始全椒上獻龍滁河而北數百里巨細澗水合五十四流輻湊於此四顧則中高前而環向望則底若大陸如掌以見於[illegible]之形勢也其曰作塗塘者是塞滁水以為塘也瓦梁之名有上瓦梁下瓦梁作滁塘門瓦梁也北齊嘗置瓦梁郡陳吳明徹討平之即此地金人屯兵于此

長塘堰 在縣西南五里

劉城堰 在縣東五里嘉定志云南接崇岡中開築城堰附之以石西北接劉城堰今廢

荊城堰在縣西南周上與劉城壩相對舊志云舊爲縣瀦水之處今廢以上四堰俱宋志巳多廢今照田久遠地道變名[illegible]昔比劉圩塘修築逐年積[illegible]塘堰增置[illegible]水者或巳改爲而易其名亦不可知今姑志其舊以俟興水利者之考求云

長城圩在上二都

官民圩在上二都

雙城圩在上二都二圖

上清圩在上三都三圖

北城圩在上三都三圖

灣圩在上三都[illegible]圖

伏家圩在上三都三圖

延祐圩在上一都三圖

菖蒲蕩圩在下一都三圖

下清圩在上三都三圖

大德圩在上一都[illegible]

冊山圩在[illegible]都

[illegible]山圩在[illegible]下十都一圖

管頭圩在東門五都二圖

濟山圩在[illegible]三都一圖

小古圩在南門五都三圖

黃公圩在下三都二圖

草塘在縣西五里北四五都一圖地方周十里餘塘側有數墩傍四圍皆水其水常田甚多但平淺易涸水發又種芡屢有議佃墾爲阜處者田者以爲衆所阻而止産物不齊歲見一種可資貧民歉則借出似有靈異近塘花柳芬芳可供遊賞草塘春色八景之一有詩見詩類

井[illegible]圩在[illegible]二圖

劉家圩在下三都一圖

大清圩在下三都二圖

散水圩在上三都三圖

賈裴塘在東二都一圖

栗山塘在東二都三圖

高明塘在南四五都三圖　張塘在南四五都三圖

堰城塘在南四五都三圖　姚家塘在下三都一圖

[illegible]塘在下三都二圖　郭明塘在下三都三圖

紫山塘在東二都二圖舊因水衝山土淤塞廢為田漳令民佃銀入相助養馬近該知縣

拆塘在北四五都二圖　郝家塘在南四五都一圖

裴家塘在南四五都二圖　劉塘在南四五都三圖

[illegible]塘在南四五都三圖　祝里塘在南四五都一圖

[illegible]德塘在北三都二圖　筵山塘在下三都二圖

鐵山壩在下三都一圖　塘山塘在下三都三圖

侯家[illegible]山在東二都三圖　蔡家壩在北[illegible]五都二圖

曹王莊壩在東二都二圖　平山王家大[illegible]在東二都二圖

鍾家壩在東一都二圖爲最　石[illegible]馬剗在南二都[illegible]圖

以上所載之塘壩俱洪武二十八年[illegible]成化十年御史萬[illegible]重修[illegible]按各里民田[illegible]衛屯田相參圩埂[illegible]渠民共之其有地塞則縣衛軍民協力修濬云

○橋梁

夏令十月成梁周單子時[illegible]譏伏於橋下則梁乃[illegible]為用在於[illegible]台橋梁[illegible]名[illegible]其地[illegible]圖[illegible]傾圯之餘衆徒杠輿梁

之政昔於

茲有考云

龍津橋

在縣治南數十步成化志云橋一十八衢

疊石為之有隔石□可驗□下嘗有鯖魚

長數丈或見或隱□時物上一五里不得採

捕後侑黄□□□□□魚□□□□□紹興

間知縣龔相造浮橋□□□圖□洪武元年

知縣胡有源置一□十六□主濟渡永樂二年

年知縣胡銘惠仍造浮橋成化五年知縣唐

詔修整堅固嘉靖十年知縣茅宇申府每年

額造船二隻以易損壞二十三年知縣楊循

典重建有碑記二十五年知縣邵滂僉老人

管之二十一年知縣黃邦政重修隆慶元年

知縣章□碩重建隆慶五年知縣李潤以爲

素往來舟船停泊妨客商申革其弊大書榜文

示衆漁□□行知縣李成□□人□□□□

易於□□□□見□八□□□□一□□號

等俱壞萬曆四十二年知縣張敎宗捐俸庀材改舊爲新造舟十有二隻木綳欄與全纜以治垣維以巨碶永無衝漾傾圮之患迎南浦進陵三檻扁曰上游慶澤煥然大觀

[illegible]橋在縣東五里冶浦河五代時避楊溥諱人名冶浦橋遵自宣天寶中葉以上至宋嘉定中知縣劉昌詩改造永樂中知縣胡鎰重建宣德中知縣史思古大其制用木橋以萬餘圍其基疊石爲五衢衖鋪以板木覆以瓦亭十七間長三十餘丈傑然爲一巨觀成化間知縣唐詔修正德間知縣林幹重建後傾頹嘉靖十六年知縣間薇重建十八年燬迎　梓宮撤之徵復建後石岍衝倒二十八年署印檢校張大綸委老人朱湯印募修三十四年知縣管嘉禮隆慶二年知縣章世禎各修建萬曆三十年橋墜知縣劉文定重建八景其一冶浦歸帆有題詠詩見詩類

八百橋在縣東北三十里唐開元五年民金忠等建永樂二年靈岩寺僧裴左等修正德中邑人林珊重修有陸昌序父老云唐有八百梵僧往治山講經過此有寺今廢

程家橋在縣西二十里洪武二十三年民人侯宗見建

永定橋在縣東北七里洪武二十八年民人耿左建

嘉會橋在縣治東

仁和橋在縣東跨城河

新會橋在縣東上三橋俱歲久圯塌洪武二十五年道士金葆原建

馬湖橋

梁家港橋已上二橋俱在縣西南四十里

新開港永樂中知縣王翱建

竹湖橋在縣西十五里洪武二十四年民人陳伸保建

柴家橋[illegible]

[illegible]家橋 凡在[illegible][illegible]南道長[illegible]際[illegible]蕃[illegible]

菩提橋 在縣南二十五里長蘆寺前

龍池石橋 在縣南五里

土橋二 一在縣東河下一在迎恩門內跨城河

白墳池橋 在縣西一十里洪武二十五年僧繼祚建

追人橋 在縣治東舊來春門外成化志載[illegible][illegible]宋伐南唐宋太祖親督渡淮兵首敗[illegible][illegible]人於渦口時江南命皇甫暉為都部署姚鳳為[illegible]使與號十五萬太祖擁馬直入左右驍突[illegible]者止取皇甫暉他人非[illegible]敵也揮劍中暉皇甫暉腦不死乃生擒之并姚鳳遂下滁州繼而

韓令坤已平維揚陸孟俊等數萬兵過城下令坤懼議退師世宗遣命宋太祖領兵十萬夜趨六合援之太祖下令曰揚州兵敢有過六合者必斷其足令坤始有固守之意橋正當驛路以兵禦之至此必追以斷後因名曰追入橋歲久廢洪武三年民丘成重建

馬昌河橋在縣西南二十里

雙板橋在縣西北二十五里

竹鎮橋在縣西北二十三里

楊部橋在縣西北二十五里

北獻齒橋在縣西北三里通竹鎮

靈[illegible]橋在縣西二十里通竹鎮

[illegible]在縣[illegible]
[illegible]廣[illegible]

[illegible]橋在縣東北二[illegible]里

[illegible]在[illegible]分[illegible]陵鄉

永水橋在宣化鎮

[illegible]橋在縣東十里舊名北橋成化間邑人唐清用石重建

[illegible]橋在文明坊[illegible]舊名西水閘嘉靖二十七年邑人劉[illegible]修改今名

安[illegible]橋在縣西[illegible]許二[illegible]許

知方橋在縣西二里

[illegible]東十里人[illegible]造

張家橋在縣北張家山鄉官[illegible]重建

[illegible]東南二十五里瓜埠六合衛分路[illegible]以上爲之弘治間壽官謝宗旦用石

重建

通平橋在縣北庠生王岐鳳立名

瓜埠石橋在善家橋西北下通靈巖山流入所人河弘治間[illegible]官謝宗旦用石建

蔣家溝橋在縣西二里

茂纜橋在縣東庠生符渙竹記

[illegible]橋在縣西二里餘

神策木橋在縣東北百戶陳[illegible]建

[illegible]門橋在縣東五里嘉靖間耆民汪[illegible]石建

鈴當橋在縣東北耆民汪洪秀重建

梨石橋在縣南一十里

宋家橋在縣西二里

○關津

道路之關濟渡之處皆要地也然[illegible]閑以時惟民往來有事則邏[illegible]防守亦據險保民之一事也志關津

通江閘在縣東南二十五里瓜埠舊有水閘不知何時廢[illegible]椿[illegible]嘉靖三十三年知縣董邦政[illegible]遂設閘官[illegible]新文皆閘[illegible]知縣李廢[illegible]行防盜

回軍渡在縣東南二十三里舊長蘆寺後按宋元志載宋太祖以舟師伐南唐李璟兵於瓜步振旅凱還因名回軍渡

新渡口縣西南三十五里永樂四年知縣王敏造渡船一隻濟者便之

黃家渡在縣西三十里洪武二十三年[illegible]客縣清元觀道士劉玄成造船一隻[illegible]濟者便之

宣化渡在宣化山旁昔為建康北來要津晉五王南奔渡江於此至今謂五王渡童謠云五馬渡江一馬化龍

瓜步渡在瓜步山唐淮南節度張延賞始以渡屬揚州

陳家港渡在縣南二十五里東接瓜步西連揚子大江

梁村渡在縣東十里

碌[illegible][illegible]渡

高家渡在縣西二十里

窰子渡

蕭何渡

石橋渡

上瓦梁渡下瓦渡俱在縣西南瓦梁堰上

香[illegible]渡

□□津渡

白□□[illegible] 下三渡俱在□□□□□ [illegible]上□□成化志

陸家灣渡 在縣西一里

張家堡渡 在縣西南六十里

武家渡 在縣西南五十里

獨山甄家渡 在縣西四十里

姜家官渡 在縣西南二十五里永樂四年知縣王翺通滁六道為居民水利行旅□□通嘉靖十二年知縣茅宰置官船一隻交漁戶王婆孫領渡岸傍立一石杜大書云官船官夫人到即渡敢索錢一文者究治至今便之

陳家渡去縣廿五里已上渡俱本縣舊官渡

鄭家渡

周家渡

□家渡

□家渡已上俱新渡

按成化志所載渡口多出於宋嘉定志世代遼遠古今異名湮無可考所謂新渡口者即今姜家渡華家渡疑即今獨山渡宣化江上即今浦口宣化江皆因地與里而知之也餘闕以俟

〇古蹟

世代雖遐陵谷異矣其涉於人者多矣今置六合今古名邑也歷代名流不無遺蹟今猶無毀而故老相傳知在人口響流留跡足可傳之泯滅乎凡志其畧以備邑古迹之采擇

吐將臺 在縣治西高岡上即今城隍廟基舊傳楚漢時漢高祖敗彭城賜諸將所食而覺之遂吐因名

廢吴王城 在縣東瓦梁堰高岡上四壁崇峻吳孫權嘗分兵屯此今其下有吳王廟邵洪有詩宋宣和中闢四門今址存

寡[illegible] 在縣[illegible]上[illegible]嘉定志云[illegible]寡[illegible]而[illegible]之處

廢[illegible]城 在縣北三十里[illegible]山上嘉定志云[illegible][illegible]系成於此今呼為吳蔡城非也互

見符湖山湖

廢晉王城 據嘉定志在縣府五十里隋開皇九年煬帝為晉王統軍伐陳城此

永定公主墓 在縣東北方定寺側舊傳梁武帝末定公主葬此至今雨過嘗有遺物其地高阜广名走馬嶺

鐵牛岡 在縣滁河東南岸舊傳即牛頭山之鐵牛走於此至今地有遺跡詳見牛頭山註

蘆塘寨 在縣東北二十五里舊傳鄉家庄有女與開平戰立寨此因名

魏太武井 在瓜步山半

[illegible]東井 在瓜步山頂二井近俱壓寨

[illegible][illegible]墩 在縣治東北泡涌河口西岸嘉定志云又年及笄誓俗毋不嫁死與傳讀[illegible]

冶山井在大聖寺有[illegible]字

永福阡在縣治[illegible]宋紹興二年通判趙師[illegible]小塚其地有岡巒

洪家墩在縣治東北一里二墩相連相傳為古將王陵王鉞所築臺也

五里墩在縣治北五里古烽堠也

諸糧墩在縣治西北二里許舊傳有將以土詐[illegible]粮而覆之蓋亦量沙意也借將之名失[illegible]

吳王鑄錢冶在冶山漢吳王濞鑄錢之所互見冶山注

廢龍王廟在龍池東北按嘉定志歲旱禱雨有應今尚存遺跡

唐陳融墓在棠邑鄉

魏行宮在瓜步山上太平真君十一年建

隋行宫大業元年帝幸江都置六宫于上帝在方横二山間

如歸館在東門街址唐建學於其故址

士林館在竹鎮唐鄭滂有懷古詩陳霸先敗郭元建于其地

六峰驛在北門內上沛等六驛俱在郭外宋廢

郭墅在縣東五里近沈家湖上有巨墅宋嘉熙中土人立寨于此

讀書堂在横山前世傳梁昭明讀書其中唐僧神堅以堂為太子院

六峰亭在縣學南臨滁河遠對定山六峯宋廢

遠略亭在西高岡上宋郭振展西隅城寧宗嘉其功有遠畧扞城語乃名亭

廢清風亭唐縣令獨孤及建于縣治

六合縣志卷之二

人事志

○戶口

周禮司民掌登萬民之數自生齒以上皆書于版異其男女重邦本也國家三歲一獻計即此意六合自洪武以来戶口蕃耗不一是必有致之者於戲庶而富之富而教之司治者其加之意哉

洪武二十四年戶二千二百六十

口一萬四千九十五男大小九千九百四十一女[illegible]千一百五十四

永樂十年戶二千八

口一萬四千四百八十三男七千三百八十九女七千九十四

天順六年戶二千五百五十八

口一萬八千五十三男一萬一千八百九十三女六千一百六十一

成化八年戶二千四百八十三

口一萬七千六百一十男一萬一千六百一女六千九

弘治十五年戶二千五百三十七

口二萬八千三百七十一男二萬八十女八千二百九十一

正德七年戶二千六百八十五

口三萬一千一百五十六男一萬二千一十六女九千一百[illegible]

志□年户二千七百九十

口三萬七百七十五男二萬一千八百七十二女八千九百三

二十八年户三千四十一

口三萬六百四十二男二萬一千九百三十八女八千七百四

三十一年户三千一百五十三

口三萬九百一十九男二萬七千二百八十三女八千六百三十六

四十一年户三千一百五十

口三萬三百六十三男二萬一千六百五十五女八千七百八

隆慶六年户三千一百七十二

口二萬九千五百八十男二萬八百九十三　女八千六百八十七

萬曆十年戶三千一百三十二

口二萬五千六十七男一萬七千八百八十四　女七千一百八十三

二十年戶三千二百一十二

口二萬四千九百五十六男一萬七千七百七十三　女七千一百八十三

三十年戶三千七百三十八

口二萬五千三百三十八男一萬八千六百五十　女六千六百八十八

四十年戶三千七百四十七

口二萬五千四百二十二男一萬八千七百二十　女六千七百二

○民業

古以百畝之田爲常業自井田廢而民始逐末有吾六邑業雖不同寔自辛苦艱難濟之謀在此皆所宜深念也志民業

滁河由六合入大江通舟楫民多商賈其鄉民則力田農隙則爲土木工或結草破竹爲蒹葭箕屨席之類以規利城市閭子弟多事誦讀衣冠文物彬彬美古云民安其業其庶美乎

○風俗

地有分土則有方域各圍風氣以成俗尚

俗之說也一說上之所流者爲風下之所成者爲俗要之順風氣之宜而鼓舞作興以風之者恒存上也六合之俗不無淳漓然隨時轉移唯司風化者留意焉

六合古屬揚州土俗輕揚號爲繁侈與揚州同後屬應天應天文雅好儒術有相類者然地當南北之交舟車輻輳其乘堅刺肥交通厚勢者皆富商大賈而儉約敦樸柔堧乃其故習云昔時楊廷朗子見其俗淳遂家焉

冠昏冠儀久不能舉昏禮猶有存者近時昏嫁頗盛其俗漸奢

喪祭正德前俗多受賻後止通吊近折紙錠以復古人称便焉祭溺罪福之說崇信釋道俗難

卒變追遠之禮

每于四時見之

居室服食

居室未有踰制衣服隨時變更邇來男衣帛女珠玉頗侈于昔

四時

元旦各廟進香男女出[illegible]長拜于遊爲酒食以拜親舊[illegible]三日出[illegible]迎春元宵慶燈或

爲陸[illegible]鰲山臺閣戲劇俗子以上元爲天[illegible]賜

福之辰亦有修醮誦經是月不御葷酒者月

十月皆然　三月清明人家插柳男女戴之修

墳掛紙或緣此爲踏青遊　五月五日食角黍

競龍舟東彩線皆楚之遺俗　十三日爲關聖帝

君誕衛坊以牲醴朋祭而燕　六月六日晒曝

衣帛　七月十五日家祀祖先間爲盂蘭盆會

八月望夜賞中秋　十八日爲城隍會　九月

九日食糍糕或爲登高者　十月朔日享先

十一月冬至漁人飲拜　十二月廿四日祀灶

擇日歸舍除夕日換門神祀天地至晚雜

○土產

禹貢十有二壤有五物九等之辨周職方别九土之宜是物產不能以皆同合之菽粟取給東南而芻牧限於西北實濟山意六合有土必有所產厥土所宜穀食則有稻麥黍稷菽麻之類菜食則有[illegible]芥之韭瓜豆之屬獸禽鱗介果木花竹並藥部所用雜產少倘足供民需不假諸志然食之未寡用之未舒則民貧無怪也深有望夫博節愛養者爲

○貢賦附課程

尚書載厥貢厥賦周禮設九貢九賦之[illegible]蓋貢賦所由始漢唐宋時雖皆任土

間亦有踰經常之外者 國初定天下邑貢賦六合亦有制額歲久民衰則變田廣而貢賦亦增頃年乃有變通會一之法宜民可守者不可以不志也課程附

洪武二十四年額徵

夏稅大麥正耗一十二石五合五勺俱民田地塘

小麥正耗一千三百四十七石一升九合五勺官二十一石七斗七升六合七勺民一千三百二十五石二斗四升六合八勺

農桑三千七百株徵絲三十八斤六兩

秋糧米正耗五千二百八十七石一升二合四勺官一百四十五石四升四合五勺民[illegible]

豆正耗二千二百三十八石一斗六升九合八勺官一十九石九斗一升四合九勺民二千二百一十八石二斗五升四合九勺

馬草九千二百六十三包三斤三兩二錢二分二厘官八十五包一斤六兩四錢民九千一百七十八包一斤一十二兩八錢三分一厘

永樂十年額徵

夏稅大麥正耗一十二石五合五勺官五斗一升三合九勺民一十一石四斗九升一合六勺

小麥正耗一千三百九十五石二斗一升[illegible]

入九勺官九十石四升六合九勺民
九勺三百□□一斗六升七合六

農桑三千七百□支絲三十八斤六兩

□□□□□五千二百五十八石四斗六合□勺
八合六勺官二百六石三升六勺民五
□千五十二石四斗五升四合

豆正耗二千二百五十石七斗三升八合六
勺官六十八石二升六合三勺民二千
一百八十二石七斗一升二合三勺

馬草九千三百一十八包七斤七兩二錢三
分二釐官一百一十九包五斤五兩六錢民
九千一百九十包二斤一兩六錢三

分三釐□□以

正德七年額徵

夏稅大麥一十二石五合五勺俱免徵

小麥一千五百一十二石一斗四升七合六勺五抄免徵一千八十石四斗三升二合四勺實徵四百三十一石七斗一升五合二勺五抄

農桑三千七十株徵絲三十八斤六兩九錢三分四釐

秋糧米五千六百五石三斗三升九合三勺九抄二撮免徵四千三十九石二斗一升二撮實徵五百六十六石一斗二

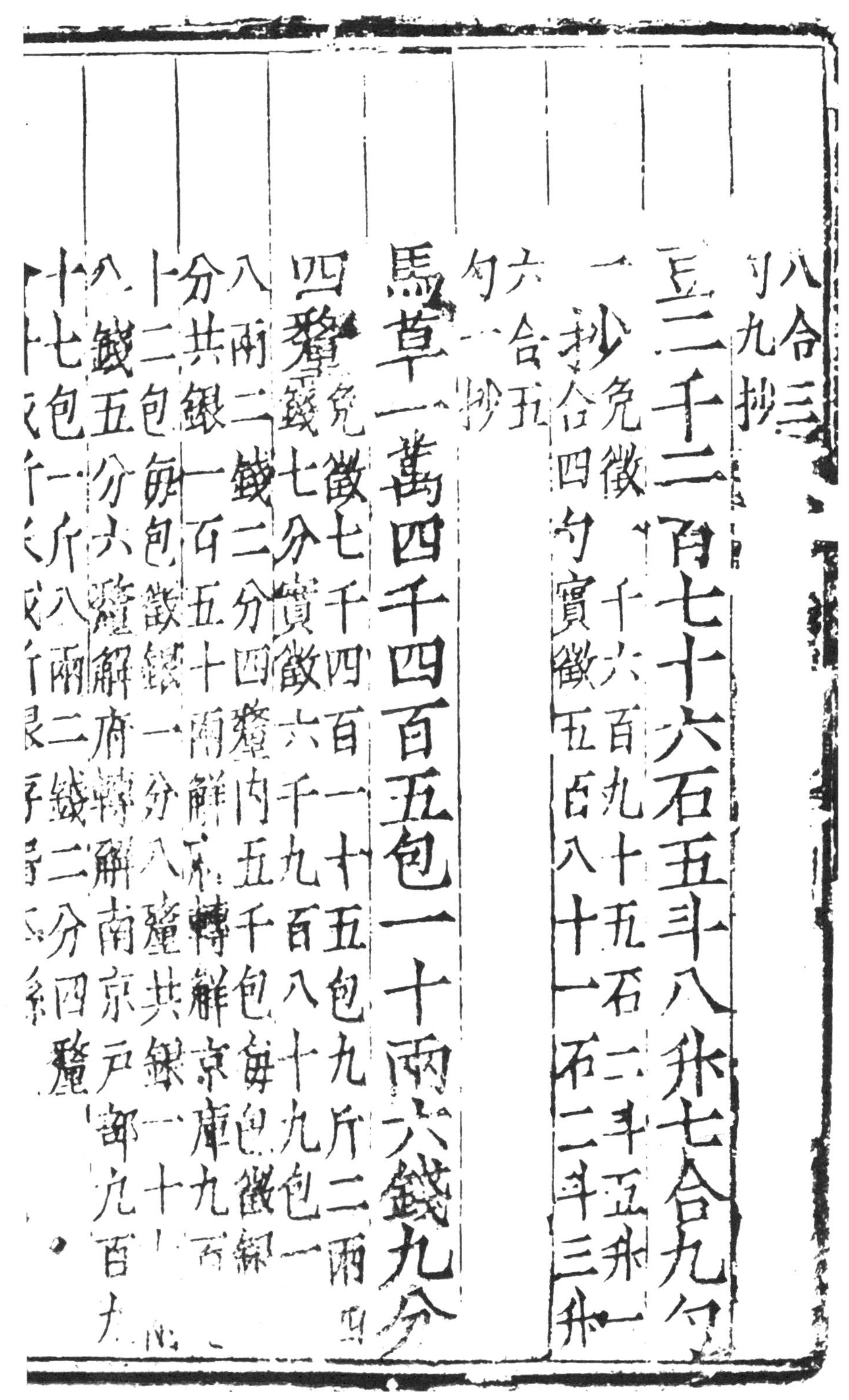

八合三勺九抄

豆二千二百七十六石五斗八升七合九勺一抄免徵一千六百九十五石二斗五升一抄合四勺實徵五百八十一石二斗三升一合五勺一抄

馬草一萬四千四百五包一十兩六錢九分四釐免徵七千四百一十五包九斤二兩四錢七分實徵六千九百八十九包一八兩二錢二分四釐內五千包每包徵銀分共銀一百五十兩解府轉解京庫九百十二包每包徵銀一分八釐共銀一十八錢五分六釐解府轉解南京戶部九百十十七包一斤八兩二錢二分四釐

十[illegible]

嘉靖元年額徵

夏税大麥一十二石五合五勺免徵

小麥一千五百一十一石三斗九升七合六抄一撮免徵一千八十石二合八勺一抄一撮實徵四百三十一石三斗九升四合二勺五抄内二百七十七石起運南京倉交納一百五十四石三斗九升四合二勺五抄每石折銀三錢三分共銀五十兩九錢五分一毫二忽五微存留本縣

農桑三千七十株實徵絲三十八斤六兩[illegible]錢三分四釐每兩折銀三分五釐共銀一一兩五錢二分二釐六毫九絲解府轉解京庫

秋糧米六千二[illegible]一十[illegible]石[illegible]斗[illegible]升[illegible]合一勺兌徵三千七百五十五石四斗[illegible]升[illegible]合六勺九抄實徵二千五百六十[illegible]石[illegible]斗[illegible]升八合四勺一抄

豆二千二百七十九石八斗五升[illegible]合三勺兌徵一千六百九十五石二斗五升一合四勺實徵五百八十四石六斗七合九勺

勸米四百六十六石八斗九升九合四勺四抄五撮

馬草一萬六千三百五十一包六斤一十五兩五錢八分七釐兌徵實徵并解納與正德七年同

嘉靖十一年額徵與元年同

嘉靖十六年奉巡撫都御史歐陽　會議均攤官田

每畝麥米耗共均一斗五升地共均一斗四升塘共均一斗一升民田地實徵麥米[illegible]共均九升六合塘共均七升麥每石准米八斗絲每兩准米七升草每包准米五升五合八勺每米一石准銀五錢

夏稅正麥四百三十一石八斗五升九合七勺五抄起運三百一十一石折銀一百二十兩四錢解府轉解戶部存留一百二十石八斗五升九合七勺五抄折銀四十八兩三錢四分三釐九毫解府

農桑三千七十株該絲三十八斤六[illegible]

三分四釐折絹三十一疋每疋折銀七錢共銀二十一兩七錢解府轉解南京

戶部

秋糧正耗平米四千五百八石四斗八升二合八勺本色米二千四百三十五石一斗六合九勺七抄五撮三圭六粟兌軍米一千七百二十石六斗南京衛倉米九十三石五斗六合九勺七抄五撮三圭六粟本縣俸給倉米二百五十石儒學倉米七十一石折色連荒白銀八百一十五兩八錢二釐四毫五絲二忽二微二纖荒白正米一百石三斗四升八合每石徵銀二錢五分共銀二十五兩八分七釐過江脚耗蘆蓆楞木松板二四輕齎共銀二百六兩八錢七分一釐四毫二絲五忽比運京庫草五千六百七十包每包折銀三分共銀一百七十兩一錢有奇戶部定

場草一千一百四十二包每包銀一分八釐共銀二十兩五錢五分六釐存留草一百[illegible]十六包一十三兩二錢八釐該銀三兩一錢四分九釐四毫八絲五忽九微解府帶徵里甲銀三百三十三兩三錢二分三釐[illegible]遇科貢祭祀鄉飲之類取用崇樸無閏[illegible][illegible]二兩一錢九分二釐解府撥剩銀四[illegible]二兩三錢三分四釐二毫一絲四忽一微解府

嘉靖二十一年三十一年與十六年同

嘉靖四十一年夏稅麥正耗一千五百二十三石五斗七升二合三勺一抄

農桑三千七十株該絲三十八斤六兩

秋糧[illegible]耗六千二十七石一斗一[illegible][illegible]三[illegible]

豆正耗二千二百八十石二斗十二升四合三勺

隆慶[illegible]秋糧米豆與嘉靖四十一年同

秋糧正耗六千三十八石二斗九升三合六勺六抄

萬曆十年夏稅麥正耗一千三百三十石三斗七升□合

秋糧正耗六千四百五十八石三斗三升

豆正耗一千七百九十七石二斗二升七合

萬曆二十年三十年四十年俱與十年同

萬曆三年奉本府府尹汪　建議薄斂官民田地塘并功臣免徵農桑通計每年成[illegible]甲平米六百六十六石七斗八升五合[illegible]

[illegible]

抄六撮六圭原派四千四百一十一石五[illegible]
二升六合三勺八抄六撮六圭今官田每畝[illegible]
減三升徵一斗二升地減四升徵一斗折[illegible]
一升徵一斗民田每畝減二升八合九勺九
抄四撮九圭五粟徵三升七合五撮五粟地
減六合徵九升塘徵七升功臣田每畝二升
地一升免徵一田每畝三升地一升五
合農桑每株一升四合一勺四抄
荒白米一百石三斗四升八合共折銀二十五兩八分七厘
本折正米三千七百四十四石六斗四升六勺
八抄實徵本色米二千三百六十石一斗一升二合七勺三抄八撮八圭折色[illegible]糸
夏稅麥絹外連[illegible]白實徵秋糧鈔五百二兩九錢七厘七絲陸[illegible][illegible]厘本色正[illegible]
十二百二十九石每石加耗四斗過江腳耗
米七升內扣一升折銀六厘該銀七兩三錢

[illegible]分四厘餘米六升折銀三分六[illegible][illegible][illegible][illegible]四
丁四兩二錢兩个門作二六[illegible][illegible][illegible][illegible][illegible]斗
十折銀一錢三分該銀一百萬[illegible][illegible]兩七
[illegible]分[illegible]第米一升折銀五厘該銀六[illegible]一
四分五厘隨掃撈木松板銀一兩六錢二
八至四毫二絲五忽共米一千七百二十
六斗銀二百一十九兩一錢六分一厘四
穀二絲五忽每銀五錢准米一石共准米四
百三十八石三斗二升二合八勺五抄大倉
廒厰剩折色正米一百四石一十五升耗米
二十石八斗三升共折銀六十二兩四錢九
分京庫折銀草五千七百五十包每包折銀
三分共銀一百七十二兩五錢南京戶部定
場草一千六十二包每包折銀一分八厘共
銀十九兩一錢一分六厘本府鹽糧有門
八銀四十五兩六錢三分本縣俸正米二百
五十石儒學俸正米三百五十石耗米二十
一石存留草一百八十六包一十三兩二錢

八厘每包折銀一分八厘共銀三兩三錢八
分九厘四毫八絲五忽九微除扣補定蕩草
改派京庫草銀外實存留銀二兩三錢八分
九厘四毫八絲五忽九微正麥四百三十一
石八斗五升九合七勺五抄每石折銀四錢
共銀一百七十二兩七錢四分三厘九毫絲
絹農桑絲折絹三十一疋每疋折銀七錢共
銀二十一兩七錢南京各衛倉折色正麥三
百一十一石每石折銀四錢共銀一百二十
四兩四錢南京庫絲綿三十一疋每疋折銀
七錢共銀二十一兩七錢收買本色存留[illegible]
麥一百二十石八斗五升九合七勺五抄[illegible]
石折銀四錢共銀四十八兩三錢四分三[illegible]
九毫撥剩米一十八石五斗一升二合七[illegible]
三抄八撮八圭撥剩銀一兩六
錢二分一毫五絲九忽七微

小

撒餘米四十五石一升二合二勺三抄一[illegible]

六圭四粟八粒陞科銀四十二兩七錢五分[illegible]宋史[illegible]紙務下[illegible]百五十四石四斗一升[illegible]二丈[illegible]六尺絹二千四百二十二丈三尺絲二萬九千五百一十六兩[illegible]錢二分四釐八百七十九丈米四千七百一十八石五斗六六十一石六升 明現[illegible]見縣李熊洞究共弊[illegible]除[illegible]人府約法藏留於民間[illegible]

蘆洲地灘埂共三萬一千八十畝五分七釐

一年共該銀一千六百九十三兩四錢六分

五釐二絲二忽本縣蘆課每年舊該銀五百六十兩三分九釐六毫嘉靖

二十八年[illegible]據冊[illegible]本例起科共銀一千二百二十九兩六錢五釐五毫九絲一忽二微八纖只嘉靖[illegible][illegible][illegible]四年巡江御史李議光將洲上升李承式奉泰與知縣[illegible][illegible][illegible]大亞起科共銀一千六百六十二兩六錢一分六[illegible]只[illegible][illegible]萬歷二年巡江御史周用[illegible][illegible]洲[illegible][illegible][illegible]承學行縣中附蒙委上元上[illegible][illegible]前、[illegible][illegible][illegible]合數內新江洲二處共一[illegible][illegible]六十八兩七錢一分二釐五毫一[illegible]六二該一十九兩一錢一分五釐八毫八絲[illegible]江洲灘該一十一兩一分四釐二毫二絲[illegible]江[illegible]洲該一十四兩七錢四分五釐八毫六絲[illegible]江鵝心洲該八兩四錢一分七釐三[illegible][illegible][illegible]沙鵝洲該九兩九錢九分三釐四毫[illegible][illegible][illegible][illegible]洲該二兩四錢六分二釐二毫四絲入[illegible][illegible]淵該二十三兩一分八釐九毫九[illegible]白[illegible][illegible]臺蕲生阜淵該一百二十五兩四[illegible]一[illegible][illegible][illegible]二[illegible][illegible]慈鵝心洲該二兩九錢一分[illegible][illegible]

[illegible]九[illegible]所洲彭[illegible]兩五[illegible]八分[illegible]
十[illegible]米济洲該[illegible]
[illegible]九戊[illegible]
四二錢三分[illegible]兩[illegible]
卜九兩三錢三分三兩[illegible]
洲該一百四十五兩二錢二分七厘[illegible]
綵頭排河西老草洲該二百一十二兩八錢
囲分八厘二毫九絲白沙洲該一百一十七
綉一錢五分二厘三毫一絲圍挪洲該七十
一兩四錢六分四厘三絲琵琶洲該五十兩
三錢七分五厘八毫五絲楊家嘴洲該一十
四兩九錢一分七厘九毫九絲扁擔洲該九
十三兩二錢九分二厘六絲陡溝扁擔洲該
八十兩七錢七分七毫六絲饒溝鷄心洲[illegible]
九兩二錢五分五厘二毫又闕挪洲該一[illegible]
九兩[illegible]錢一分白沙七洲該四十四兩三錢
五分九[illegible]六[illegible]又白少洲該八十六兩一錢
[illegible]分一[illegible]三[illegible]負崙州該三十五兩

方錢七分[illegible]八絲夾圩洲該二十五
兩[illegible]錢八分[illegible]毫七絲滁河西岸[illegible]洲該
四兩七錢九分八厘龍池該三兩五錢三分
六厘二毫俱本縣徵完解府轉解南京工部
按蘆洲多墾蘆蕩因遂致課銀日益存遺未患
知[illegible]遂[illegible]為所累知縣黃猶始奉巡
按[illegible]史[illegible]紹先奏
准令[illegible]十一年至四十三年積負獲免蠲
發[illegible]兩十四年以後始大定繁知縣李從[illegible]
說憲[illegible]撫按并引御史陳王道[illegible]
欽依遵奉欠缺共中本府通判王[illegible]順議[illegible]
蠲課銀二千四百三十二兩有奇所謂仁[illegible]
之言共
利溥哉

蘆地債鈔每年額辦一百五十二貫四百文

舊志志有坊渡店巷[illegible]繳[illegible]
[illegible]求樂志行所謂課程許多些貨鈔[illegible]

[illegible]

七十八貫二百文折銀[illegible]

折色七十六貫[illegible]文折銀[illegible]

內分解府轉解戶部今即前稅課亡革

、鹽永樂十年本縣人戶共納鈔一萬

自四十十貫支鹽一萬二千八百四十七

[illegible]亦詳

永樂志

稅課局酒醋課鈔每年四百七十七貫一百二十文嘉定志有酒課酒庫酒坊其稅在宜[illegible]長蘆諸鎮永樂志稱洪武二十四年[illegible]錢鈔四百四十七貫一百二十文內錢[illegible]九百二十文鈔四百七十五貫二百文[illegible]十年辦課程并貨鈔共六百二十三貫七六十文未開本所今額辦本色二百三十貫五百六十文每貫折銀六毫共一錢[illegible]

[illegible]

百六十文每貫折錢二文共四百七十八文
解府轉解南京戶部外門攤錢鈔洪武二十
四年一百八十二貫四十文永樂十年三千
五百六十八貫三百文契本工墨錢鈔洪武
二十四年二千四百文永樂十年
一貫一百二十文亦見永樂志
門攤鈔每年銀八十二兩九錢五分四厘六[illegible]
濟遷一百五十兩四錢九分二厘六毫[illegible]
甲宋設城下宣化監稅税錢九百八十六[illegible]
八百文錢有經制總制課例牙契勘合[illegible]
數寬剩常納等目見嘉定志國朝洪武二
十四年商稅錢三千九百三文鈔一萬六百
八十一貫二百三十文永樂十年鈔二[illegible]
千七百八十六貫三百八十文見永樂[illegible]
靖八年知縣何家泰例將額辦鈔二[illegible]
六百五十一貫六百文每貫折銀三[illegible]

□十二毫□錢□□六□□毫以備協濟江
浦大價五十□□□□□□□□五十知縣部
漳中准給食□□□□□□□□□□□□□□解縣
內除崇邑驛傳□□□□□□一□□□□□
門錢六分一□□□甲甲人□□□□□□一□□
下一年知縣劉格奉府□□□□□□□□□
兩九錢五分四釐六毫□濟遵節四十□年
奉按院議將協濟江浦錢五十兩改於□減
司餘鈔銀內徵解抵補里甲銀減九十七兩
四錢六分一釐止動一百五十兩隆慶二年
知縣章世禎申巡撫衆府批縣動石見志
器自隆慶五年以後知縣李篾發尚驗單委
官稽稅盡數解部詳允動支萬曆三年遵依
本府明開里甲銀除商稅抵補一百五十兩
四錢九分二釐六毫并支解原編東葛驛今
改協濟大價銀六十三兩少蘇里甲但該
既并乞拯本縣衡撥其本府清
[illegible]

巡檢司船料課鈔每年五萬四千六百一十一貫本縣宋元設陳李港等巡檢司俱額無考我國初於瓜埠置有工部分司見志嘉靖志載每年額辦課鈔每貫折銀六毫共銀三十二兩七錢六分六厘六毫月徵每戶一名例司徵收撥李□□歸□南京戶部靖二十五年知縣邵□□定戶收解除額外中□每年將餘銀二十□□修船□船四十隻貿稻備照後至二十七年□府準鋪戶令本司官吏自行收解每華備照銀兩每年將八十餘兩解縣支銷四十五年知縣劉□□一拔院□將銀五十兩協濟江浦大價除陞□□一知縣李藏設單發司照單業局課額擧□一

河泊所魚課船料鈔每年三萬二千五百四十八貫九百文洪武十八年宋河渡微錢未審舊額大□□□□國朝

魚課鈔四萬張戶部侍郎郭[illegible]揚[illegible]將[illegible]
[illegible]門官戶所分官[illegible]稽江西追陪共追八萬
[illegible]二十四年州魚課錢一[illegible]二
[illegible]八十文鈔二萬七千二十七貫二
[illegible]二萬[illegible]千[illegible]百四十八貫
[illegible]紫[illegible]定[illegible]後奉例[illegible]貫折銀六兩[illegible]共
[illegible]大[illegible]五錢[illegible]分[illegible]
解府轉解南京戶部用[illegible]器
[illegible]麻魚鰾[illegible]二下三十[illegible]斤三兩六錢翎
毛一萬一千二百根洪武二十四[illegible]
油折收黃白麻四[illegible]
百一十一斤一十四兩四錢魚鰾八十[illegible]
一十三兩三錢解魚鯉魚各二千三百[illegible]十
五斤翎毛四萬三十一百一十九[illegible]十
魚油折黃白麻四千三百六十二斤[illegible]
九[illegible]斤鮮魚鱖魚各二千斤鮮魚一
[illegible]

[illegible]寡上用見來[illegible]志嘉靖志
[illegible]黄斛一十二斤八兩二[illegible]斤[illegible]銀
二分一碎白府一千二斤八兩二錢每斤折
銀三分魚鱗三十二斤三兩二錢每斤折銀
七分翎毛一萬一千二百根每根折銀四毫
八絲嘉靖二十九年始徵本色解府轉解工
部今每歲元宵前辦看燈鰷魚十三尾送南
京尚膳監冬至前辦巧白魚四十斤送南京
太常寺致薦　奉先殿清明霜降前冬[illegible]魚
戶十六名船十六隻網十六[illegible]北府[illegible]
京內守備[illegible]廠採捕鰣鮮及做鮓鰣[illegible]
類總　進貢[illegible]　月解魚戶　十名船
絲網十八扇罾網二[illegible]採捕後湖折[illegible]
等處城河魚解送[illegible]府該內臣儀用[illegible]
二件月各辦鯗魚[illegible]鮮魚十斤
送縣[illegible]魚戶[illegible]見[illegible]界

[illegible]蕃[illegible]
城[illegible]長高絀申泣貴爽民邇亥書
徵求而[illegible]孫系休息矣
[illegible]茲土者其敬守之哉

人丁　該縣內開一十九里共免人丁二百一十五丁平米三百二十九石六斗六升七合[illegible]

徵人丁一萬二千六百一十四丁平米三千四百六十石八升六合六勺二抄二圭四粟八粒

當差人丁連免共一萬二千八百二十九丁

當差𠦑撒餘平米連免共三千七百八十九石[illegible]斗五升三合六勺抄二圭四粟八粒

役志畧叙本縣在周爲伍氏食邑在漢以[illegible]
[illegible]

踰萬計建炎後戶僅六千二百六十六口
萬三千六百九十九嘉定十一年戶至
一千八百二十八口六萬二千一百一
明
洪武三年戶部給帖令吳文義徐汝[illegible]
等戶尚有然主客志分事産帳定非徧
權輿與迨洪武九年通計三千二十四
萬二千二百二十三口其二十四年以後
丁行府冊令派糧稅已見戶口貢賦類但
歲徭役類編銀力二差自知縣章世禎節
府臺明示創爲十段錦更定一條編閱右
弁僉報若賦役冊丁不誅領外派加實賴
府尹汧良法該知縣李蔵遵守郎刊由
示民換均徭省諸
款具蒙批允云
里甲均徭驛傳俱照丁糧編派共該銀六千二
匕十六兩五錢五分四厘二絲五忽四微

一六渺每年通減二千三百六十五兩四[illegible]

七塵六毫一絲七忽六微[illegible]

二兩三錢九分二釐五[illegible]

驛傳民壯支應走遞夫馬[illegible]

料等銀六千六百一十五兩七分八[illegible]

防餘三百七兩八分八釐五毫四絲三忽

八機三沙六渺備用一百兩協濟江防協濟一[illegible]

六十兩抽門夫二千三百兩商稅辦協濟江

浦[illegible]夫銀六十三兩補里甲一百五十兩四

錢九分[illegible]釐六毫共計一萬二十九兩五[illegible]

五六毫四絲三忽八纖三沙六渺小[illegible]

十九兩[illegible]分三里甲銀三千七十一[illegible]

分[illegible]毫八絲二忽四微[illegible]

[illegible]千九百二十兩八[illegible]

[illegible]徵除免丁外餘丁[illegible]

[illegible]

有七十七兩九錢二分二釐四毫八絲[illegible]
忽四微分蘆席三年除大已微[illegible]用銀三[illegible]
三十三兩三錢九分二釐五毫又除本[illegible]
微水鄉銀三百[illegible]兩五錢四分該微銀二[illegible]
二百八十四兩九錢一分[illegible]毫八絲[illegible]
微每丁一錢二分二釐二毫四絲六忽[illegible]
[illegible]銀一千五百四十二兩九釐九絲七毫八[illegible]
忽二微平米不免每石二兩錢該銀七百[illegible]
二兩九錢四毫今三年亦照二錢派均[illegible]
帶徵閏月該銀二千三百一十二兩二[illegible]
分八至五宗四絲三忽八纖三沙六渺[illegible]
該銀九百九十一兩九錢三分二項共[illegible]
千三百五兩二錢一分八釐五毫四絲三[illegible]
八纖三沙六渺除免丁外每丁二錢三[illegible]
忽二絲七忽四微六纖該銀二千五百[illegible]
[illegible]兩七錢八分一釐四毫一絲六忽[illegible]
[illegible]八渺除免米外每石一錢一分[illegible]
[illegible]

六錢八厘以上俱係派徵存留銀兩

三分八厘[illegible]九兩

按嘉靖十八年會典[illegible]志有夫所繫則道年鄉役門[illegible]爲甚志皆於[illegible]役關時力役猶最多者苦差務解守知縣[illegible]許元通縣前土寧　明知縣[illegible]詳議兩司批准案一頂可政著縣事會議雖明雖未足以服人時一切之法未立也辨該知縣董潤欲不紊紀者知縣李復遵附成規申准扣除已徵里甲并米鄉共裁六百三十五兩餘矣豈曰小補之哉

外北遞夫并東葛驛共銀一千二百八十七兩

每年裁一千七十六兩夫價減半通爲里甲銀該知縣李[illegible]部准鄉者從公編造隨刊印領式示民未爲遵守其冊並照見開稅下

里甲共四十二[illegible]三千八百五十斤[illegible]兩二錢五分[illegible]

府類解南京禮部歷日黃紙銀七兩七錢三
分五釐解府兵部當用折色馬[illegible]二十六[illegible]六
分每[illegible]銀二十[illegible]本色折色二十八兩[illegible]內
每[illegible]銀[illegible]十三兩共一兩[illegible]十三百[illegible]十八兩[illegible]錢
水脚銀一十三兩五錢八分[illegible]所[illegible]二[illegible]除
徐州軍馬本色一兩四錢三分四[illegible]銀一[illegible]二
於[illegible]田草戶瓜徵南京兵部[illegible]本色銀[illegible]一[illegible]匹
[illegible]分共[illegible]三十三兩六錢[illegible]兩[illegible]部一[illegible]單
料銀一百[illegible]兩水脚一錢七兩[illegible]二錢[illegible]部四司
料價工部一料各銀一分二十七兩一錢四分七
[illegible]水脚各銀[illegible]二[illegible]錢三分項
供解府類解本[illegible]次[illegible]祭[illegible]官鄉[illegible]賢
祠山川社稷壇各二[illegible]祭祀共銀一
[illegible]一十二兩四錢鄉飲二次銀二十兩行香
承七兩六錢季考銀一十四兩歲考銀一丁
[illegible]府每年五兩應試生員銀二十七兩[illegible]上
[illegible]兩歲貢生員[illegible]三十兩科舉考官公[illegible]等
修[illegible]兩[illegible]分每年一兩四錢[illegible]分[illegible]舍

鋘[illegible]學[illegible]塑
對[illegible]書丁十[illegible]各[illegible]門
名典[illegible]年十十三三[illegible]分三
[illegible]十[illegible]門兩月分十中人
之[illegible]上各一[illegible]一十門錢沖分[illegible]兩
[illegible]錢[illegible]分二[illegible]徵[illegible]總門徵官下人[illegible]試
之元兩六錢六分一[illegible]一綠六總九[illegible]
九八上[illegible]每年三兩二銭二分三九三官四[illegible]衙
迄上銀一十兩一銭二分三兩九屯一絲五
忽七徵三織七匪七沙八紗每年三兩三錢
七分四至六亳本貢入監銀一十二兩每年
四兩後濟院銀三十一兩八錢一分四至本
府例[illegible]觀本押[illegible]五兩每年兩兩六[illegible]六
分七[illegible]一[illegible]銀二十兩吏八兩本
冊等[illegible]一十三兩共[illegible]十一兩每年一十三
門六[illegible]六分六[illegible]六[illegible]下打修衙銀一十三
門三[illegible]三分三至三[illegible]本[illegible]修衙舍公
當門[illegible]縣[illegible]除四兩典史

[illegible]用只[illegible]兩每年[illegible]火知縣十二
[illegible]史六[illegible]兩共二十
[illegible]每年八兩三錢[illegible]分[illegible]挑符門
[illegible]八兩三錢[illegible]衣[illegible]
[illegible]兩八錢[illegible]折鈔[illegible]燭六錢
[illegible]給[illegible]縣[illegible]燭八筆
[illegible]馬三十八[illegible]一燭十八
[illegible]八十四[illegible]二十兩聽
[illegible]六十[illegible]六兩九錢
[illegible]花紅等銀六兩[illegible]濟[illegible]容縣消燭
[illegible]一兩[illegible]等栗場二[illegible]康來[illegible]銀一十
[illegible]銀一百兩以上通計[illegible]三行七十一
三錢三分五厘四毫八絲二忽四[illegible]備
用不足中府動支有餘則於下年作[illegible]
外走遞夫一百五十名[illegible]共二十名[illegible]
十兩二錢共一千二百二十四兩原[illegible]
驛令改協濟夫[illegible]
一[illegible]縣[illegible]

按本縣自嘉靖一十年以來夜[illegible][illegible][illegible]縣
巾了司兵埠鋪广門巡檢[illegible]大[illegible]多[illegible]知[illegible][illegible]劉
格章世頭奉本府明文遵照德[illegible][illegible][illegible][illegible]後
免綱其排門夫中戶馬求可守止[illegible][illegible]長[illegible][illegible]
知縣李箴備家府示編定夫銀更[illegible][illegible][illegible][illegible]府
養馬價專川上氏且均各衛之[illegible][illegible][illegible][illegible]府
六外查江淮驛館夫兩知縣詳[illegible][illegible][illegible]院
劉世曾勒石准免一名仍中[illegible][illegible][illegible][illegible][illegible]

均徭共三十五項

本府照磨檢校[illegible][illegible][illegible][illegible]銀十
兩俱徵解府本縣[illegible]新皂隷
五名每名銀一十二兩遇閏加一兩本縣馬
夫二名每名銀四十兩本縣學齋夫六名每
名銀一十二兩閏加一兩本縣學膳夫二名
每名銀二十四兩閏加二兩兵部分司皂隷
二名巡江察院一名巡倉察院三名本[illegible]一
十八名俱每名銀七兩二錢巡屯[illegible][illegible]察院
門子一名銀七兩[illegible]錢本縣二名儒學四名
其每名銀四兩本縣察院二名府館二名[illegible]

每名銀三兩本縣庫子二名每名銀七兩二錢儒學二名每名銀四兩本縣預備倉斗級二名每名銀七兩二錢儒學倉二名每名銀四兩稅課局巡攔八名每名銀五兩游防銀三百七兩八分八厘五毫四絲三忽八織三沙六渺赴府掛號戶部扣除民壯一十四名每名銀八兩解府類解操江帶徵兵餉銀一百六十兩本府民壯二名本縣六十八名供每名銀八兩外十名每名銀七兩二錢本縣弓兵三名每名銀十兩八錢瓜埠巡檢司弓兵四十五名每名銀六兩解司給散本縣七鋪共鋪司兵二十九名每名銀[illegible]內縣前鋪五名沐家梁[illegible]驛家馬[illegible]子六鋪各四名本縣婚瓶夫十二名[illegible]三兩南京刑部都察院醫生各一名每[illegible]四兩八錢以上俱解府州縣各南京太僕寺醫[illegible]六名[illegible]每年銀一兩二錢內[illegible]

[illegible]每年[illegible]

十一名銀二兩本府司獄司獄卒二名每名[illegible]
銀八兩本縣六名每名銀五兩二錢以上[illegible]
帶徵閏月通計銀二千三百一十三兩二[illegible]
八分八釐五毫四絲三忽八纖三沙[illegible]

驛傳共七項棠邑驛上馬一匹銀四十[illegible]馬一匹銀三十八兩[illegible]八[illegible]
頭銀二十一兩備驛該縣徵給照例[illegible]
陳馬驢價中府查考鋪陳銀仍[illegible]
五百二十五兩庫子一名銀四兩江淮驛支
應銀七十八兩四錢一分滁州大柳樹驛上
馬三匹每匹銀四十二兩赴府掛號以
上通計銀九百九十一兩九錢三分

附

各部邑編發棠邑驛者泰州上馬二匹每匹
銀五十二兩句容溧陽各一匹每匹銀四十
二兩泰州中馬三匹每匹銀四十七兩[illegible]
溧陽溧水各一匹每匹銀三十八兩泰州下
馬一匹銀四十一兩上元句容各一匹[illegible]
[illegible]

一頭銀二十二兩五錢句容二頭溧陽
半溧水四頭每頭銀二十一兩以上共
十五匹驢一十三兩半外另一兩
協帶徵支應銀共七十五兩[illegible]
[illegible]本縣米有六合上沛武德屯梁少付[illegible]
信化七驛則有掌邑六合二界水驛付[illegible]
驛糧食馬一十一千各見[illegible]界[illegible]六合費[illegible]
[illegible]而兩當共勞[illegible][illegible][illegible][illegible]代上命僨費[illegible]
不能一例若也夫何官遊判[illegible]嘆使[illegible][illegible]
府擊截學率拒道而來來安欲道送迎寧[illegible]
於六競令赴送滁州天長因之亦不應付[illegible]
仰六出甚之頻客揚州衙填償闕關口召[illegible]
要視鄰簡僻勞逸大淵是以倉院候東萊[illegible]
知縣朱肇中就石畱官東界卯陳有乎來[illegible]
院王庭詔付問彼仍舊送濟後[illegible]康聞[illegible][illegible]
縣李歲懇惻為民中府參府議許撫按倖[illegible]
縣各復故道不致偏累衙疲求為保障無己
則派江浦句容滁州銀兩歸六協置[illegible][illegible]

解倒懸之
急務乎

按六合係南畿首站八省通途民之累於驛馬極矣先是以自六至滁百四十里而[illegible]告變揭照議增貼站馬矣又以馬價少[illegible]邑而苦告告之又議增平銀稅於馬價矣[illegible]充殷實貽累展轉幇貼而弊生不[illegible]買影射而弊又生於是本縣張侯宗[illegible]令之議俯詢士庶之請而酌爲千家攢[illegible]法又參酌市與鄉而均其力每名每年出銀一兩幇貼慣役申允黄大京兆永著爲則俾貲者不若多銀者不若苦之蓋害馬者去而馬政其少甦乎便民之情即可人之法頗與司牧者常綜覈而毋令盡他出焉

○防衛

邑介江淮最稱要害隨宜備[illegible]

晉屯　謝石也余中毛安之等帥衆四萬屯棠邑御秦

瓜步城　在瓜步山側齊建元初劉懷慰築梁失江北高齊武平四年陳幷胡墅降于陳

胡墅城　臨楊子江梁槊齊運輸陳與隋請平俱以

瓜梁城　在瓜梁堰上陳太建中代齊取之元有壘

北齊水柵　于齊郎水中立大柱為柵

南唐柵　齊王景達設柵瓜步

盤城　近盤城山丁臨圩田宋有步軍司庄及兵寨

巡檢司　宋長蘆宣化所鎮沿江管界五司　元設司在陳李港

大軍忠勇軍土軍諸寨　宋建在城北竹鎮陳李港

教場　民場在北門外知縣黃夢鴻修軍場[illegible]較買裴塘長塘當集丁家莊八百畝

[illegible]清哉多謀[illegible]時勞擊今[illegible]志[illegible]
[illegible]邊務[illegible]勞[illegible]將[illegible]
郭[illegible]有[illegible]擢以
[illegible]
代歷練水陸操練盡夜[illegible]守門[illegible]

[illegible]牧

周官有王馬六牛[illegible]圉[illegible]大僕
志悉矣今揆其關于民者[illegible]
[illegible]半洪武六年命不縣民一各[illegible]
每戶隸馬一匹歲納一駒[illegible]
戶貝養一匹給鈔三百[illegible]
原
始一[illegible]本[illegible]從[illegible]半人戶遵[illegible]
餘[illegible]一[illegible]選卅就十情內選服牝[illegible]
生戊錦札前項俱鑄龍群二十八五[illegible]
俱[illegible]蘇添設管馬主簿一馬政科吏[illegible]
[illegible]卜匕卜俑卅原長重什共冊首匕十八[illegible]

開黄牛并犢共二十一百四十四其後額[illegible]
本縣種馬騍四十八騍一百九十二種一千[illegible]
五匹一十七匹滁州衛種馬騍四騍一十
六弘治十八年以馬不及數遂革去每歲[illegible]
一名每人十丁養騍一十五丁養騍一十丁
養牛一嘉靖間知縣茅宰以縣苦人户[illegible]
養馬知縣董邦政減養牛貼户除廖門知縣
董潤本府明文遵例變賣種馬一百三十匹每
匹定價十兩草料銀一兩徵完解府類解兵
部今存馬一百三十牛二十二[illegible]院寺印[illegible]
[illegible]每年奉將帖派兵部備用折色馬[illegible]

歲辦馬十匹六分内除滁州衛馬[illegible]色[illegible]
南京兵部本色馬一匹四分共該徵銀兩[illegible]
草料水脚各見徭役内惟零馬四分徵解燕[illegible]
門商涉二縣交買
馬匹解南京兵部

文[illegible]渉洪武三十年工部建本縣[illegible]
[illegible]山門清水閘[illegible]南門[illegible]山[illegible]

[illegible]一[illegible]所

[illegible]

[illegible]沙湖場 在東里一[illegible]十七畝五分[illegible]場三頃[illegible]

[illegible]嚴場 東[illegible]頃四畝在[illegible]都一圖

[illegible]東二[illegible]都[illegible]圖 都二[illegible]圖 圖

[illegible]山場 五分[illegible]七頃[illegible]十[illegible]畝

西洋場 一十五頃四十畝二分在東二[illegible]

九里平場 八十一畝在南四五都一

花梁場 六畝七釐在南四五都二圖

前蘆泰場 八十五畝六分在南四五都三圖

練山場 一十七頃二十三畝三分在北四五都一圖

拆塘場 一頃三畝七分在北四五都二圖

沈家湖場 三十□畝九分在北四五都二圖

校橋上場 八十七畝三分在北四五都四圖

盤城場 九頃四十一畝八分在上二都一圖

大德場 九十畝在上二都二圖

廣洋場 一十五頃九畝在上二都二圖

柴溝場 八十七頃二□在下三都一圖

長蘆場 九十四畝二分二頃六毫在下二都二圖

黃狗場 三十四畝八分在下三都三圖

以上俱知縣管麻稱今仍佃入租解府以備

蘆蕩近該知縣李幾留抑寒十千論德之

養馬軍田 驗馬匹編田地三頃騾馬匹編田地四頃一十二畝共計十一頃六十六畝佃種管養馬匹每辦馬價不別□

恤政

惠[illegible]之所[illegible]
[illegible]院以[illegible]開建預備倉以備
[illegible]豈非惠養元元之意耶
布德宣惠則在乎良有司云

養濟院

在縣治北卧佛寺前洪武八年知縣[illegible]
六建於縣西後廢成化六年知縣[illegible]
建於今所原設官廳一座年久傾圮[illegible]表
一號於今崩塌西一號燬于火嘉靖二十七年[illegible]
知縣董邦政重建房屋收養孤老[illegible]
所建房屋官廳牆垣門樓若干王侍[illegible]有[illegible]
萬曆四十二年知縣張啟宗下車之日政先鰥
寡以養濟院傾圮屬老人督工而鼎新之其
廳舍牆垣
悉如其舊

預備倉

在縣治北洪武間建積[illegible]以備賑濟嘉
靖三十九年知縣[illegible]建縣內

[illegible]塋園附[illegible]

[illegible]門[illegible]有

古事

古載志吾邑之舊事也其事散見而詳出人[illegible]未能盡知夫[illegible][illegible]之緒者必徵[illegible]往[illegible]無[illegible][illegible]之緒[illegible]稽于金石故峋[illegible]文之山有[illegible][illegible][illegible][illegible][illegible]一墟有王迹焉畢[illegible]之塲有[illegible][illegible]上[illegible]然則往事可使之無徵歟自春秋至我

朝沿革興宜盛衰代變人品不同事業亦同歷觀往牒上下數千百年間凡其事有[illegible]關於吾邑者悉裒集之略往貽後俾見其[illegible][illegible]惡可以知勸懲觀其利害可以知[illegible][illegible][illegible]時攜[illegible]未為無補法得備書不嫌[illegible][illegible][illegible]寡聞淺見未免掛一漏萬侯博雅君子[illegible]

志略所紀治
[illegible]則補之

春秋

襄公十四年楚子遣子囊師於棠以伐吳[illegible]

昭公二十年楚人伍子胥求棠人專諸騎於吳

漢

永興元年廣陵賊張嬰反攻殺棠邑長冬十一
月丙午中郎將滕撫擊嬰破之尋伏誅

三國

吳赤烏十三年遣軍十萬作棠邑涂塘以淹北

道滁塘或作塗塘未詳

晉

永嘉元年瑯琊王睿西陽王羕汝南王佑[illegible]

宗彭城王紘於瓜步濟江[illegible]

馬同渡江一馬化爲龍按[illegible]王渡[illegible]化錯一云在瓜步未詳孰是

永嘉六年懷帝鑄一鼎沉于瓜步江中其[illegible]

文字似縮形北梁中書虞綜所撰[illegible]形渺今瓜步江中亦無[illegible]

[illegible]見朝[illegible]

宋元嘉二十七年魏主燾引兵南下[illegible]

二十八年十二月徙彭城流民數千家於瓜步

齊建元二年李安民擒巨盜王元初於六合山

永明十年齊伯生於六合山獲金璽一紐

陳禎明二年隋命晉王廣爲行軍元帥出六合

隋開皇九年晉王廣帥大軍屯六合鎮桃葉山

大業十二年唐將杜伏威據六合遣光祿大夫陳稜擊破之

唐廣明元年[illegible]渡江圍六合燒龍津橋

五代周顯德二年宋太祖伐南唐唐王景達將兵

三萬距六合太祖大破之殺獲五千餘人

宋建炎三年金人陷六合十一月岳飛入合敗李成

四年金兀朮渡江屯六合軸艫相銜不絕七日自六合引兵趣[illegible]

紹興二年金兀朮南侵統制岳飛邀擊之敗之於六合

四年十一月金人犯六合鎮十二月兀朮屯竹墪為韓世忠所拒

三十一年金主亮大舉入寇劉錡命小校何爇資領五十人至六合侯望遇神將將兵拒戰遂敗虜孝皂角林十一月崔皋及金人戰於定山敗之

隆興元年以郭振守六合振屯兵築城[illegible]至六合[illegible]

二年十一月金人犯六合步軍司統制[illegible]都之郭振屯六合

乾道二年正月省六合戍兵以所墾田給還復業之民

三年十二月增修城安撫胡昉奏興瓦梁堰入和州以不便六合故也

淳熙二年嘉泰四年修城

開禧二年金屯瓜步田琳遣引兵救六合雷方行至竹鎮聞金遁追擊大敗之

嘉定十二年三月金人犯六合流民渡江[illegible]

端平三年冬蒙古寇六合總轄李江禦之[illegible]敗忠翊郎趙時聞死之

德佑二年右丞相文天祥入真州與其守苗再成謀以揚州兵取六合為制置使李庭芝所疑不果

元至正十四年十月元將脫脫兵圍六合

大[illegible][illegible]浦東之與敵再成守尾深壘數戰元兵引去
國[illegible][illegible]游繳三十二年倭寇竊發六月與賊戰于八圖山陳山等處下
三十四年倭奴由[illegible]江焚掠民兵季寶等[illegible][illegible]沈坤等溺死于[illegible]河
三十六年[illegible][illegible]入天長六合戒嚴苗兵青州兵
其與民大擾
三十八年築縣堡甃以磚石

○災祥

尚書以敬用五事別休徵咎徵周禮保章氏以五雲之物辨吉凶水旱降豐荒之象是故天人感應之機捷於影響[illegible][illegible]也六合自為邑以來災祥不一舊志以紀

爲政

者告

漢永平十二年旱

晉太元十六年飛蝗集縣界害苗稼

二十年長星見女須分

唐貞觀八年二月江淮大水

總章元年二月江淮旱饑

嗣聖九年旱饑

開元十四年秋大風自東北來海濤沒民廬

上元二年江淮大饑

貞元八年江淮大水

長慶二年江淮饑

太和八年夏江淮大旱

咸通二年江淮旱　七年江淮大水

九年江淮旱蝗邑令康以身禱于[illegible]自[illegible]入江而死雨遂霑足歲乃熟邑人立祠以祀令失其名

宋乾德二年四月楊州楊子等縣潮[illegible]大壞民[illegible]

天聖四年江淮南大水

六年七月江水溢壞[illegible]

熙寧六年十□□江□饑

靖國元年江淮旱

大觀三年江淮大旱

政和三年雩龍池有應

重和元年江淮水

紹興七年七月旱蠲逋租　十八年大旱

乾道三年十二月六合武鋒軍壘火

淳熙二年頒詔賑以常平米　九年七月蝗

十五年五月水

嘉泰元年江東淮南旱

嘉定八年四月北境飛蝗越淮而南

淳祐六年六月江淮飛蝗蔽空集食禾豆

元至元十九年水

大德五年七月暴風起東北江溢民被災發米以賑

大定元年六月旱　三年大水　四年饑

至順四年江淮饑減今年夏稅

至正十三年秋旱達魯花赤伯士寧禱之而時兵亂徐泗獨縣境

國朝宣德五年饑遣官勸賑明年乃遣兵賑

正統五年饑　十二年夏大蝗知縣黃淵經禱次日蝗不復見是歲稔

天順五年五月江南北大水

成化十一年火延燒千餘家自玄貞觀至仁和橋縣庭亦[illegible]火

弘治三年冬大雪三十餘日　十六年大饑發粟賑之

正德十二年夏霖雨滁水泛溢街衢乘舡上[illegible]往來漂沒廬舍甚衆　十五年大風潮[illegible]

民田廬　十六年春產白雀二麥有兩岐

嘉靖元年七月大風　二年大旱米價騰人相食

三年自春至夏疫癘大作死者相枕於道

八年秋大蝗羣飛蔽天　十年江溢沒田

十一年夏蝗知縣茅宰令民捕蝗抵斗給穀

十四年蝗旱賑之　十六年大水

十八年二月雨冰樹木多折

二十九年七月蝗　三十年夏不雨

三十一年夏旱七月疫　三十二年二月

十三年旱　三十四年麥秋六月水沒田禾

十五年二月地震　三十九年江潮泛溢冬大

十年產瑞麥　四十一年六月大風雨潮湧

四十二年雪凝梅月狀

四十五年六月大雨水傷禾十二月大雪二

十餘日民有凍死者

隆慶二年秋不雨　三年潮沒圩埂田盡

四年冬饑　六年夏不雨冬無雪

萬曆元年見[illegible]禾產瑞麥百里[illegible]是秋禾盈一莖二三穗[illegible]

三年夏不雨　五年春不雨井泉多涸　八年亦[illegible]

十二年水　十四年五月大水知縣陳載春設糜以飼

十六年旱蝗　三十年正月雪

三十三年夏不雨　三十六年大水知縣米萬鍾賑

三十九年蝗自北而來不甚爲害

四十二年旱次年亦旱知縣張[illegible]

雨露兄遠邇徹呼四年[illegible]

湖立陷識之格天居不凡[illegible]

四十三年大水[illegible]

六合縣志卷之三

官守志

○公署

國語云署位之表也有位必有署署而曰公則以坐此地者懷公心布公道云耳

縣署 按宋嘉定志縣衙舊在城南門裏街西[illegible]炎前有御書鼓角二樓蓋昔時州郡之制也紹興辛巳燬于兵火寓于城北嘉定七年令劉[illegible]請額造有勅書樓宣詔頒春清風三亭

國朝洪武元年知縣胡有源遷於滁河北明[illegible]新建立宣德間知縣林至正德間知縣萬廷瑆李藎嘉靖間知縣周薇各重修建嘉靖三十八年知縣周文爔始築縣堡甃以磚云

親民堂 東楹為銀庫 西楹為冊庫

戒石亭在儀門内隆慶四年知縣董潤建後知縣張必振改為屏

超遠亭在後衙萬曆間知縣張啟宗興建重修衙宇崇高墻壁以護其後

同春軒舊為廣惠堂萬曆間知縣蕭時鳴重建

資仕軒在後衙萬曆間知縣蕭時鳴建

鑾駕庫在正堂西中居龍亭儀仗旁藏誌書印板

典史衙舊為主簿衙未詳何年建典史鄭一臣重修

稅課局舊在縣治東南洪武初知縣陸梅創立正統間奏革景泰間巡撫工部尚書周忱奏復知縣黃渭擇縣治前衛西隙地建之成[illegible]十九年大使楊志孝修弘治十年大使王[illegible]修正德六年知縣萬廷理重建嘉靖十四[illegible]知縣茅宰修萬曆間大使蘇璵俞[illegible]

瓜埠巡檢司 在縣東南二十五里瓜步山下吳元年開設舊址去河半里許濵臨江後洪武初知縣劉有源建未詳何時徙今所嘉靖二十九年知縣董邦政修嘉靖四十五年巡檢劉國勳重修歲久傾圮萬曆四十一年知縣張啟宗重修

崇邑驛 在縣治東洪武間知縣陸協建成化間知縣唐詔重修嘉靖初知縣何玄二十二年知縣黎循典各修萬曆二十八年知縣汪之琢改建舊驛之左原舍宰臨圍受厥神萬曆年間知縣張啟宗于本驛東建祠三間中塑馬神高麗馬昔有神在祠之益焉

瓜埠三汊河泊所 在縣東南丙午年所官蘇守正建嘉靖間所官金鏞修

陰陽學 在縣前直街東洪武十七年訓術王原建嘉靖三十二年署縣溧水主簿孫祿修

醫學 在陰陽學南洪武十七年訓術張仲剛建嘉靖元年知縣林材三十二年署事孫祿修

僧會司　洪武間開設僧會海泉立於長蘆寺後廢今即僧會所居爲署

道會司　原未有設成化十二年知縣唐詔奏請建立於玄真觀薦道士胡應魁爲道會後廢

察院　在縣治東洪武十一年知縣李仲文建成化間知縣唐詔嘉靖間知縣岑常開諱二十九年□□府通判□□各重修

公館　在察院東弘治間知縣翁謙建嘉靖八年知縣何宏重建二十六年知縣邵津修

皇華館　萬曆二十八年知縣張以振以崇邑驛改今館

馬監　在縣治東馬廠內洪武間建爲舊馬官署縣閣之西成化間主簿王瑄修今廢

縣倉　舊在縣署內正德八年知縣萬廷埕遷縣外嘉靖三十九年知縣周文爌將預備倉移建旌善樓後收貯秋粮其舊倉作拘禁輕犯之所

[illegible]倉舊有四東在縣東五里西在縣西二十里南在縣南二十五里三倉久廢北在縣北一里後移縣治內其地知縣[illegible]建文昌祠今祠遷地空

[illegible]東北知縣邵濂[illegible]壇南改建今廢

[illegible]倉　廣儲倉　常平倉　義倉以上各倉俱在縣東知[illegible]

[illegible]夢鴻

富民倉在縣西知縣張必振建

十[illegible]亭在縣正門外東向洪武中知縣陸梅建正德間知縣萬廷[illegible]建

旌善亭在縣正門外西[illegible]知縣陸梅萬廷理建嘉靖[illegible]知[illegible]改為善惡樓

[illegible]中門[illegible]中知縣陸

[illegible]在[illegible]北成化[illegible]

[illegible]間[illegible]

匯[illegible]舖在[illegible]間知縣唐詔建曰[illegible]起萬曆間知縣張敬宗重建扁曰召[illegible]

侯子舖在縣東二十五里知縣唐詔建

林家舖在縣南二十里成化間知縣唐詔建萬曆間知縣張敬宗重[illegible]

梁塘舖在縣南四十里東[illegible]至江浦中火間知縣唐[illegible]建嘉靖間知縣董邦[illegible]制而斯新之朱正郎有記

[illegible]家舖在縣南六十里知縣唐詔建

[illegible]館在東門外里許萬曆間知[illegible]知縣張敬宗修扁曰[illegible]

[illegible]在南門外知縣陳載[illegible]知縣張敬宗修扁曰[illegible]

兩[illegible]在小南門外知[illegible]成春堤[illegible]知縣[illegible]扁曰有[illegible]

秋[illegible]縣唐詔[illegible]

(一)廟學 附社學

序

庠序學校三代所重而孔子之道萬世所焉　國朝定天下首令郡縣建學立廟有以也世之士爲忠孝爲節義爲功業文章孰非由學校而師孔子者耶茲故不以文廟列祠廟不以廟學列公署特志以表之社學亦同教之所故附

儒學

唐光化中在東門街北咸通中徙河南[illegible]十市街復因址瀉南移縣治東宋治平間修[illegible]東百步臨滁河爲水所浸尋徙縣西南隅[illegible]近炎兵火僅有遺址紹興十四年暫寓[illegible]古官舍遂因經藏廢院爲學二十九年復[illegible]皆

七年知縣劉昌詩重建詳見嘉定志[illegible]定
二年達魯花赤不曾跡實海牙縣尹[illegible]葺
祭器條繇考[illegible]
立見求樂志[illegible]
修葺成化五年知縣唐詔復構造宅[illegible]
門外阻於民居倍賄其地學始南遷[illegible]見
成化志正德九年知縣萬廷瑶重修[illegible]大
備嘉靖十年知縣茅宰創建啓聖祠[illegible]一
亭十二年宰重建科第坊于四年教諭方錦
造菜淇亭二十二年知縣黎循典修兩廡神
厨庫建至聖聯輝樓三十年知縣董邦政將
廟祠堂齋號舍遂一修建見嘉靖志三十四
年知縣管嘉禧增置官書三十六年知[illegible]不
黎修啓聖祠隆慶二年知縣章世禎重[illegible]排
賢祠　敬一亭號房五年知縣董潤翰[illegible]議
齋泮池置縣市工於山續給工費見志[illegible]後
旋與家言宜改向西南以順山木時謂[illegible]祭
丁夫署學事從衆議申府[illegible]委官[illegible]

國朝洪武五年知縣
正統間知縣史思古黃

[illegible]歲代巡[illegible]造[illegible]學[illegible]王[illegible]
[illegible]生[illegible]拝谷完壯給[illegible]續耕[illegible]李[illegible]
[illegible]文廟明倫堂兩廡改建[illegible]
[illegible]萬曆十年知縣梁[illegible]復[illegible]
[illegible]郡沈[illegible]道東[illegible]
[illegible]于櫺星門左建射圃亭于明倫[illegible]
[illegible]置殿宇門廡閣[illegible]一新同[illegible]
萬曆三十三年知事何洛重修祭器神[illegible]
夢龍重修西廡近知
縣張故宗嶽次修葺

諭宅 在啟聖祠左

訓導宅二 在教諭宅後

會饌堂 嘉靖十三年教諭方錦[illegible]倡并建策洪學令與廢

射圃亭 舊在縣治東去學一里洪武五年知縣陸梅建成化六年知縣唐詔遷于學西

正德九年知縣萬洋重建嘉靖三十年知縣董邦政重修後改學購興武衛空地在明倫堂右萬曆九年知縣陳載春重建

祭器

大錫香爐一
木香爐七
大錫燭臺封褁嘉請三十年教諭鄧襄修
鐵燭臺二十五對
銅爵一百三十七
籩二百一十
簠五十一
登二十五
鉶五
祝板一
盥洗盆二
小方盤一百有二
[illegible]爵櫝一
瓦香爐二十一
鐵花瓶一對
紅黃幔七
錫爵二十七
豆一百九十一
簋五十一
尊一
篚九
青磁尊
大方盤十七
長條盤九
巳上俱成化間巴陵知縣邑人季恒置知縣李箴重修整

[illegible]寺東[illegible]

自[illegible]同州普[illegible]延

[illegible]定[illegible]梁唐[illegible]

䄠垣寺 [illegible]三年建鄉涉[illegible]方寺有僻北[illegible]隋一渦間以伐宋師云來桃葉而渡必克丁乃造桃葉舟及江有童謡桃葉歌其時見岸湖有山遂造此寺正統間僧所昕成化間僧如清嘉靖二十七年僧紹宗各修建

祇洹寺 在市山倒壞嘉靖十四年僧惠俊重修

圓通庵 在縣下三都未詳其始年又闕塌弘治十七年僧智定重建山門一間佛殿三間

西廣佛寺 在上三都倒壞正德七年僧定圓重建嘉靖二十七年僧性安重修

龍泉寺 在北四五都至和元年僧勝濟建成化十年僧道能嘉靖二十四年僧正滿各修建

招賢寺 在縣東北蛾眉山景泰間僧定仁建弘治間僧德從正德間僧行俊各修建

烏石寺在烏石山上至和元年僧本通建嘉靖十八年僧道朗重建

北觀音寺在縣南上三都至正間僧圓景建弘治間僧圓文嘉靖二十六年僧冉滌修建

三光寺在縣東一都梁天監中僧永洪建後廢洪武二年僧昌弘重建天順間僧悟真正德間僧空玉嘉靖二十二年僧德成各修建

雙泉寺在北門五都元至正中僧道本建成化間僧道勒嘉靖十八年僧德明各重建

能山寺在北四五都元至正僧洪演建正德間僧悟安修建

廣福寺在北四五都梁天監中開建洪武二[illegible]僧[illegible]重建嘉[illegible]僧淨朗[illegible]

[illegible]公[illegible]

學田[illegible]

銀一千五百四十[illegible]

五百二十五文租山[illegible]年五十一[illegible]

租銀每年一千二百[illegible]四年[illegible]

定[illegible]

圖

[illegible]

[illegible]

[illegible]二[illegible]八原八十五年[illegible]

付本學[illegible]

縣[illegible]二十四[illegible]門外[illegible]

[illegible]以[illegible]二十一[illegible]

諭陳洪表將本學缺官秋糧齋膳銀八十五兩申詳提學察院將田地七十六畝五分三厘在買裴塘東義倉机銀一十四兩除辦本田秋糧外餘即爲學[illegible]生嘉靖二十七年知縣邵漳將丈量多餘同地七十九畝六分三里五毫呈撥本倉佃户納租三兩九錢四分八厘八毫在學以資[illegible]之不能婚喪者萬曆三十七年知縣[illegible]置田地十畝二十畝在四[illegible]九錢除辦[illegible]生

社學　[illegible]建於驛東[illegible]成化間知縣唐詔創[illegible]林[illegible]捐其地爲民[illegible]新於四門各建一所[illegible]一於讀[illegible]有堂公司居東社有[illegible]記

○祠祀

國之大事在祀與戎[illegible]日祇人日鬼凡有[illegible]

國朝置壇壝兆祠宇無間於郡邑亦所以為民報功崇德之道也成化志止載壇壝而列合祀之神於寺觀失其義矣今正之作祠祀志

社稷壇

舊在縣治西正德間知縣萬廷瑞因其地卑隘度地於西門外遷之表以坊繚以垣植以樹木嘉靖間知縣何宏修

山川壇

在縣治南坊垣如社稷壇內齋所三間樹木頗叢茂

邑厲壇

在縣治北坊垣齋所如山川壇巳上三壇洪武間知縣陳梅建成化間知縣唐齊與新之上二壇嘉靖間知縣茅宰重修

城隍廟

在縣治西高岡上按舊志云廟即漢淮南九江王黥布祠形勢雄壯後連吳大帝壇下臨滁水前後二殿父老相傳靈迹顯異每見其祠龍形身具五色金光等門院更

於蟠幢供帳之間兩彰祈禱稱事稱茫其應如響宋景德四年守大理寺丞知六合縣監押兵馬同知茶鹽酒稅王時立[illegible][illegible][illegible][illegible]歷紹興辛巳逆虜犯順分道南侵閏六月[illegible][illegible]己而濱去有烽卒言仰視城闉旌旗蔽天人人揚神號虜懼而遁邑人刻石紀功今廢開禧二年十一月內虜兵復亂城週迴數重獲至乘虜備甚衛兵仰見城上皆張青幟愈攻愈高皆蓋黃麾下有長大神人升降其間勇遂勦驚懼而退邑人狀其迹嘉定元年七月內勦揚廟額曰昭衛國朝洪武二年封為監察司民顯佑伯之勅令正統丁卯年夏大蝗農民憂嘆知縣黃潤齋戒[illegible]禱次日蝗不復見是歲大稔守民[illegible][illegible][illegible]以為神驗因久圯敝邑人[illegible]修正德間知縣林幹屬耆民周[illegible][illegible][illegible]任持道上議慶真重修乃建山門[illegible]二門三間大殿三間後殿三間兩廡各二間盡廊十有八嘉靖二十二年知縣[illegible]

改作前後殿各五間後知縣董邦政禱驅蝗有應[illegible]萬曆四十一年知縣張啟宗重新廟[illegible]良戰完冊石坊于廟門東西并[illegible]有功於服役褻瀆神明者復嚴驅[illegible]中集[illegible]英靈[illegible]著者[illegible]雨之塞

馬[illegible]祠　在縣治東馬寨內與馬監隣後廢萬曆十八年知縣黃夢鴻建祠三間近因傾于風雨知縣張啟宗重修

名宦祠　在儒學內正德八年知縣萬廷瑆建隆慶五年改學尚未有祀于其間者萬曆十年始並以[illegible]韓世忠岳飛歐陽得基唐詔何宏等[illegible]入祀而忠賢祠並何弟祠廢矣[illegible]正德間申請參議黃宏入

鄉賢祠　[illegible]一年中通判袁槃入祀嘉靖[illegible]知縣張瓚入祀後[illegible]

忠賢祠

在縣治址舊為觀音庵嘉靖十七年知縣周敞奉南京禮部劄付為崇祀忠[illegible]事奉本部尚書霍韜看得古[illegible]衛大[illegible][illegible]人惠必須忠賢遺烈查得志[illegible][illegible][illegible]世忠臣[illegible][illegible]余[illegible]社[illegible]江上勇烈[illegible][illegible]居[illegible]居六[illegible]尚雨設江志切民逸國[illegible]有歐陽[illegible]基宰邑[illegible]鼓為民衆[illegible]皆六合名宦之最者也有[illegible]都[illegible]場能秉勲邊塞本祭議黃宏死節逄藩皆大合[illegible]宦之賢者也已上忠賢廟食茲土於[illegible]為宜合將前項觀音庵改為忠賢祠仰北[illegible]兵馬同官前去會同該縣掌印官將正堂一座立忠賢牌位外留大門一層及左右廊[illegible]六間其餘估計變賣尽價盡数查出還[illegible]是本縣名宦鄉賢及有功江防查考或遺者該縣會同師生查議詳報續該本縣申稱元處士郭淵國朝當東按察副使王弘二人相應共祀今祠祀入公祠雖立文奉[illegible]祭近知縣董邦政以劇[illegible][illegible][illegible][illegible][illegible][illegible]

禮又采邑人張紱之前代以[illegible]冕[illegible]廟[illegible]縣學詔首作爲良時集同祀合並何芳[illegible]

忠節祠[illegible]舊基前萬曆十八年知縣黃[illegible]爲貞家建四十二年知縣張次宗重脩

先賢祠五張劉二侯祠在來春門外東侯祠在[illegible]橋南張侯祠一在察院東一在靈巖山上

○寺觀

老佛之居曰寺觀曲阜無之蓋聖人之居然也然習尚已久古蹟攸存似不可廢故志之以備考唯文昌宮爲興文之典故首列

文昌宮舊在北關附倉廒[illegible]萬曆元年知縣李蔵建二十九年知縣[illegible]光肖像儒學枝三十八年知縣[illegible]氏李光[illegible]復[illegible]舊基

玄真觀在[illegible]隆興元年郭懷[illegible]

得台修飾縱方十許乃置祠嘉定七年縣令劉昌詩開新塑三清像後兵燹不存洪武二十四年何容道士金葉原址建永樂間□上許禮貞重興觀宇正統四年□□成□□□十盛永泰節次修構規制□□□□□胡庭聰弘治間知縣翁□嘉□□□邑人胡景監生夏植道人盧景暘等各□修

凡遇朝賀肄□□□儀之所

東嶽廟二 一在縣東一里□浦橋西未詳何時建宋嘉定十年縣令劉昌詩建門樓宣廳永樂十一年道士金元正民人徐仁重建正德十一年道士李日昕上人金玉建前殿及兩廊後道士張□□民人余金

洪山門 一在縣北四十里

泰山行宮 在東嶽廟西正德十六年邑人余金助建嘉靖初道人陳道恩修有□

祠山廟二 一在東嶽廟西舊廟以廢□建□□□□令劉昌詩修造永樂十五年民人□□

參贊軍[illegible]二[illegible]九[illegible]指[illegible]
刑重修　在[illegible]內[illegible]里

[illegible]廟　按景定志在長蘆江上關安豐天人[illegible][illegible]
有僧於蕉人澗中得香木刻成丈人像[illegible]
祭因[illegible][illegible]置小祠人[illegible][illegible][illegible]
後來天[illegible][illegible][illegible]立大其祠[illegible]秦[illegible]加封[illegible]
丈人紹興[illegible]九年[illegible]東[illegible]建湯[illegible][illegible]
創廟應洪武七年民人[illegible]文[illegible]修

五聖廟　在縣治西弘治十年知[illegible]許[illegible]
道士陳道德建嘉靖二十六年[illegible]
羣民人胡恩趙傑重建
山門正殿共[illegible][illegible][illegible]廟

真武廟二　一在縣西門外與觀之東開正統間[illegible]
士[illegible]然[illegible][illegible]宅以治元年知縣[illegible][illegible]重[illegible]
告[illegible]道士[illegible][illegible][illegible][illegible]殿嘉靖三十一年
道士朱常清道人一[illegible]浦[illegible]建山門三門大[illegible]
殿[illegible]司殿及後山一[illegible][illegible][illegible]一而[illegible][illegible][illegible]
[illegible][illegible]一在[illegible][illegible][illegible][illegible]武十六年[illegible][illegible][illegible]

建。永樂五年江陰衛千戶王天驥修。日久傾頹。正德八年壽寧[illegible]張[illegible]捐貲以[illegible]三間。萬曆四十[illegible]張[illegible]修。[illegible]縣[illegible]世[illegible]話。

慈濟龍王廟 在[illegible]龍池之東。按嘉定志載：[illegible]父老云：池常有[illegible]僧[illegible]池傍，於民不繫，顧能拯[illegible]下[illegible]求首[illegible]日[illegible]裳[illegible]望迎之，果得雨[illegible]中[illegible]作廟[illegible]於兵火。嘉定九年[illegible]令劉[illegible]請[illegible]池上立祠塑像，作楚都[illegible]之選[illegible]旱[illegible]禱吉。

[illegible]

一在縣西南四十里，宋咸淳民[illegible]建。一在縣東[illegible]里，正德中民人[illegible]重建。萬曆四十二年知縣[illegible]倡屬鄉官汪元慶[illegible]建，落成，邁崇詩[illegible]

[illegible]廟三 一在縣東北三十五里馬頭[illegible]二年民人陳[illegible]

縣達魯花赤伯吉寧修洪武二十[illegible]胡有興等修正統十二年重修　一[illegible]南十五里靈岩山上宋至道年間剏創[illegible][illegible]三年豹韜衛千户周興重建　一在[illegible]圩治瀟橋東弘治十六年民人[illegible]嘉靖三十年知縣董邦政重建兩[illegible]禱雨於山皆有應

吳太帝廟在縣西南二十五里[illegible]高岡上按[illegible]定志[illegible]

[illegible]立元泰定三[illegible]建有碑記見文獻

黃龍王廟在縣南十五里宋天聖八年建宣[illegible]兵燹洪武十七年民人徐伯榮等重建

白馬將軍廟在縣西南五里洪武三年民人[illegible]建

衛司徒廟在縣西南四十[illegible]陵嘉定志廟在[illegible]

云徐鉉翁銘神像[illegible]西僧德林欲[illegible]滅偶得踣疾不能[illegible]草中及瞬則[illegible]内頗無人獨虎豹[illegible]自謂必死俄[illegible]一人如將軍狀召二卒[illegible]曰若守此人得[illegible]出將二卒在焉明日林爽僧以問卒卒曰此爺將軍也僧遂[illegible]見之處立祠父老云即今司徒廟也

昭烈張王廟在縣西北趙家山上

泰山廟在治山嘉靖二十年道人汪淵建嘉靖二十八年僧性鑑重修

將軍廟在縣北四十里黃董山上

后土廟在縣西北五十里竹鎮市宋建炎四年岳欽立頹毀今嘉靖二十一年道士[illegible]重建

太平廟[illegible]一在縣東南四十里　一在縣西北[illegible]

[illegible]二[illegible]四　在縣東二十五里　一[illegible]

[illegible]二里

東王廟西一在縣東二十

帆將軍[illegible]在甲帆山上

[illegible]按嘉定志宋天聖間建在縣南一

長蘆崇福禪寺十五里長蘆鎮臨江岸舊額[illegible]

十[illegible]

淳熙十二年從滁口山之東三里河曲[illegible]

之上初章獻皇后[illegible]從父下陝王下[illegible]

名勉之游京師及后垂簾臨政王泉長[illegible]

長蘆后[illegible]召不至遣使就問所須答曰道人

有所須玉泉無僧堂長蘆無山門后即以本

閣服用器物下附寺玉泉已建堂長蘆臨江

門起水中既成輒為蛟所壞迷用生鐵鑄

斤壘門下乃成蓋歐陽脩記也又以無[illegible]寺[illegible]

廣□常名祭沙神寺濱大江府歲度僧七人
令□小舟以救沉没之患歲又事發而度僧以
稍如式淮南轉運使寇平籍僧所活五人以
上始得度開禧丙寅寺爲兵火廢嘉定五年
提舉范衍招鎮江甘露寺僧慧光住持□造
聽文寳秘閣崇泰御書下有一蕭堂前有書
室六□堂眞指堂立達摩殿造佛堂芝蘭
館西建僧堂門外有□江亭周部□石卿亭
仍鑄□鍾萬餘斤縣令□昌詩作銘運判趙
鄰□□文刻□成化志謂梁普通八年建寺
淡□遂建此寺及考嘉定志載定山有如禪
宅□縣西南六十里定山師子峯下居郊□
懷□云梁上因公主疾安造院後達摩渡□
請梁武不契而東折蘆渡江過長蘆來定□
面壁□年有宴坐石岩過少林又九年西
歸之過長蘆則達摩未渡時已有此鎮□
□□名并請折蘆也洪武元年僧經無□偶
寺有貝葉經□幅佛齒一對□□

門傳謂達摩所遺其[illegible]成化間為[illegible]太監[illegible][illegible]去寺門數里有鉄金剛神范仲淹[illegible]八[illegible]鰲十事其八則以太后重建長蘆寺[illegible]後兵燹四萬斛標宇塑像[illegible]紀

[illegible]寺[illegible]南[illegible]尾峯下長蘆寺[illegible]傳[illegible]長蘆之[illegible]院縣東十五[illegible]小上[illegible]中

[illegible]寺[illegible]禪師開建洪武二年[illegible]和尚重建[illegible]德十六年僧成祖修

觀音講寺在縣西南五十里宋咸淳間僧惠住開建洪武二年僧名淨重建

觀音寺在縣南六十里下二都東天聖間僧懷達建洪武十七年僧普通重建嘉靖十六年僧呆任修

臥佛教寺在縣治東北唐保大七年僧惠得開建後廢洪武元年僧善現重建嘉靖三十

一年僧佛如修建鐘樓。萬曆三十八年，一
山門寺有石卧佛一尊，人陸守信等重今

正覺教寺在縣下三都蓮花崖下，元延祐二年僧
可禅師建，後廢。洪武元年僧理法師重
建。嘉靖二十六
年僧慧定重修。

雲居禪寺在觀音寺之北，唐大和四年僧弘濟師
建，不存。洪武十二年僧宗肯重建。洪武
二十四年併
入長蘆寺。

盤城講寺在縣西三十五里，宋天聖三年僧端建
洪武十三年僧從富重建。洪武二十四
年併於卧佛寺。嘉
靖三年僧慧錦修。

東廂禪寺在下二都，宋天聖元年僧裕禪師開
不存。洪武元年僧道茂重建。洪武二十
四年併於觀音寺，即今茶亭
寺。嘉靖十八年僧廣誠重修。

永定禪寺 在縣東[illegible]僧[illegible]能開建[illegible]洪武十四年僧文敏重建永樂十五年[illegible]詩於[illegible]閒曲寺

[illegible]講寺 [illegible]定志名水南淨寺在縣治東南宋咸[illegible]通間僧惠來開建不存洪武十二年僧得性重建後毀於[illegible]正統間僧林[illegible]甘[illegible]重毀三間其後宗榮[illegible]僧[illegible]建天王殿一[illegible]法堂五間

接待講寺 在下三都宋天聖七年僧楚[illegible]建不存洪武[illegible]年僧文命重建於洪[illegible]十五年併於觀音寺嘉靖十年僧承懃重修

[illegible]居禪寺 在縣[illegible]九[illegible]建隆三年僧[illegible]建不存洪武十[illegible]年[illegible]僧[illegible]五年併於[illegible]舊

香積禪寺　在縣東[illegible][illegible][illegible][illegible][illegible]大學開僧法璟開建不存洪武十五年僧[illegible]輒重建永樂十五年併於回佛寺

寶[illegible]講寺　在縣北門五[illegible][illegible][illegible][illegible][illegible]僧[illegible][illegible][illegible]毀于兵洪武元年僧[illegible][illegible]建永樂十五年併於小佛寺[illegible]新[illegible]間僧創後修

[illegible][illegible]寺　在縣北門十里平則山上唐建莫考元至和元年僧守俊重建洪[illegible]毀于兵洪武間僧守正重建宣德戊申僧以新重修正統乙丑僧[illegible]興成化間僧惠昂[illegible]正德間僧惠源各[illegible]重建

[illegible]公[illegible]庵　在縣下三都宋咸淳年僧本舉開建[illegible][illegible]洪武元年僧[illegible]重建洪武二十[illegible][illegible][illegible]於長蘆寺　〇按已上各寺皆據舊志所載[illegible][illegible][illegible]併於[illegible]寺[illegible][illegible]皆不可知今各寺具附其舊址[illegible][illegible]安得為併此[illegible]備識以[illegible]刪正

東廣福寺在縣東二都正和間僧[illegible]建[illegible]僧日通嘉靖九年僧[illegible]

祇垣寺在縣北五十里治山坊[illegible]二[illegible]二年建邨房懷古亭[illegible]隋[illegible]以代東[illegible]云[illegible]其[illegible]王乃[illegible]葬師及江有[illegible]建有山遂造此寺正統間僧[illegible]問禮如清嘉靖二十七年僧紹富[illegible]修葺

祇洹寺在治山倒壞嘉靖十四年僧惠俊重修

圓通庵在縣下三都未詳其始年久倒塌弘治十七年僧智定重建山門一間佛殿三間

西廣佛寺在上三都倒壞正德七年僧定圓重建嘉靖二十七年僧性安重修

龍泉寺在北四五都至和元年僧濟建成化丨年僧道能嘉靖二十四年僧正滿各修建

招賢寺在縣東北峨眉山景泰間僧定仁建[illegible]

烏石寺在烏石山上至和元年僧本通建嘉靖十八年僧道朗重建

北觀音寺在縣南上三都至正間僧洞景建弘治間僧圓文嘉靖二十六年僧舟澄各修建

三光寺在縣東二都梁天監中僧永洪建後廢洪武三年僧昌弘重建天順間僧悟真正德間僧空王嘉靖二十二年僧德成各修建

雙泉寺在北四五都元至正中僧道本建成化間僧道勤嘉靖十八年僧德明各重建

龍山寺在北四五都元至正間僧洪演建正德間僧浯寅重修建

北廣福寺在北四五都梁天監中開建洪武元年僧勝全重建嘉靖九年僧净朗[illegible]

寶公寺在北四五都梁天監中誌公禅師[illegible]中僧宗真嘉靖十六年僧清澄重修建

白雲寺在北四五[illegible]僧[illegible]嘉靖[illegible]建

磁石寺[illegible]興建成化間僧真[illegible]正德間僧真明嘉靖二十八年僧壽[illegible]茂各修建

大聖寺在北三[illegible]里成[illegible]中[illegible]崇慶嘉靖元年僧[illegible]建

曲澗寺在南四五都[illegible]建洪武[illegible]僧定護正德間僧[illegible]重建

文殊庵在北三里成化間[illegible]建嘉靖十五年[illegible]

白塔庵在南三[illegible]間僧[illegible]建後廢洪武六年僧[illegible]重建嘉靖七年僧[illegible]重修庵有石塔一座

茶庵在北門外隆慶間邑人[illegible]今東西南[illegible]里巴[illegible]興[illegible]

[illegible]十[illegible]寺庵在竹鎮集址萬曆十有六年[illegible]陸坊僧澄[illegible]建前後[illegible]宇共十[illegible]中

閣諸有記一庵在真武廟西民人諸[illegible]一在小井門內一在儒學西與萬曆間新建焉

形華宮 在縣治南萬曆二十年知縣蕭情鳴建

白雲庵 在靈巖山上萬曆年間知縣蕭泉烈作興文教建塔靈巖甫畢一級移任杭州後知縣林[illegible]宗有任竭力聚材鳩工屬耆民[illegible]貢芳許鉞沈孚汪旦夏承祖熊詔王化[illegible]信任持志高等建塔七級高一十三丈浮[illegible]捧漢金階規煌塔東建梓潼閣遺聚三第以[illegible]縣西極為山門傍為僧舍圓遺聚[illegible]經過山址松十萬五千有奇章抱可朝[illegible]壹增色美益靈巖一塔有關闔邑士民[illegible]即于塔址建祠三楹中供佛左右肖[illegible]像仍托貞珉以垂不朽

六合縣志卷之四

官守志

○封爵

古之人[illegible]列爵分土所以[illegible]吾邑前代有數人焉[illegible]附錄于[illegible]

漢

陳嬰東陽人[illegible]帝六[illegible]十[illegible]月[illegible]中[illegible]宗[illegible]侯食邑六[illegible]戶力[illegible]帥[illegible]叶[illegible]要[illegible]為令史[illegible]稱為[illegible]東陽少年相聚[illegible]二萬人[illegible]為王[illegible]曰自我為汝家[illegible]未嘗聞[illegible]之有貴[illegible]今暴得大名不[illegible]不如有所屬[illegible]成猶得[illegible]敗易以亡[illegible]世所指名也[illegible]乃不敢為王謂其軍[illegible]曰[illegible]氏世將家[illegible]於[illegible]今欲舉大事將用其人不

六合縣志

可我衛[illegible]古未必矣其衆往之乃以兵爵

梁梁立新[illegible]王以嬰為上湘國封五縣[illegible]沉

爵漢定[illegible]浙江都浙定自為王狀具[illegible]嬰

遂受封[illegible]皆[illegible]六年薨諡曰文[illegible]子

高后五年[illegible]傳[illegible]子文帝三年[illegible]而

八年薨[illegible]帝女館陶公主[illegible]以

其女為[illegible]元光六年卒[illegible]三

四十八年[illegible]元朔元年薨[illegible]濉

以[illegible]公[illegible]顏元孫侈任霸陵[illegible]元

慮使食[illegible]四年[illegible]余復

[illegible]河内[illegible]魏封為堂邑新侯

司馬彪[illegible]帝[illegible]具風王歷官太守[illegible]尚

[illegible]攄[illegible]

[illegible]

郡王尋徙益州見通刺史守成都鑑

按陳氏見漢書史記資治通鑑漢武故事等書茲詳其世其前志所載亦定公正考之吾六未有是郡故不敢復志

○職官

設官分職以為民也歷代職名不同人品亦異茲據其事有可知載之以備來者

周

楚棠邑大夫

伍尚 楚人世以忠顯食采于棠棠王特任尚為人廉慈仁孝政多惠愛時稱為棠君費無極讒其父奢于楚平王殺之尚死其難邢文正賢命尚召于楚平王命也生以父命死以

成孝臣也爾豈真知權哉而襄陽曹侍御球亦稱尚忠經而不傷孝親之心不可謂不仁矣今海豐有祠祀尚本縣近奉學院取明文拯解守令實錄忠臣事蹟俱有傳謝

文種

字子禽越人未詳何時任唐縣令或淮慎古詩曰春秋之世名棠邑文種曾經治邑民之用特其苦瘠藉邇來何敢企斷人未知縣事劉昌詩續題名記亦首稱春秋載棠邑文種為宰云種後仕越為大夫勾踐滅吳悉賴其力　志畧有辯

溧

堂邑縣令

鍾離意

字子阿會稽山陰縣人建武十四年舉孝廉二十五年自瑕丘令遷任意仁於用心縣人防廣為父報讎繫獄其母病哭泣不食意憐傷之乃聽廣歸家使得[illegible]

丞掾作亭志曰罪自我歸義不累下遂遣之廣葬母訖果還入獄意密以狀聞廣竟得以減死論光武嘗以良吏稱之歷任尚書僕射漢書有傳○謹按意以靜陰湯深取其事謂其入子報父仇繫獄母死而不得殯斂則縱其歸以盡人子之期其用心之仁如此故能致之德位列樞要為世名臣有光青史嗚呼世為牧民之任者宜視意為法天報在上其可忽諸僕為二詩以贊并見白孔六帖善行錄

晉

堂邑縣令

范廣字仲將舉孝廉除堂邑令將軍琊王辟從事任邑丞劉榮坐事當死郡以付縣榮有母每遇節慶輒聽暫還榮亦如期而返後值焉野火將燒榮乃去足械救火事畢還自械

大旱米貴[illegible]撤公私[illegible]不斛賑飢遠近流
民歸之戶口十倍亦于[illegible]見白孔六帖
靖四十五年本縣[illegible]學[illegible]
參驗采[illegible]守令實錄有[illegible]傳

堂邑郡太守

劉穆之 守道民東莞莒人晉以琅琊王府主簿記室參軍領[illegible]決斷如流事無擁滯尋遷丹陽尹歷尚書左[illegible]射封西華縣子後宋追封南康郡公諡文宣

堂邑縣丞

劉榮 歷帝時任事見范廣下

南宋

秦郡太守

劉頠彭城人大明初為郡將[illegible]遷任七年擢豫州刺史歷官光[illegible]

南朝齊

齊郡太守

劉懷慰 字彥泰平原人太守乘民子持父喪盡其禮由是名重於時齊國初建帝欲置齊郡於都下議者以江右土沃流人所歸乃置于瓜步以懷慰為輔國將軍守是郡帝謂懷慰曰齊郡是王業所基吾方欲以為[illegible]任[illegible]之[illegible]一以委卿有手敕[illegible]有文書必[illegible]有[illegible]而人[illegible]王環刀一口懷慰至郡[illegible]郭[illegible]集[illegible]廢田二百頃決沉湖灌[illegible]受禮謁人[illegible]其新米一斛者懷慰[illegible]麥飯示之[illegible]食有餘幸不煩此因著[illegible]以達其意高帝聞之手敕褒賞仍令作[illegible]將軍薛淵[illegible]以招魏將薛道標魏人聞之[illegible]

道標從進騎將秦沛二郡妻子在郴賜秩[illegible]

石亥州刺史柳世隆與懷慰書曰卿中[illegible]

潁川致美以今方古曾何足云後[illegible]

北中郎司馬卒明帝即位謂僕射徐孝[illegible]

劉懷慰君在朝廷不憂無清吏也[illegible]

御製五倫書昔州諸類書俱取其事[illegible]

年十縣泰學院耿明文

捧摘守令寶鑑有懷慰傳

劉靈哲字文明平原人即懷慰之從弟也代[illegible]

時以前將軍任母病躬禱夢黃衣以[illegible]

藥曰取此食之立愈靈哲驚覺於枕間

如言而疾愈藥莫有識者文懷珍常

以嫡母及兄子景焕在魏國辭贖景焕

帝哲後附兗州刺史　國朝勸善書有

南朝梁

郡太守

李文[illegible]

[illegible]六年任總[illegible]上[illegible]刺史韋叡[illegible]文[illegible]六[illegible]人需于[illegible]之以[illegible]從[illegible]其橋[illegible]士拔[illegible]一[illegible]英[illegible]絕脫身棄城走諸[illegible]其[illegible]爭投水死者十餘萬[illegible][illegible]至濊水上矣單騎[illegible]甲[illegible]擒生五萬人收其[illegible][illegible]馬騾不可勝計詔加[illegible]宗[illegible]邑文到輩俱受賞有差事見資治[illegible]

譙秦刺史

徐嗣徽紹泰元年任因從弟嗣先[illegible]約以州降齊尋敗于秦郡見[illegible]二十[illegible]史

徐文盛 彭城人大寶元年任[illegible]兵數[illegible]人討侯景湘東[illegible]使將兵[illegible]下與任約遇於武昌[illegible]宣[illegible]川刺史以文盛為長史[illegible]諸將拒約文盛大破約軍斬其[illegible]將逢克武昌郭冕資治通鑑

嚴超達 [illegible]承聖二年任齊主使瀟樂郭元建將兵[illegible]秦行臺尚書辛術諫[illegible]郭[illegible]謝相東王信使不絕陽平侯景之土取之可乎今王僧辯已遣嚴超達守秦郡於義何得[illegible]之且水潦方降不如班師弗從陳霸先命[illegible]徐嗣引兵助秦郡固守齊眾七萬攻之[illegible]僧辯使左衛將軍杜崱救之霸先亦自[illegible]來會與元建大戰于士林大破之[illegible]首[illegible]級生擒千餘人元建收餘眾北遁備以[illegible]不窮追也三年超達自秦郡進圍涇州[illegible]大軍渡將兵四萬超達涇州僧辯使侯[illegible]囙須深引兵助超達拒之頃還[illegible]資治通鑑

[illegible]

□陵龍崗中丈[illegible]

侯景奏[illegible]

郭元建 太清三年秦郡常下[illegible]
尚書僕射北道行臺[illegible]
之景敗[illegible]入建康將東[illegible]
渡淮[illegible]之統其衆[illegible]
兵往救及景敗帝[illegible]
上上先帝太[illegible]既無[illegible]
偉勸吾六[illegible]
建曰吾[illegible]
乃所以[illegible]
偉所[illegible]

史降齊事見二十一史

秦郡戍主

郭正買 承聖元年任正買以侯景敗同郭元建[illegible]僧辯遣陳霸先[illegible]與[illegible]向[illegible]者往安慰之欲有多設使[illegible]晦渡江謂曰我帶梁之深[illegible]不若投北可行還[illegible]遂偕元建降齊事見資治通鑑

北齊

秦州刺史

[illegible]邑字文宗河西王傳高玄孫子悠之子也[illegible]魏封臨穎縣開國侯至武平末[illegible]建二年遷涇州刺史原以[illegible]閑邊懷之仰為鄰人所欽服[illegible]

[illegible]科[illegible]給[illegible]
一[illegible]綱[illegible]源[illegible]
[illegible]崇武[illegible]
[illegible]閘[illegible]議[illegible]
選[illegible]
[illegible]
以[illegible]文[illegible]日[illegible]精[illegible]
數[illegible]下[illegible]適[illegible]爲[illegible]令[illegible]
知[illegible]績之事[illegible]能[illegible]
同於[illegible]節[illegible]大宗[illegible]
淮南三門[illegible]人風俗[illegible]通[illegible]
將[illegible]兵[illegible]於[illegible]比[illegible]
事之明矣[illegible]此計之[illegible]
林[illegible]選人少[illegible]用從[illegible]
嘆[illegible]用第此策誠[illegible]
[illegible]不[illegible]
[illegible]
[illegible]

六合縣丞

王績字無功絳州龍門人大儒文中子之弟
也績性簡放不喜拜揖通知其趣[illegible]大
以家事舉孝廉授秘書省正字不樂在朝
[illegible]業[illegible]大業末不也續仍以嗜酒不任事天[illegible]
[illegible]門劾遂解去嘆曰網羅在天吾且安之
[illegible]還鄉里交仲長子光養[illegible]
[illegible]易老莊置床頭[illegible]書[illegible]
[illegible]武德所以前官待[illegible]
[illegible]有司求為太樂丞[illegible]琴有[illegible]
[illegible]鄉記五斗先生傳[illegible]酒經酒譜[illegible]
善及托無心子以自況[illegible]
[illegible]六指事文類[illegible]六[illegible]
則採入六朝詩彙
唐詩品彙等集

宦[illegible]

六合縣令

朝散

[illegible]齊 [illegible][illegible]常山人宰相 [illegible]之族[illegible][illegible]書

獨孤及 字至之洛陽人嘗建縣治青鳳亭[illegible] 歷官左拾遺濠舒常三州刺史[illegible]

[illegible]

據嘉靖志

[illegible]舊有辨

宋

房翰 青河人開元二十五年任嘗[illegible][illegible][illegible] [illegible]備[illegible]六之形勝[illegible]惟揚[illegible][illegible]志俱[illegible][illegible]

程大辨 中山博野人[illegible]北公[illegible]流之六世孫 歷泗水令改任[illegible][illegible]東征[illegible][illegible][illegible] 從事來成與學[illegible]十[illegible]山[illegible]賦[illegible][illegible] [illegible][illegible][illegible][illegible][illegible][illegible]以[illegible][illegible]之[illegible][illegible][illegible]文[illegible]

鄭繼　見叔孫矩齊古寺碑又宋知縣劉昌詩□□題名記

崔儇　大和四年任□□□□居寺碑及續□□記

袁珍　教人書虎然□□□□出境人專文類聚取之

康　咸通六年任時久旱民不聊生遂齋戒屢誠禱久懇禱帷應乃跨白馬投江而卒後霖雨沾足代大熟耆庶爲之立祠名爲六鎮明王廟儀貢亦准足廟於義城村又建馬祠於新河西俗呼爲毀廟子嘉定間郡守□□發再建於川號之西邑中之廟久廢嘉□七年本縣知縣周薇本南京禮□據□□郡尚書薛韜到任八祀忠賢祠　志畧□□

干甏　京兆長安人等州隋魯孫見唐書

□□　光啟中任滁和六爲舊邑深懼文獻□□

□□□□□□□□肖谷爲小序□

一嚴陵[illegible][illegible][illegible][illegible][illegible][illegible][illegible]常[illegible][illegible]明日土出更成趙
交議上孫則[illegible][illegible][illegible][illegible][illegible][illegible][illegible]多官敘部[illegible]寺測
[illegible]之[illegible][illegible]人[illegible][illegible][illegible][illegible][illegible]之[illegible]暨設祇[illegible]寺
則[illegible][illegible][illegible][illegible][illegible][illegible][illegible][illegible]則[illegible]是於本元茂
徐[illegible][illegible][illegible][illegible]功[illegible][illegible]許之作并[illegible][illegible][illegible]
[illegible][illegible]見本縣嘉定志及嘉靖儀真志

尉寺

鄭早 隴西人宰柏㫬倫族見唐書

趙炎 當塗人李白依族子陽[illegible][illegible][illegible]為所愛[illegible]其長蘆白以詩贈有仙則起宋下逃風凌四豪前塗倘相思登徽一長誦拜嘗為迴山水圖觀白詩可以知炎之十字炎見白集

崔理 楚州安宜人代宗時任汀李氏尼[illegible]下賀若氏卒拾為尼日貞如使貞如所[illegible][illegible]州得寶河墻高廠境物[illegible][illegible][illegible]用其即[illegible]所石雨[illegible]之川烏呂[illegible]於[illegible][illegible][illegible]故際為寶應[illegible]

寶應元年也[illegible]考西[illegible]鄭人過其傍者莫不[illegible]其[illegible]下[illegible][illegible][illegible][illegible]錄

柳

河東人[illegible]清[illegible][illegible]幹之[illegible]也作[illegible][illegible]死[illegible]史舍衛[illegible]其狀兄鎮[illegible]服使行踰四千里告于上由是[illegible]其門鎮子宗元表墓特以是稱鎮云

鎮遏使

徐約 曹州人光啓二年任為高駢[illegible][illegible]海[illegible]節度使周寶聞約[illegible][illegible]誘之使[illegible]蘇州明年兄之後逐於錢鏐見通鑑[illegible]書五代史姑蘇志

宋

周贇 六合縣知縣事[illegible]武通[illegible]上[illegible]勸農[illegible][illegible]

□□押茶鹽酒稅

胡穀 從仕郎淳化元年任

卞宣 右迪功郎守大理寺丞亦陞門年任皆有賊陣亡[illegible]之迹 字道之演州紹什人也之兒恭格之門學

楊告 字究出身調廣江刑敗豐城籍陛任告於法 令頗知財用而不務苛刻時號能吏尋謝知錢塘歷陞江淮發運使右諫議大夫見宋史 令豐城記十名宦祠

薛季卿 未詳何年任縣瀕大江民喜逸游又入利不勝則用兵為盜季卿開悉以卜卿嚴治貸之格前後盡獲其亂終季卿之世無敢為盜者

朱定國 字興仲廬江人由進士尚書郎出員外郎神宗例任時王安石方興水利有建

訟開馬昌河通滁州者撈果官從之定國言
衆民田廬勞民前省工費甚大獲利甚微罔
以爲不可使者以定國有淵所論不恪發移
他司以用之卒不能發因前於朝願得管庫
以便其私而他使者見知奏留不行定國嘆
曰吾以仰祿而不知者數見困去可以遠
害而知我者反見留吾命何窮耶宜道以事
人始不可爲枉道以全身非我志也即致仕
歸當時士大夫高之所著有歸田後錄十卷
陽氏集及滁州志皆版之嘉靖四十五年本
縣本學院狀明文掾
晉守令實鄉賢祠傳

黃

政和中任當内歲旱川所數十艘至龍江
以鼓衆衆洄火水勞出如雲竟往靈巖
見白龍淵後池呼有慈惠龍王廟
安遇歲旱州縣祈禱於北而感焉

李亨

石承節紹興二年任當
宣卿元年淵罷

水奇年　□迪功郎紹興六年任九年滿罷

[illegible]　□迪功郎紹興九年任十二年滿罷

[illegible]上　左奉議郎紹興十二年任十四年滿罷

[illegible]　左宣教郎紹興十四年任十五年滿罷

朱勛　右宣教郎紹興十二年任十七年滿罷

龔相　括蒼人右宣教郎紹興十七年任時命以
上封事稱旨由山有余縮州依劍肯求之以
其近居恐生變遂復邑龍津石橋廉春夏之漲
水命溢作來病涉遂中前創造浮橋為船一
十隻置房六間命僧居之以已修葺
二什年滿罷嘗作依貞法雲寺記

吳大昌　右宣教郎紹興十
年任二十三年滿罷

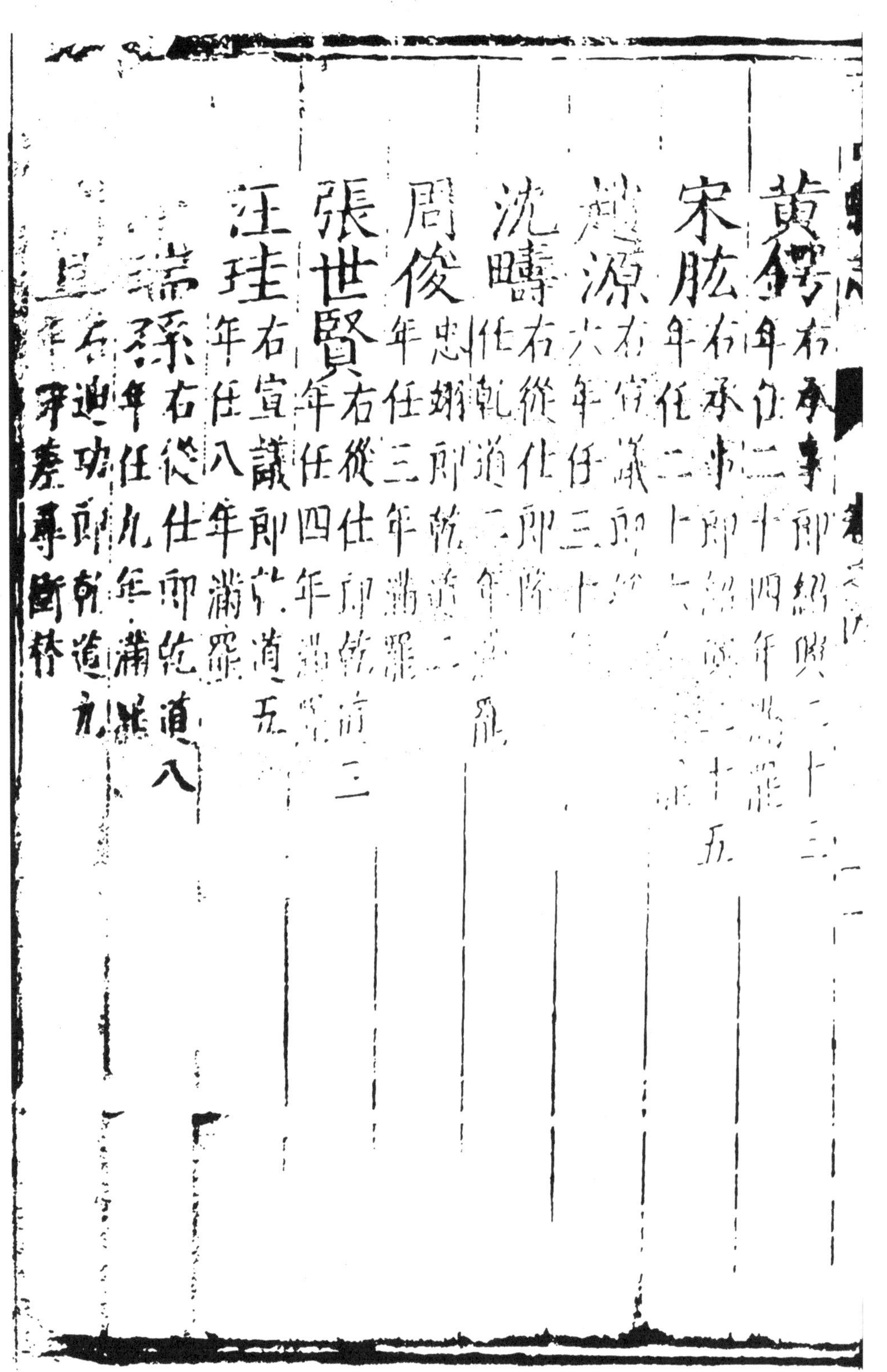

黄錡　右承事郎紹興二十三年任二十四年滿罷
宋肱　右承事郎紹興二十五年任二十[illegible]年滿罷
[illegible]源　右宣義郎紹[illegible]六年任三十[illegible]
沈疇　右從仕郎隆[illegible]任乾道二年[illegible]罷
周俊　忠翊郎乾道二年任三年滿罷
張世賢　右從仕郎乾道三年任四年滿罷
汪珪　右宣議郎乾道五年任八年滿罷
[illegible]端孫　右從仕郎乾道八年任九年滿罷
[illegible]旦　右迪功郎乾道九[illegible]

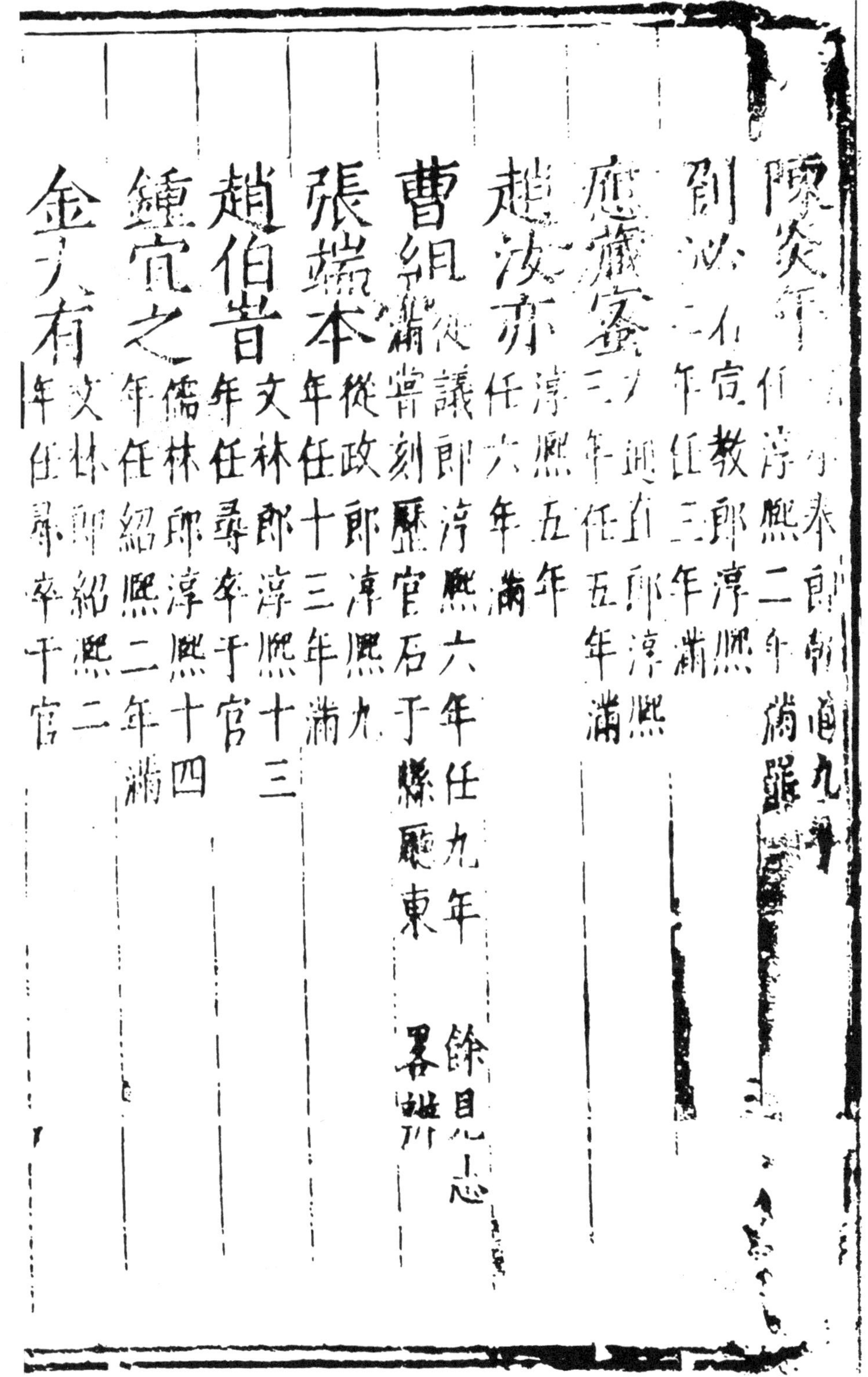

陳炎午 [illegible]奉郎[illegible]九年[illegible]任淳熙二年滿[illegible]

劉泌 [illegible]宣教郎淳熙二年任三年滿

應藏窖 [illegible]通直郎淳熙三年任五年滿

趙汝亦 淳熙五年任六年滿

曹組 從議郎淳熙六年任九年滿嘗刻歷官石于縣廳東 餘見[illegible]志 墨[illegible]

張端本 從政郎淳熙九年任十三年滿

趙伯昔 文林郎淳熙十三年任尋卒于官

鍾寅之 儒林郎淳熙十四年任紹熙二年滿

金大有 文林郎紹熙二年任尋卒于官

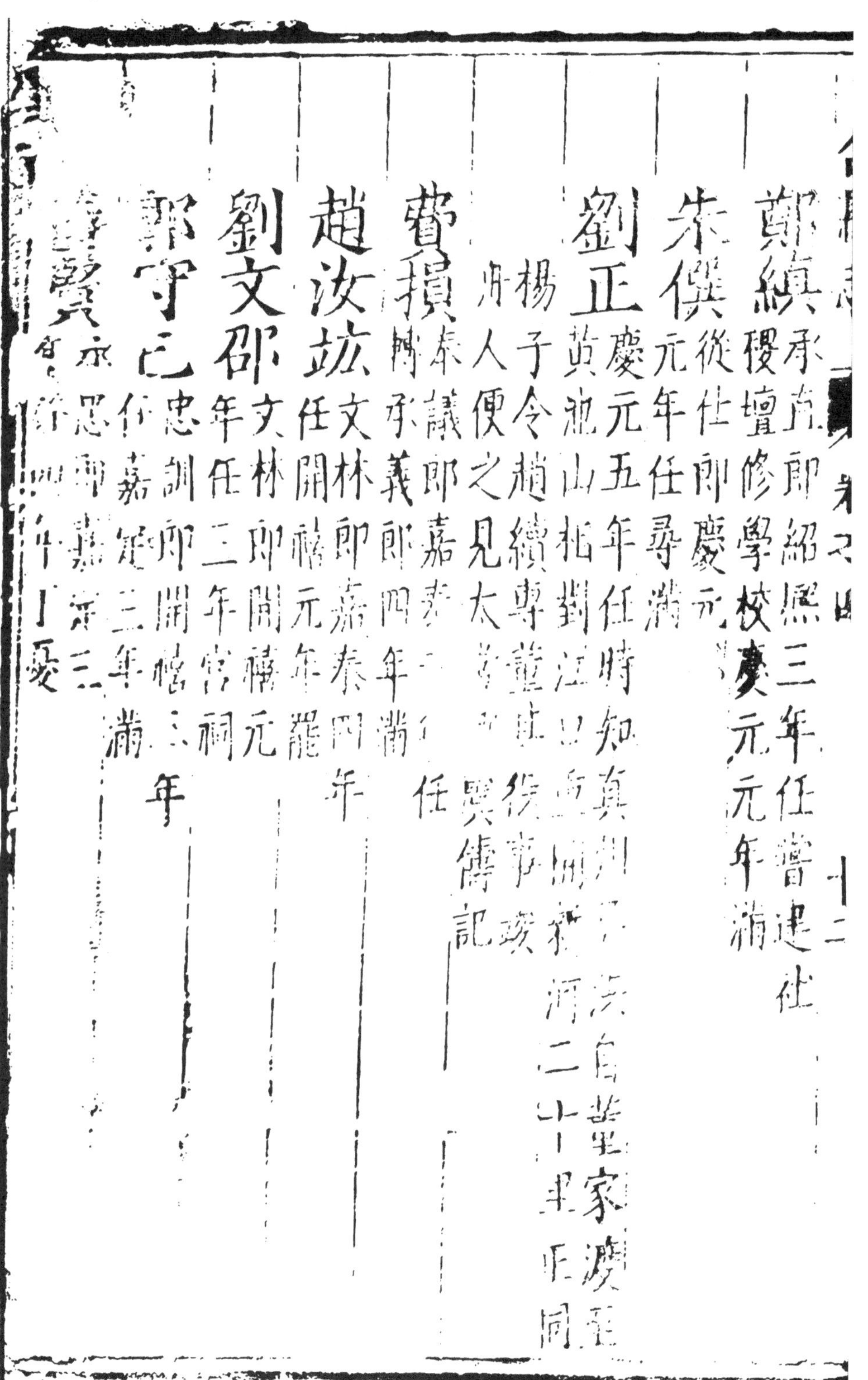

鄭績 承直郎紹熙三年任嘗建社稷壇修學校慶元元年滿

朱僎 從仕郎慶元元年任尋滿

劉正 慶元五年任時知真州丁[illegible]自[illegible]家渡至莆[illegible]山柘樹江口與開新河二十里至同

楊子令趙績專董其役事蹟州人便之見太[illegible]興傳記

費損 奉議郎嘉泰二年任將承義郎四年滿

趙汝竑 文林郎嘉泰四年任開禧元年罷

劉文邵 文林郎開禧元年任三年營祠

郭守己 忠訓郎開禧三年任嘉定三年滿

[illegible]賢 承忠郎嘉定三年任四年丁憂

碩 承忠郎嘉定[illegible]年任七十一年[illegible]

昌詩 江西清江人又自郎嘉定七年以[illegible] [illegible]官改任特奉議郎一[illegible]

通判陞與[illegible]年尹三丁興[illegible]一[illegible]日義

正民兵淮東殿令在[illegible]此置其用度六合

原額二千餘人陳積卒米名流亡[illegible]

百二十一人昌詩救法牧集得七百[illegible]

於縣城瓦梁架寨分撥縣籍有忠勇鄉[illegible]

之刻無以數萬士卒乃請於朝給官會

緡置庫積財日較息錢實供教閱勤當

將衛及文廟櫺星門修設營大作[illegible]

至可將池玄武與祠山等殿廟宇祀[illegible]

甲進一新諸能史血以創修邑志兩建題名

修鏡來齊設渠用木麥斤山場房租

以府青竹交牧功多久今也人飲郎

三山人太學生咸淳朝任主簿廳事[illegible]

陳

月二能所刻自[illegible]云六合縣[illegible]所作也去

君子受民[illegible]之寄，當以夫啟牖畢爲能事哉[illegible]
且必有誠[illegible]者發[illegible]明其了之治乎斯民[illegible]
作而新之[illegible]鼓舞[illegible]之功[illegible]斯[illegible]
以致[illegible]之功，下以成大[illegible]化之[illegible]
是故[illegible]至仁之心[illegible]以通至神之迹，則
善[illegible]物有交欲觀[illegible]之所以爲[illegible]侯之所
以[illegible]武以[illegible]求之也乎哉
[illegible]亦能圖贊

朱宋興，平陽縣人，淳祐庚戌武舉，見溫州志。

李識，[illegible]人，湖東檢法大任孫，寶祐四年登武舉第，以修武郎任，見嚴州志。

上編

[illegible]定字[illegible]之，四明鄞縣人，嘉祐四年進士[illegible]
[illegible]勇有建白，于上官上官[illegible]
之[illegible]定時有詩[illegible]
[illegible]子如新之[illegible]

言俞蔡京進附丁謂有講尚書無遺構黨[illegible]
吳郡開國侯卒謚清敏宋史稱爲良吏[illegible]
降詔于義晦巷夫子殁之日席其遺書[illegible]
元仁年曾孫有俊守自明訪得其[illegible]知[illegible]
[illegible]請爲立祠於泮宮春秋奉祀[illegible]
[illegible]前今處寧波府至今祀祀於[illegible]

諸葛 右文林郎紹興四年任

蔡似 杭州人進士承議郎[illegible]年任除神翁語錄有似集

尉

杜 右迪功郎紹興四年任

方公輔 慶元五年任隨知縣事劉正董河工

樓機 慶元五年任亦市河工

程克巳 江西德興人從仕郎兼[illegible]中作[illegible]
境克巳及其次子[illegible]明[illegible]
于朝賜克巳承務郎附鳳[illegible]
逆可觀父死節春帝王統緒以[illegible]
爭以[illegible]子天球爲附鳳後[illegible]
有關[illegible]氏臣死于君子死于父[illegible]
立嗣是忠義孝友攸萃烏得以[illegible]
扎萬曆元年本縣寺學[illegible]
臣事蹟有
克巳傳

許日卿 婺源人進士江西運幹升[illegible]
之孫宋末任見新安文獻

守樂

[illegible] [illegible]溧陽人[illegible]
[illegible]

戶完顏蒲[illegible]都千戶泥龎古等以十萬騎駐
民家擒馬鞍山進兵圍城數重欲燒埧木決
水再遣人勁弩射退之既而紇石烈[illegible][illegible]
合兵進攻益急城中矢盡再遇令人張[illegible][illegible]
[illegible]城上令人意其矢盡官軍爭射之[illegible]
[illegible]樓櫓如蝟復矢二十餘萬統有[illegible][illegible]
乃施增兵埋城門[illegible]營[illegible][illegible]二[illegible]
[illegible]臨門作樂以[illegible][illegible][illegible]數布圍出府兵
晝夜不舒休乃[illegible][illegible][illegible]撰捐其日
[illegible]兵奮城案治[illegible][illegible][illegible]之背令
追至[illegible]大雨雪乃[illegible][illegible][illegible]馬等工
[illegible]甲旗幟稍捷擄[illegible][illegible][illegible]錄使以
度使致往卒累[illegible][illegible]人所論忠
事見宋史不備及[illegible]定志
[illegible]時縣時年未三十家古入寇與[illegible]
[illegible]馬艷山死節金壇劉文清安[illegible]作傳[illegible]
云許見後
逸之莫得

戚[illegible]領

[illegible]

統制隆興元年任時郭[illegible]賓酉

[illegible]臣[illegible][illegible][illegible][illegible]置[illegible][illegible][illegible]

[illegible]紹興二年任步陣闕管

[illegible]城之役改諸門爲德勝[illegible][illegible][illegible][illegible]

[illegible]通

大[illegible]

[illegible]統制開禧元年任二年歸司

劉宗向統制開禧二年任尋歸司

馮世顯統制開禧二年任三年歸司

邢思恭統制開禧三年任嘉定元年歸司

牟政統制嘉定元年任尋歸司

童公甫 統制嘉定二年任尋歸司

吳倫 統領嘉定二年任三年歸司

胡詵 統領嘉定五年任六年歸司

孫忠顯 統領嘉定六年任七年歸司

鍾義 統制嘉定六年任管本𡘙寨院創寨分司縣尉呂時請于撫司撥守禦兵樊於縣治附近屯集居住不便將兵出城官兵仍聽知縣總轄九年歸司

張顯 統制嘉定九年任十年歸司

趙瑞 統制嘉定十年任尋歸司

步軍將

武必克 嘉定八年差充[illegible]第一[illegible]
副將[illegible]真州[illegible]勇右軍[illegible]真州[illegible]
[illegible]議郎[illegible]
[illegible]嘉定九年差總轄真州忠勇右軍注[illegible]十[illegible]
縣仍聽知縣所轄尋奉旨改興忠勇第一
將

謝思 嘉定九年充第一將
准備將聽知縣總轄

主學

薛洪 真州人鄉進士嘉定十三年以州學司[illegible]
御書閣燕任知州建儀[illegible]修州志并作郡[illegible]
城記文詞渾然[illegible]有文學
傳前守嘗有[illegible]嘗作詩贈之

監瓜步鎮

王福 右武翼郎嘉定六年權知真州李珏[illegible]爲文遣福祭于瓜步山撤拓跋燾佛[illegible]人快之見儀真志

元

六合縣達魯花赤 照勘農事

不魯跡實海牙 泰定二年任見銅爵

胡兒赤 天曆元年任見長蘆寺便舟和尚碑

伯士寧 至正十三年任是歲秋不雨士寧爲[illegible]憂不遑暇食親詣縣東馬頭山禱[illegible]王廟於是甘霖隨格將廟更新見金陵[illegible]記時兵亂徐泗獨縣境肅然楊州爲[illegible]常作詩以叙其實曰風塵千里臨淮[illegible]孤城獨宴然保障正存明主意款諳鄉[illegible]

官賢公廟[illegible]
水隱滄成重修改鳳[illegible]討
各所器具衛縣羅總公併與學[illegible]
防造仍見於[illegible]總代撫塘事[illegible]
家頭受歷村壞衣東爪出竹放[illegible]
完魚[illegible]山市宵鳴析本多汀橋[illegible]
自今爾第一爾稱雖謝泝[illegible]十[illegible]爾闕
名教氏廣何人解創[illegible]巳博[illegible]漢[illegible]
碑立在縣衙前門之[illegible]之
則當時之善政可為矣

縣丞[illegible]農事勸

[illegible]懿泰定二年任重文教置祭器今尚
[illegible]存銅爵有懿氏名精美異於它[illegible]
[illegible]旺天曆元年任
[illegible]以[illegible][illegible]元[illegible]道尚進古田縣人泰定丁卯進士
[illegible]以德[illegible]元[illegible]年以貢[illegible]州判官[illegible]任有惠政

嘗贈彭彥貞文及書歷谷記後讀之余亦
嗚歷陞國子祭酒值亂隱江淮間攜六
其詩曰江北淮南三月時火烟濃淡柳絲仙
好花一夜霜都落都是春風總未知洪武初
召而用之歷翰林侍講學士出使安南卒其所
著有翠屏集餘見張氏至寶皇明文衡

徐居仁 至元四年仕時通州達魯花赤普化廣
鄧上於學或言廩餼弗贍乃稽舊籍撥
居仁同泰興縣令劉節分行驗視於是學田
舊爲豪氏冐種并前妄言淪入江水以斫瘠
易膏腴者皆復其故淮東道肅政
廉訪使蘇天爵爲之記見維揚志

徐君美 初之任前尹張以寧作詩送之云
堂甃樹聽詩動憶君尊前供
又青雲春郭千花合秋府　鳴
好心事令

詩

丞[illegible]年任

韋加文天曆元年任

尉

[illegible]天曆元年任

典史

黄盐元泰定二年任

王漳天曆元年任

儒學教諭

徐[illegible]孫泰定二年任

河南杞縣人明經開任辛丁官

陳丕滋巡檢

姚也速答兒 天曆元年任

國朝

六合縣知縣

胡有源 吳元年任移建縣治置巡檢司山川邑厲二壇設船夫丁龍津十濟渡

陸梅 四川中江縣人貢士洪武五年任[illegible]爲時天下初定適郡邑殘破之餘[illegible]與爲務述大廟殿無塑聖賢像[illegible]定合射圃爲星給百楹次[illegible]主邑縣名里之中明[illegible]候于三編百廢舉[illegible]

[illegible]嘉靖[illegible]

[illegible]八憂[illegible]享其[illegible]

[illegible]試十一年任建[illegible]

六[illegible]未幾[illegible]

歐陽鐸[illegible]冀龍陽縣人[illegible]

公[illegible]公動能幹撫轄[illegible]

[illegible]以[illegible]守於千[illegible]

[illegible]本邑[illegible]南京畫[illegible]宮[illegible]

嘉靖二十五年本縣奉學宮[illegible]

明[illegible]請[illegible]令宣鑑有保其事

王翱 永樂二年任時[illegible]

新開路建馬湖[illegible]

新塘口人

皆稱賢

胡銘[illegible] 永樂四年任[illegible]

[illegible]律令[illegible]

[illegible]舊千[illegible]

皮以貞　永樂十一年任
嘗重建玄真觀

劉衡　山東曹州人丁酉解元
永樂間任見曹州志

黃裳　山東臨清州人貢士
宣德初任見臨清志

林至　福建福清縣人戊戌進上
宣德三年任嘗脩縣治

史思古　浙江象山縣人宣德七年任脩學校重
達治浦橋大共規模并主張庠生鄭璀
姻事以
遂貞節

黃淵　湖廣有水縣人貢士正統十二年任首重
郭敎廨宇寖頹撤舊爲新門堂齋號此
規模宏展視昔倍蓰值大蝗齋沐懇禱而
不見足歲大稔遇事執法不通關節時所歎
黃稱之其後子仕至侍
郎人皆稱善政之報

[illegible]成化[illegible]陽信縣人貢士戊[illegible]

[illegible]方熊剛簡淡清介[illegible]

歷諳部庸謹潘[illegible]

自警曰寧汝法守宗誠貢誠大[illegible]

兩柎幣已奉、抑勤官守[illegible]

橋梁遷則圓設道會新縣倚[illegible]

凡所施設便民[illegible]化尤篤愛[illegible]民[illegible]

急於賑饑慎於折獄民有訟造[illegible]

家人父子飢然游於九年[illegible]得水[illegible]

不重篡門無可即之金上[illegible]

未嘗亦不容以私干者天[illegible]

一延人修志求嘗有入一[illegible]

有銓曹考最物進文林郎[illegible]

所生巡按御史佀鍾爲之[illegible]

子其史行無所遺惟書籍[illegible]服而已

亦傳於名宦莊定山泉表其墓曰[illegible]
也是以無所於於有無不公無下[illegible]
不當皆廡爲之地也公非[illegible]
戊戌甲科歷官揚州知府[illegible]以
嘉靖三十一年本縣知縣[illegible]
忠賢祠嘉靖四十五年本縣奉學院耿[illegible]明
文採輯守令
實鑑有詔傳

周南字文化浙江縉雲縣人戊戌進士成化十
五年任南才猷敏達藻儒精明[illegible]無重輕
不勞而自辨凡一萬應文教破格作興旌別敢
嚴匪徒文具故一時人材蔚進甲于淮東莫
六載中定多善政嘗刊近思錄助草牧馬草
場并力衆丈公家贈以正喪祭陋習久之政
行俗變時稱明月有鶴雀來巢陳白沙莊定
山俱咏其美徵拜四川道監察御史邑人作
狀作詩送之有司叢祀[illegible]兩祠[illegible]

狱貪墨在所有司捌入志作六篇

靖四十五年任本縣[illegible]

[illegible]廣[illegible]州人乙酉舉

[illegible]

[illegible]直隸河間縣人四[illegible]成進士戊

[illegible]化二十三年任陞戶部主事

安鑑 順天府大清縣人貢士弘治二年任

謝湖 字有容廣東海陽縣人丁未進士弘治六年任湖初為大理評事以執法[illegible]時與前界印官交代值一戒曉[illegible]風力尤著不避豪右不受[illegible]託時[illegible]水恒綏葺其親湖[illegible]俗遂不[illegible]山精贈以言諸生[illegible]爲而出者遇最優士皆知[illegible]史[illegible]之舉調知當[illegible]邑人劉玉作詩送之[illegible]六合衆麻總衍[illegible]太平人物又遂春歷[illegible]政使司右叅政所著有易卷集附錄[illegible]六合詩

鄧績 江西泰和縣人，乙酉舉人，弘治七年以[illegible]
隸常熟調任，嘗建牧馬草場碑於縣[illegible]
翁諫 貴州赤水衛人，舉人，弘治九年任，嘗[illegible]
館，脩驛署及諸祠宇，後以疾卒，子遂家[illegible]
張諧 字汝[illegible]，福建閩縣人，[illegible]
戌進士，弘治十六年任。
趙崇賢 字彥達，浙江太平[illegible]人，舉人，以乙榜
福建汀州訓[illegible][illegible]陞[illegible]，正德二年[illegible]
任，[illegible]進後學，談笑如家庭，時道德[illegible]王[illegible]
命四方，久未能獲，崇賢[illegible][illegible][illegible]人衣文[illegible]
擒于縣境，令[illegible][illegible]定解至府，都察[illegible]備[illegible]
人臣[illegible]跡，諸超[illegible]以[illegible]臣子忠良之勸，[illegible]
直隸廬德[illegible]州，調湖廣道州，所在有惠[illegible]
而謝其[illegible]歸，論者曰：趙公其有後[illegible]
德，後果以孫大佑貴，贈南
京刑部尚書，見[illegible]志。
張熙 直隸灤[illegible]縣人，舉人，
正德初[illegible][illegible][illegible]

邢宗賢字邢[illegible]制人四年以來貢縣學政論[illegible]學尋改湖去士論惜之

陶廷瑆字欽之江西安福縣人乙卯舉人[illegible]六年任性素雅飭推不留民懷[illegible]故事每甲首該役則力必平輸無差[illegible]多流亡使立九等法酌量應役至今[illegible]宮縣治并移課局把粱撤舊爲新[illegible]楹皆邑人樂趨教令捐貲成之陞南京刑[illegible]主事卒于官士民惜之

陳越廣東東莞縣人舉人正德十一年以國子監堂官陞任丁憂起復補江西瑞[illegible]

李紀字仲岳福建福清縣人舉人正德十一年任嘗脩公署刊家禮儀節示人卒于官

馮崧四川華陽縣人癸酉舉人正德間授洮源教諭以性剛教整陞未任見常德志

千宇充貞福建懷安縣人甲子舉人歷直隸幹吳江含山教諭正德十四年陞任[illegible]梁[illegible]署多所脩建有應變才時卒焉南中[illegible]怙勢恣御之有術民以不擾且續脩縣志[illegible]揚貞節尤足以厲風化云陞河南陝州知州尋進府同知

金充學字弘載浙江仙居縣人癸未進士嘉靖三年任溫雅忠厚有長者風苦於[illegible]乞陝風了肪教黃宗伯綰撰人思序奉古詩陞禮部主事勑教馴馬府尋進員外郎

何宏字道充貴東[illegible][illegible]縣人丁卯舉人歷二州學正[illegible][illegible]四年陞任宏尚古道[illegible][illegible]義校士寶邪大具所重有言必踐遇事[illegible][illegible]不邪[illegible]邪減[illegible]與豪奸爭訟久不白[illegible][illegible]之處斷以家懾服由是風力益著以[illegible][illegible]南京江西道監察御史民為立去思碑[illegible]之陞湖廣德安知府[illegible]附[illegible][illegible]八十[illegible]

茅宰 字治卿，浙江山陰縣人，[illegible]年任。時年方二十有七，老成持重，[illegible]見人不得窺其喜怒，上不爲勢位所移，下不爲浮言所動，明敏果決，事不勞而辦，務在民敷節民力，恩民詞，期於作養，以故公無繇民優自謂，開庭擬則訪鄉士夫，游學宮，咨詢民瘼，或考較諸生予文藝，相與講究，談笑有古循吏風。緣不媚當途，止陞刑部主事，坐論戚畹，微謫穎州同知，復南京刑部，卒。民爲刻石立祠，後鄉宦章慈有宰政續記。嘉靖四十五年，本縣奉學院耿憲牌揀楊守令賢鑑有字傳。

周宰 字汝翰，浙江鄞縣人，巳卯舉人，嘉靖十四年任。以廉爲守，以寬爲政，不作崖岸，平易近民。

太[illegible]宰 [illegible]惇宮過諸司，多獲罪，民蔽於役使，獨身任之，[illegible]由有方，事不廢而民不擾，當道第其功[illegible]，[illegible]邑最旌之。且優遇諸生，考校極其獎拔。

議今猶感德焉陞四川重慶
府同知尋擢工部郎官外郎

何廷陳　浙江[illegible]縣人貢士嘉靖十
不煩擾政多惠愛有長者風

黎循典　字[illegible]年[illegible]谷縣人舉人嘉靖二十
[illegible]監察御史謫任建儒學
本[illegible]樓[illegible]行[illegible]忠器[illegible]貝
僑崇邑[illegible]

邵漳　字子清浙江餘姚縣人由進士嘉
靖二十四年任陞南京刑部主事

董邦政　字[illegible]號平山東陽信縣人由選貢嘉靖二
十[illegible]年任性本慷慨力勝繁雄[illegible]合
青天之譽洞悉有神明之號飾財而[illegible][illegible]
[illegible]脩學而多士依歸尤盡力以爭江洋一[illegible]
敷保元[illegible]以為備禦倭寇無侵當之[illegible]
臣浙江按察僉事[illegible]民服其德去思不忘

[illegible]崔[illegible]福　山東高密縣人由進[illegible]
[illegible]靖二十六年[illegible]

宋鑒浙江烏程縣人由舉人嘉靖三十五年任

周[illegible]福建閩縣人由舉人[illegible]嘉靖三十七年任

[illegible]晉江縣人進士嘉靖三十九年任[illegible]易近民親藩過處置有方也[illegible]

[illegible]南懷[illegible]知

劉格廣東建化縣人舉人嘉靖四十一年任[illegible]政寬平廉靜民賴安妥尤邃於經學[illegible]生講論多所裁明云

韋世禎江西餘干縣人由舉人嘉靖四十四年任[illegible]任事體諳練才亦通達申華節夫庠[illegible]等重役刻獎殆盡民至今思之陞直隸徐州知州

董潤山東濟寧州人由舉人隆慶三年任[illegible]自守剋苦節愛人心思之詩見去思

李箴字訓之浙江臨海縣人壬子舉人萬年任續脩縣誌改徙學宮建文昌祠京大理寺評事有去思碑

邵廷臣字藎夫福建福清縣人由舉人洛容知縣萬曆四年補任陞[illegible]

俞應星浙江新昌縣人由舉人萬曆七年任卒於官

陳汝霖四川內江縣人由舉人萬曆八年任蒞官未久以疑獄降

陳載春山東歷城縣人庚辰進士萬曆八年[illegible]清廉鎮重奎樓射圃館舍多所改建[illegible]取赴部陞戶部主事歷晉河南按察副使民為立去思碑

毛裕蘂廣東博羅縣人由舉人萬曆十四年任卒於官

黃夢淵廣東番禺縣人由舉人以和州州十六年陞任建忠節祠置[illegible]

當道謫
州判去

陳[illegible]字虞湖廣江夏縣人舉人萬曆二十
[illegible]任[illegible]以[illegible]民賢以[illegible]天[illegible]

張必輝[illegible]山東青城縣人嘗[illegible]
五年任吏治嚴明詰強摘盜[illegible]
[illegible]天府通
[illegible]有生祠士思[illegible]

劉文寵字一卿湖廣興國州人由舉人萬曆二
十九年任賦性寬洪政多平易[illegible]門
坊治浦橋陞陝西寧州
知州有祠在采祠在

蕭象烈字承甫江西廬陵縣人甲辰進士萬曆
三十三年任在官寬心愛民惜齊澤下[illegible]
竟被中傷左後杭州府授陞南京刑部主[illegible]
士民至今思之[illegible]建塔百年未[illegible]
下車[illegible]剛是畏避[illegible]於中[illegible]
得吳[illegible]成標并更云今二[illegible]

生祠建塔前

米萬鍾字仲詔北京錦衣衛籍陝西安化縣人乙未進士萬曆三十六年任刑崇邑[illegible]世際豫有生祠去思碑陞大理寺[illegible]事所作字西人皆珍之

徐士俊江西上饒縣人由舉人萬曆三十六年任申請撫按行人丁一則事例以父憂去未幾萬曆四十年知縣張啟宗奉行詳允免役

張啟宗字汝沂江西新喻縣人庚子舉人以廣東[illegible]四十年補任

馬政和字調鼎北直真定衛人由丁酉舉人以陝西鳳翔府扶風知縣給假治喪萬曆肆拾肆年補任

縣丞

[illegible] 直隸[illegible]州人洪武[illegible]任[illegible]孝廉[illegible]
[illegible]開[illegible]中應[illegible]縣[illegible]為[illegible]及[illegible]

右自[illegible]江以下俱[illegible]縣志略

徐璟文 洪武八年任 福建泰寧[illegible]

主簿

李實 國初丙午年任宣進用 塘東寧府二劍見永樂志

阮 交阯人貢士永樂 初任見私考志

李貞 永樂十一年任

王凱 宣德間任

宋秉彝　正統五年任

呂所　景泰間任

李曉　天順間年任

王瑄　山東陽信縣人貢士成化初任在任[illegible]十餘年

邢端　山西[illegible]人生成化間任

劉[illegible]　[illegible]

楊鼎　[illegible]

劉恩　山西[illegible]人監生弘治八年任

武通　山西陽曲縣人監生弘治十二年任

曾琰 山西壽陽人監生弘治十六年任以裁革起部

丞

羅輝 洪武五年任寧史許 [illegible]

[illegible]

鄧進 [illegible]十[illegible]任

興 [illegible]德

十 [illegible]

[illegible]

孤鏜 天順四年任

吳璿 成化初任

[illegible] 江西南昌縣人吏 成化十年任

[illegible] [illegible]利縣人吏 [illegible]十八年任

[illegible]

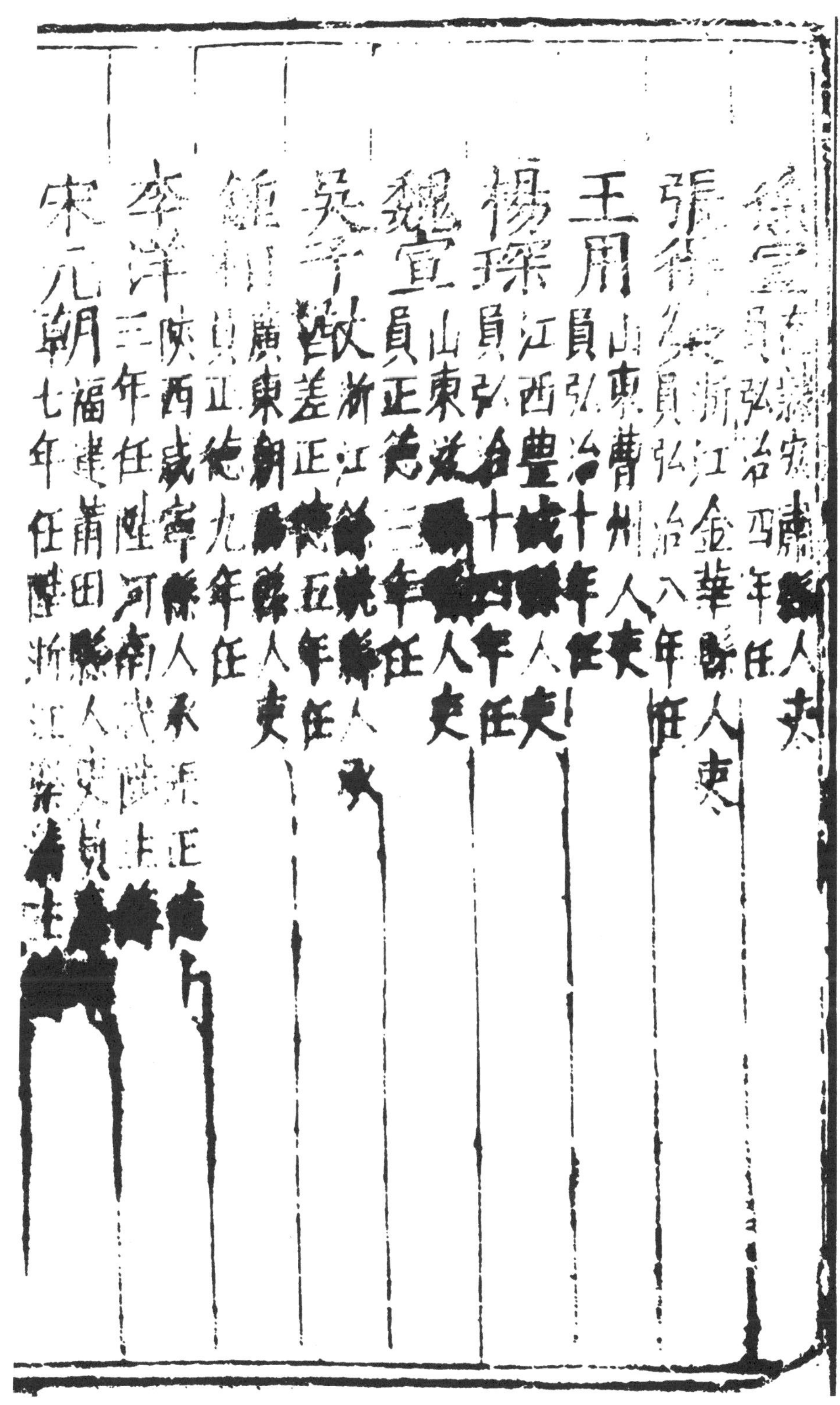

徐[illegible]　[illegible]縣人吏員弘治四年任

張衍[illegible]　浙江金華縣人吏員弘治八年任

王用　山東曹州人吏員弘治十年任

楊琛　江西豐城縣人吏員弘治十四年任

魏宣　山東[illegible]縣人吏員正德三年任

吳子[illegible]　浙江餘姚縣人[illegible]差正德五年任

鍾相　廣東[illegible]縣人吏員正德九年任

李洋　陝西咸寧縣人承[illegible]正[illegible]三年任陞河南[illegible]

宋元朝　福建莆田縣人吏員[illegible]七年任陞浙江[illegible]

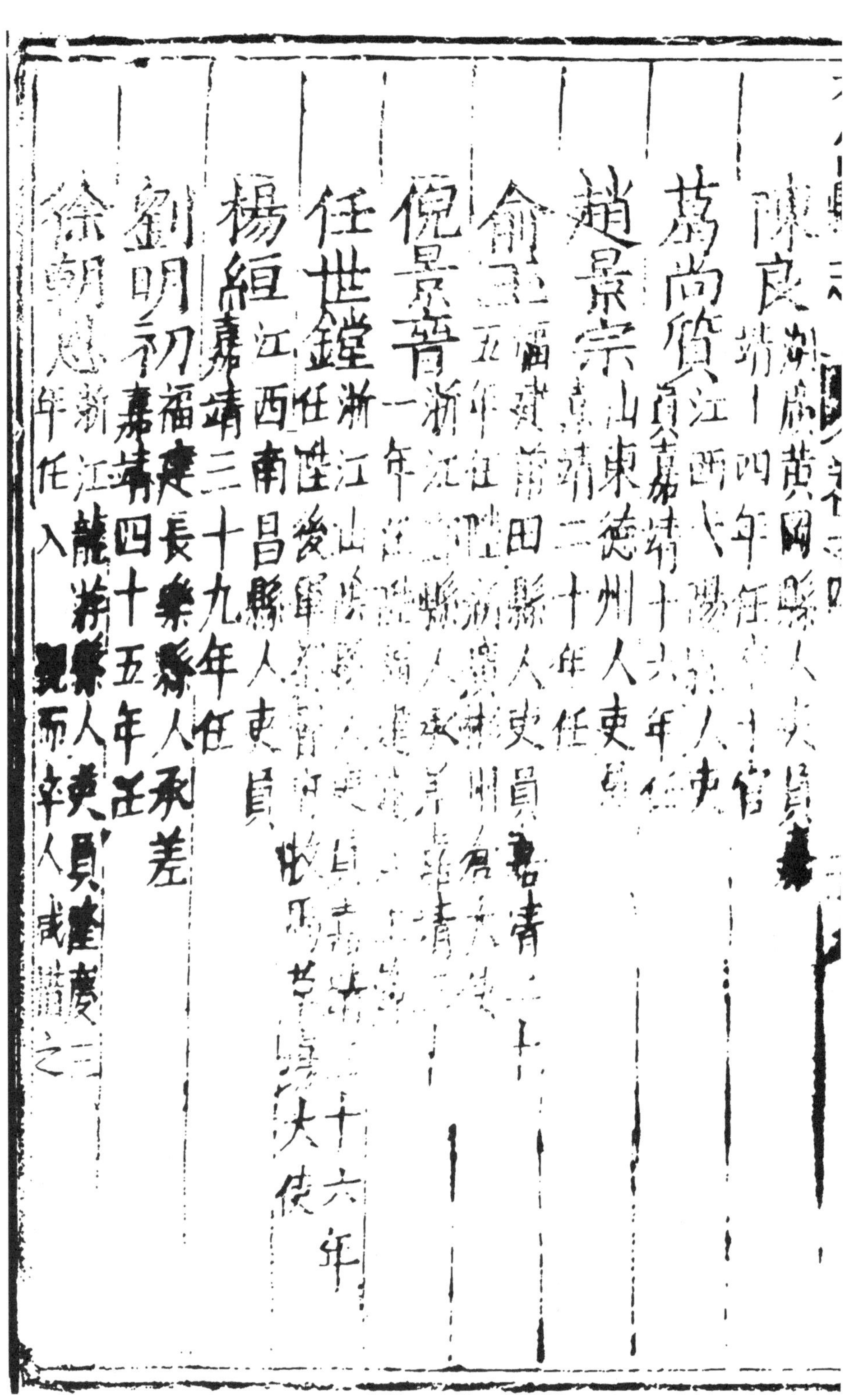

六合縣志卷之四

陳良　湖廣黃岡縣人吏員嘉靖十四年任[illegible]官

萬尚質　江西弋陽縣人吏員嘉靖十六年任

趙景宗　山東德州人吏員嘉靖二十年任

俞玉　福建莆田縣人吏員嘉靖二十五年任陞[illegible]州[illegible]

倪景晉　浙江[illegible]縣人承差嘉靖二十一年任[illegible]

任世鏜　浙江山陰縣人吏員嘉靖二十六年任陞後軍都督府[illegible]大使

楊絙　江西南昌縣人吏員嘉靖三十九年任

劉明初　福建長樂縣人承差嘉靖四十五年任

徐朝恩　浙江龍游縣人吏員隆慶三年任入覲而卒人咸惜之

高鐸 福建南平縣人吏員隆慶五年任卒于官

戴一璧 浙江□□縣人吏員隆慶六年任

陶于河 浙江秀水縣人吏員萬曆三年任

陸朝忠 浙江仁和縣人承差萬曆五年任

盧必賢 廣東□安縣人萬曆七年任卒于官

江鯨 湖廣應城縣人吏員萬曆八年任

鄭允傑 福建福清縣人萬曆十一年任陞□□州吏目

沈標 浙江慈谿縣人吏員萬曆十六年任

高臣 浙江仁和縣人吏員萬曆二十年任

郭廷建福建龍溪縣人吏員萬曆二十二年任

張惇浙江山陰縣人吏員萬曆二十六年任

王充用福建侯官縣人吏員萬曆二十九年任

周壯懷福建政和縣人吏員萬曆三十二年任丁母憂去

吳璞山東安丘縣人吏員萬曆三十三年任

張鶴鳴順天平谷縣人吏員萬曆三十五年任京卜官

王朝選江西德化縣人吏員萬曆三十八年任

孟宗賢浙江會稽縣人吏員萬曆四十年任

李燿山東青州府莒州沂水縣人吏員萬曆四十三年任

儒學教諭

許斐 浙江紹興[illegible]縣人 永樂[illegible]任 人貢士永[illegible]

葉[illegible] 福[illegible] 樂[illegible]任[illegible] [illegible]人[illegible]志[illegible]

魏[illegible] 浙江餘姚縣人 [illegible]

張[illegible] [illegible]

[illegible]

杜[illegible] 浙江[illegible]人 [illegible]

[illegible] 浙江[illegible] [illegible]東南[illegible]之人[illegible]

翟璞 成化間任

汪淵 江西貴溪縣人舉人成化十年任優文知縣廣初時授邑志比其去也門人王[illegible]贈之詩[illegible]劍三千里[illegible]百年

[illegible]平縣人廪子舉人成化二[illegible]乙[illegible]任為人孝友且持正有豪氣[illegible]和以德承扶名教詩書養俊才[illegible]後諸生贄禮及歲時餽節[illegible]受俊指[illegible]貧賺貧乏之用士民[illegible]一[illegible]尊信[illegible]時知縣[illegible]陞户部去鹽司[illegible]縣紀力辭不[illegible]婦視篆平反冤獄紛[illegible]頃之福建聘同考試所取皆傳雅士[illegible]食守制服闋補真縣縣清修如六未幾[illegible]病歸家食甚貧邑人袁文紀以台州判[illegible]平素重其人乃盡[illegible]應氏族人之[illegible]從值給紀紀纔不受止聚其族為祠[illegible]

平志入
交[?]

余[?]
江西德興縣人貢
[?]上弘治二年任
山東觀城縣人癸卯舉人弘治
七年任整理經籍時論賞之

唐仁
河南上蔡縣人舉人弘治十八年以湖[?]
陞任子次勳登第遂告歸卒受封[?]

[?]本
字立之湖廣襄陽衛人甲子舉人正德三
年任癸酉河南考試陞國子學正歷陞[?]
南嵩明
州知州

徐丙
字子[?]南浙江長興縣人丁卯舉人正德六
年以湖廣醴陵補任內有詩才自期遠大
弗受常綑維別進退[?]所申請文宗一一允
行上畏其威凜不可犯贊[?]修衛建學校王
陽明作記稱之在任九年閒學日盛以薦擢
國子監丞官至來浙知縣號寓于六子熊徵

事之哀誼兼其所
精凡呂下卷六

李椿字壽卿浙江麗水縣人舉人正德十六年任學院諭以前諭未滿委教江六事止丁憂去

高繼耀字用物江西南昌縣人癸酉舉人嘉靖元年任操持忠厚教以實士亡下定楷知縣林所表章貞節尤於風化有裨之陞校文典貢士南京武學教授擢延寧府推官家學之箴云者僉以為楷模之報云

顏新河南淅川縣人貢士嘉靖六年任以疾卒

洪湖福建龍溪縣人貢士嘉靖八年任以廣西訓導陞任丁憂去

方錦字公襄江西貴溪縣人貢士嘉靖十三年以雲和訓導陞任剛毅忠信勤必以禮

李文顯卿[illegible]
授以崇本如心[illegible]留夕論完玉
陞王言一薦貧十[illegible]前木其即下
資人成飽為又恤成[illegible]二亡嘗問臣平
請饋洪事縉紳翁然發蒞在有分語常人工
而出者戌齋正之其縣令平宰敬服常論天
以有益成化者僚貝方先生一人勞在三年
中作留縣事嚴明米衛吏畏民懷代延沈公
獎以學行允以淑人才識足以從政陞在陽
教授卒于官前鄉官黃紹文修志亟稱之

[illegible]洪泰字公諱湖廣武陵縣人兵部侍郎洪莊
弟貢士嘉靖十六年任擧止閑雅皆以
欽貞年銀中學院撥　置學
田七十餘畝陞南康府教授

楊元求字介夫浙江平陽縣人貢士嘉
靖二十三年以直隸上海補任

王鎮守國拔福建閩縣人庚子舉人嘉靖二十
三年任丙午四川考試陞國子監博士歷

[illegible]合京州
宜貝外郎
[illegible]守顧之
[illegible]年以合
十殺授
官人

張淺
浙江上虞縣人貢士嘉靖二十八
被訓導陞任能詩文陞魯府[illegible]

鄭[illegible]
[illegible]福建莆田縣人選貢嘉靖三十[illegible]
[illegible]以[illegible]細學陞任即書座右曰抱聖賢[illegible]
緋決不貢其所學養天地正氣豈宜枉去志
生欲戡其語術人見耶數教惟勤秉禮律諸
生決不以利鈍豈儉與態有貧乏者致餽則
堅辭之盃超丁流俗者川折作資贈書籍還
几席以貽于後六年未五十與當路不
合以老致其仕而歸甚為輿論所惜

林澄
字公揚福建莆田縣人己酉舉人嘉靖
十二年任滁木世族弱冠登科待上選
器重聆色乙卯彬山東考試尋丁外艱補
河南修武陞知山東陵縣進兖州府[illegible]敘

劉棨 字進夫，江西吉水縣人，國子祭酒業之[illegible]，[illegible]鎮江二府訓導，嘉靖三十六年陞任。[illegible]長性資渾厚，篤信朴與，文行無[illegible]誼有古宛然前輩氣味，其於勢利蔑如。以疾卒于任，諸生莫不悲痛者。

徐濱 福建邵武縣人，貢士，嘉靖三十八年以蕭山訓導陞任，歷辭林學正、貴州平越衛授。

姚英 字彥卿，福建浦城縣人，辛酉舉人，嘉靖四十年任，甲子校文廣東，尋陞海陽知縣。

牛憂 字道隆，順天府寶坻縣人，主事爵之孫，貢士，嘉靖四十四年以宜川訓導陞任，慷慨直率，陞雲丘王教授。

闞篤 字子文，直隸南宮縣人，少卿宗孫，貢士，隆慶二年以陽曲訓導陞任，能知人，厄于疾，致仕歸。

吳邦 字子經，浙江錢塘縣舉人，隆慶[illegible]任，[illegible]年以乙卯任[illegible][illegible][illegible]武陞江西南康府推官

黃九川 字汝濟，浙江[illegible][illegible][illegible][illegible][illegible]貢士，萬曆二年以[illegible][illegible][illegible][illegible][illegible][illegible]陞任

宋建侯 浙江嘉[illegible][illegible][illegible]人[illegible][illegible][illegible]萬曆五年任，素懷高尚[illegible][illegible][illegible][illegible][illegible][illegible]歸里

孔弘任 浙江平陽縣人，貢士，萬曆六年任。自學宮改建，未有樹植，至今松栢鬱葱，皆其手澤云。致仕去

李素貴 江西新淦縣人，貢士，萬曆十年以太倉訓陞任，勤于課士，以子尚恒登科[illegible][illegible]

方商德 江西貴溪縣人，舉人，萬曆十二年任，為人渾厚端方，惜未久而卒于任

周詩 直隸崑山縣人，舉人，萬曆十四年任，[illegible][illegible]倜朗才猷，敏練而待士，尤春風和氣[illegible][illegible]

寧[illegible]知縣歷官知府

封汝方[illegible]康沛縣人貢士萬曆[illegible]年任丁母憂去

伊[illegible]縣人丁卯舉人萬曆二十[illegible]事關學校罔不直言士氣多振

[illegible]

黃紹先[illegible]淳安縣人貢士[illegible]二十五年任

趙伸[illegible]雲南楚雄府人貢士萬曆二十六年以[illegible]陞任方正不苟人莫敢干以私[illegible]升盡勤考校士子嚴憚而諳武之至今[illegible]師範之冠陞雲南沅江府教授言別時子弟留戀而從者不勝眷戀焉

陸京以[illegible]隸武進縣人貢士萬曆二十九年[illegible]訓陞任[illegible]行潔丁外艱去

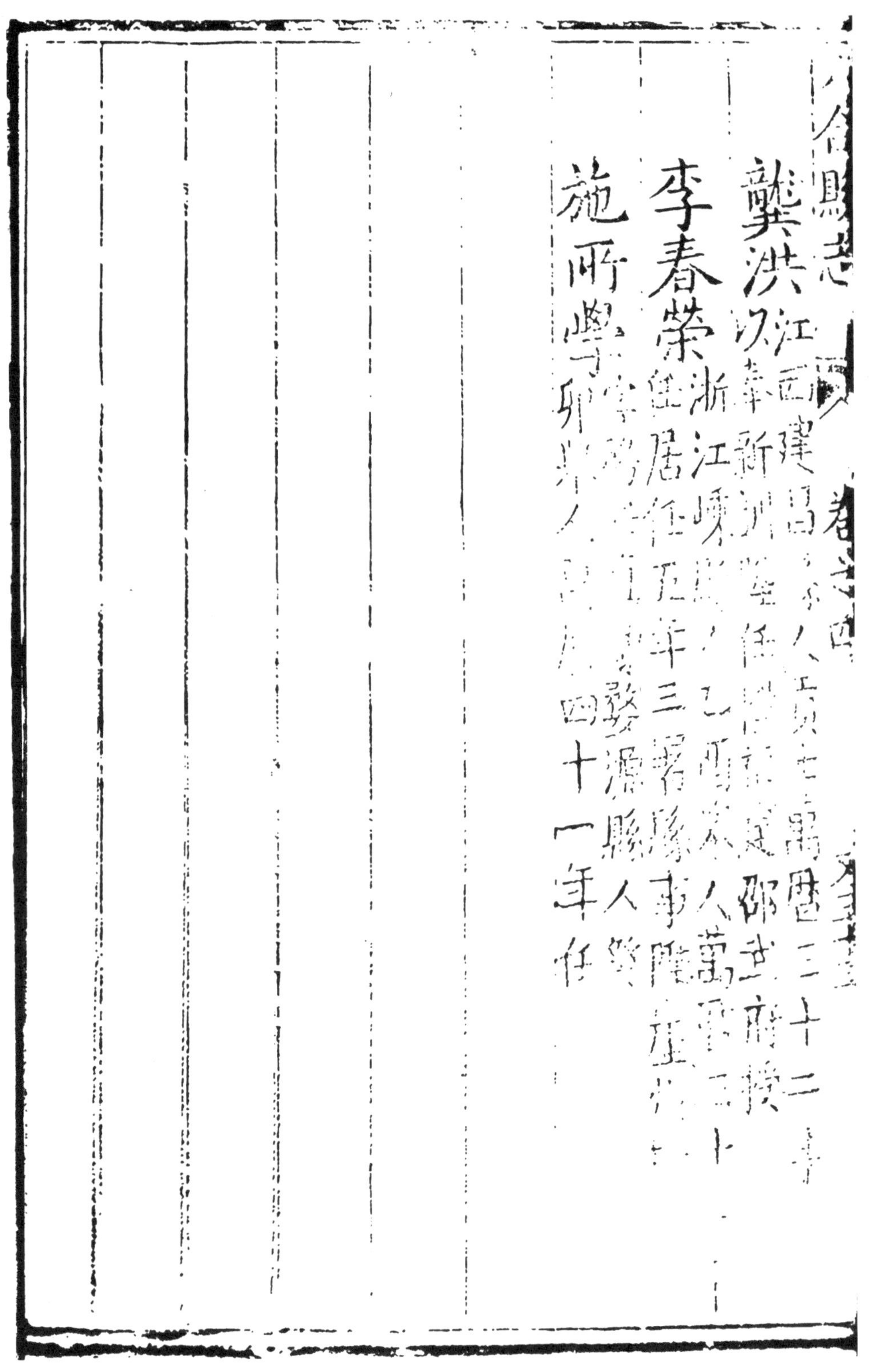

龔洪 江西建昌府人貢士萬曆三十二年 以舉[illegible]新洲[illegible]任陞[illegible]邵武府推[illegible]

李春榮 浙江嵊縣人乙酉舉人萬曆三十[illegible] 任居任五年三署縣事陞[illegible]

施所學 [illegible]江西婺源縣人[illegible] 卯舉人[illegible]四十一年任

[illegible]

陽汝賢 湖廣[illegible]

劉大年 浙江青田縣人[illegible]西[illegible]人宣德中歷福建浦城[illegible]補任

陳培 正統初任

何瑄 浙江人正統五年任

季芳 天順中任

謝傪 江西高安縣人舉人天順四年任歷陞南京[illegible]

荀墳 成化初任

鄭儀和 福建莆田縣人成化七年任致仕 子璦登進士第封儀和爲部屬

江朝立 四川銅梁縣人庚午 舉人成化七年任

易永恒 四川內江縣人貢 士成化十年任

曾莊 江西泰和縣人刑部侍郎翀子貢士 成化十年任考滿歸省卒于家

林質 福建龍溪縣人貢士 成化二十一年任

高福 江西安福縣人貢 士弘治二年任

金魁 字鳳魁浙江太平縣人貢士弘治四[illegible] 魁世以義聞尤篤於孝力陳終養不 而歸謝宗伯鐸特白其 心以表墓見桃溪集

魯鴻 山東湖縣人貢 士弘治八年任

王尊 字彥南浙江仁和[illegible]弘治九年任

[illegible]浙江山陰縣人貢士弘治十[illegible]撫稱不苟好學不倦不計館選足[illegible]

[illegible]贛縣教諭

見懷酒餘談

劉紀 河南遂平縣人貢士正德二年任忠厚和平且有孝行丁憂去復補江西某縣學

馮縉 直隸清苑縣人貢士正德六年任

涂本通 湖廣華容縣人貢士正德七年任賢實惇厚致仕去見懷酒餘談

鄭仁慈 廣東潮陽縣人貢士正德九年任仁陞廣西武宣教諭未行卒

湯治 江西永新縣人貢士正德十二年任陞益府教授二子俱登科

許子卓 江西永新縣人貢士正德十三年任知縣林幹嘗以續修縣志屬之丁憂去

王敏　字勉之浙江義烏縣人名臣忠文公裔貢士嘉靖三年任律己敖教每僉不言聲利事故士之貧窶及不能婚助之弗餉躬及怠荒者督責之勵行獎進之所著有古今玄覽陞新淦教諭桂府教授以子宗聖貴封南京工部主事

王洛　字原中浙江雲和縣人貢士嘉靖六年任陞鳳陽教諭

王渠道　江西安福縣人貢士嘉靖十年任甫一月丁憂去

祝瑾　字子瑜江西德興縣人貢士嘉靖十二年任陞東安教諭

施像　字惟介浙江開化縣人選貢嘉靖十四年任篤孝友學有蘊藉居數歲以憂去衍求春歷松滋順昌教諭

[illegible]暉　[illegible]乘啟山東德州人貢士嘉靖十七年[illegible]信寶自不以饋逆待人[illegible]滁州[illegible]

王[illegible]　浙江永嘉縣人貢士嘉靖[illegible]九年任陞金山衛學教授

[illegible]　浙江平湖縣人貢士嘉靖二十一年任陞廣東連山教諭

徐夢熊　浙江山陰縣人貢士嘉靖二十七年任夢熊世文獻在任多所建明置官書議祀典刊古訓舉賓鄉皆於風教有補陞山東臨朐教諭

何[illegible]　字應秋湖廣沅江縣人貢士嘉靖三十年任陞四川岳池教諭

[illegible]　字[illegible]顧山東蒲臺縣人貢士嘉靖三十二[illegible]任渾然端簡惟以道義自珍不計[illegible]錢尤耻趨附陞濟府雲和王教授人惜之

李[illegible]　福建連江縣人貢士嘉靖三十六年未至丁憂

丁[illegible]　[illegible]錦湖廣江夏縣人貢[illegible]嘉靖三十六年任丁憂

焦仲實字若虛陝西扶風縣人貢士嘉靖三十七年任忠厚坦夷惜乎[illegible]

王宗彛字禮倫四川達州人貢士嘉靖三十九年任[illegible]曾後[illegible]儒敎教七年十

多歲服習甚[illegible][illegible]陞直隸當塗縣

諭以疾致仕後民思[illegible]餘休焉未艾云

霍孝先山東青城縣人貢士嘉靖四十一年任

丁憂補直隸寧國縣學陞順天府涿州

學正

龍民勤江西太和縣人貢士嘉靖四十四年任

嘗輯縣誌錄丁憂復補浙[illegible]寧縣學

張鎔成字德新河南羅山縣人貢士隆慶元年任

任直以接人慎以奉法委署縣事矢心

不取人皆德之陞

直隸潼關衛教授

張鯨字大化山東齊河縣人貢士隆慶二年任

河南沈丘[illegible]生行端崇志在成

日以仁絶自期云陞□□□部教諭

□孫子□ □推和江西寧州人貢士隆慶四年任陞魯府教授

虞□鑑 字子晉山東冠縣人貢士隆慶五年任

錢崇 字養正直隸太倉州人貢士萬曆二年任

石如圭 字克純江西樂平縣人貢士萬曆□年任

華拱極 雲南崇化縣人貢士忠厚坦夷萬曆七年任丁憂去

湯杞 直隸來安縣人貢士萬曆九年任陞□陽縣教諭

慶有恒 直隸含山縣人貢士萬曆十一年任陞福建永安縣教諭

朱繼忠 直隸宿州人貢士萬曆十四年任卒於官

余元亨　江西奉新縣人貢士萬曆十六年任陞繁昌縣教諭

金應秋　浙江嘉興縣人貢士萬曆十六年任卒于官

楊濆　直隸山陰縣人貢士萬曆二十一年任卒于官

許其賢　直隸當塗縣人貢士萬曆二十一年任純固天植無久頃表裏惟是誠心質行衆中而應士人莫不服從陞銅陵縣教諭

王三輔　字汝弼湖廣蘄水縣人貢士萬曆二十二年任剖折書與批道時執陞河南沈丘縣教諭

胡永欽　湖廣宜城縣人貢士萬曆二十七年任陞湖廣長沙府教授

[illegible]從光　字然甫湖廣京山縣人貢士萬曆[illegible]十九年任綽有詩才陞益府教

高門字民望，山東武城縣人，貢士，萬曆三十兩年任。眞實無偽，誠太古遺民，章縫無一摘[illegible]吏無片牘之[illegible]陞山東安丘教諭。

王祉字思齊，四川峽江縣人，貢士，萬曆三十四年任，陞雲南永平縣教諭。

程泰亨字治甫，直隸懷寧縣人，貢士，萬曆三十八年任。負性渾朴，其于世務漠如也，以故蒞鹽藿籬弗計，臨行橐蕭然，轉令人興感焉。陞山西解州學正。

周之禎歙縣人，貢士，未任。

張士奇字子彥，直隸南陵縣人，貢士，萬曆四十二年任。

稅[illegible]局大使

[illegible][illegible]衆 洪武五年任

鄭諒 正統十四年任

楊志孝 成化十九年任

趙澄

王靖

趙英 俱弘治間任

張鑾

趙紀 俱正德間任

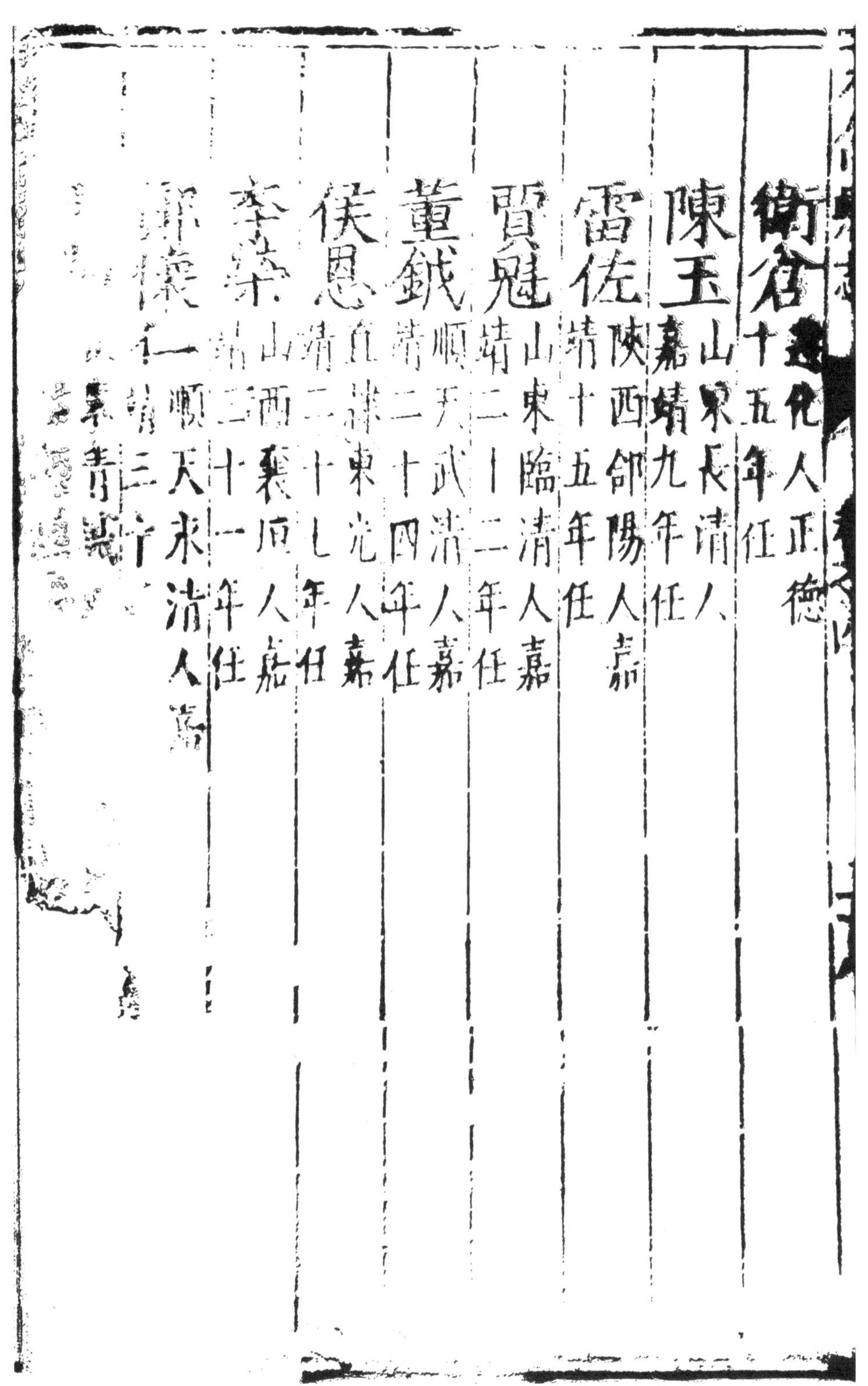

衛倉 遵化人正德十五年任

陳玉 山東長清人嘉靖九年任

雷佐 陝西郃陽人嘉靖十五年任

賈魁 山東臨清人嘉靖二十二年任

董鉞 順天武清人嘉靖二十四年任

侯恩 直隷東光人嘉靖二十七年任

李榮 山西襄垣人嘉靖三十一年任

鄒懷一 順天永清人嘉靖三十[illegible]

[illegible]青縣[illegible]

嚴工 浙江餘姚縣人嘉靖四十三年任

黃恒 浙江嵊縣人隆慶二年任

陳希顏 福建莆田縣人隆慶四年任

蘇琰 山東堂邑縣人隆慶六年任

董宗堯 山東曹縣人萬曆二年任

王相 山東諸城縣人萬曆七年任

孫冠 湖廣鄖縣人萬曆十一年任

周鳳翀 湖廣羅田縣人萬曆十四年任

徐梃秀 浙江永康縣人萬曆十六年任

劉陳善 湖廣衡陽人萬曆十八年任

余時和 福建莆田縣人萬曆二十五年任

陳善言 福建海澄縣人萬曆二十八年任

陸士賢 廣東瓊山縣人萬曆三十年任

劉從政 順天寶坻縣人萬曆三十二年任

俞啟韶 浙江桐廬縣人萬曆三十七年任

王國材 浙江仙居縣人萬曆三十九年任

陳大任 福建建寧縣人萬曆三十九年任

崔仲雲 陝西岐山縣人萬曆四十二年任

永安巡檢司巡檢

何友德 吳元年任

劉安 洪武十六年任

王穩 正統十四年任

郁夲

宋謐

安鑑

曹富

李信 俱成化間任

郭聰

馬繼

張文

劉計

郭鑑

王政 俱弘治間任

張輔

劉鎮

賀明擧

[illegible]簿

王明 俱正德閒任

[illegible] 河間[illegible]津人嘉靖元年任

沈紹宗 嘉靖元年任

[illegible]崇 山西應州人嘉靖四年任

[illegible]順古 山西蔚州人嘉靖七年任

[illegible]元 嘉靖十一年任

[illegible]鎣 順天東安人嘉靖十二年任

[illegible]係 山西代州人嘉靖十四年任

張景隆　山西臨汾人，嘉靖十七年任

初珏　山東博興人，嘉靖二十年任

馮鐸　山西聞喜人，嘉靖二十三年任

孫邦麒　山東[illegible]人，嘉靖二十六年任

陳珂　山東青城人，嘉靖二十九年任

戴玟　直隸灤州人，嘉靖三十二年任

于汝信　山東武城人，嘉靖三十五年任

[illegible]來　浙江仁和人，嘉靖三十七年任

[illegible]　順天良鄉人，嘉靖三十九年任

顏廷仁廣東瓊山人嘉靖四十一年任

劉國勳湖廣襄陽人嘉靖四十四年任

陳諫章山西潞城人隆慶二年任

李宗朝直隸任丘人隆慶四年任

王廷器河南上蔡人隆慶六年任

陳禮廣東歸善人萬曆元年任

王頌山東海豐人萬曆三年任

范銘湖廣石首人萬曆六年任

陳中策山東武城人萬曆八年任

毋盛 山東高唐州人萬曆十一年任

徐炳策 浙江餘姚人萬曆十三年任

劉卿保 直隸定興人萬曆十六年任

丁埈 福建福寧州人萬曆十八年任

莊恩 浙江嘶縣人萬曆二十年任

余火 浙江建德人萬曆二十三年任

許官 直隸獲鹿人萬曆二十五年任

李善 廣東東莞人萬曆二十八年任

葉承芳 浙江松陽人萬曆三十一年任

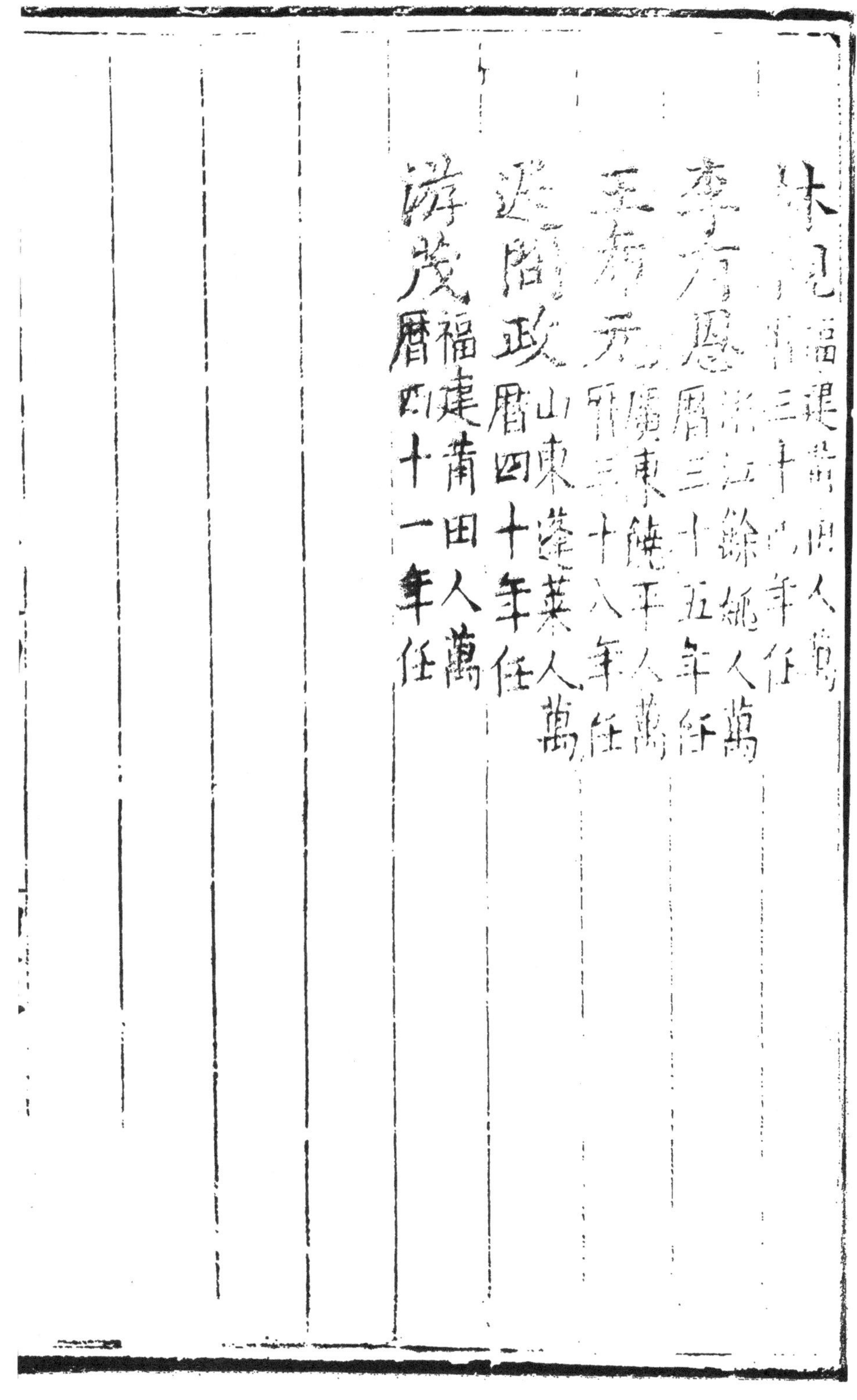

林[illegible] 福建莆田人萬曆三十四年任
李有歷 浙江餘姚人萬曆三十五年任
王有元 山東茌平人萬曆三十八年任
遲關政 山東蓬萊人萬曆四十年任
游茂 福建莆田人萬曆四十一年任

棠邑驛驛丞

胡盛 洪武九年任

[illegible] 正統十年任

[illegible]圭

元端

張琦

許銘 俱弘治間任

李衍

劉秉能 俱正德間任

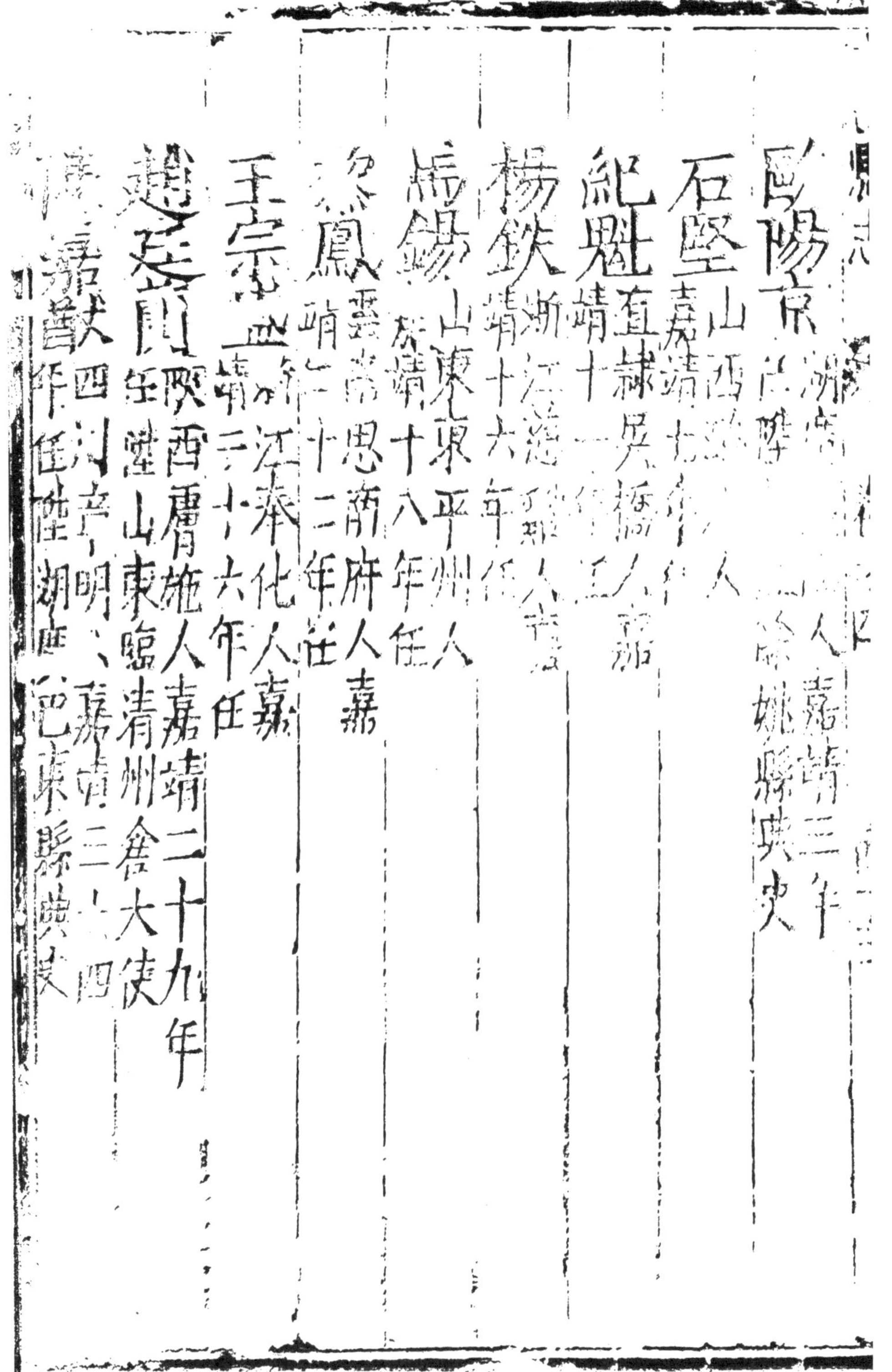

歐陽京 湖廣[illegible]人嘉靖三年任陞[illegible]姚縣典史

石堅 山西[illegible]人嘉靖七年任

紀魁 直隸吳橋人嘉靖十一年任

楊鉄 浙江慈谿人嘉靖十六年任

侯錫 山東東平州人嘉靖十八年任

鄒鳳 雲南思南府人嘉靖二十二年任

王宗孟 浙江奉化人嘉靖二十六年任

趙廷用 陝西[illegible]施人嘉靖二十九年任陞山東臨清州倉大使

譚獻 四川[illegible]明人嘉靖三十四年任陞湖廣巴東縣典史

杜若喬河南登封人嘉靖三十七年任

鄧雲江西南昌人嘉靖四十年任

王仲禮陝西宜君人嘉靖四十二年任

劉添貴遼東鐵嶺衛人隆慶元年任陞密雲草場大使

袁相浙江仁和人隆慶三年任

楊傑浙江平陽人萬曆元年任

李萬江西南昌人萬曆二年任

程汝時山東齊河人萬曆三年任

徐明四川瀘州人萬曆六年任

劉珍 直隸建平人萬曆九年任

高林 直隸江陰人萬曆十二年任

施廷謨 福建福清人萬曆十四年任

方以與 直隸婺源人萬曆十七年任

程道南 直隸燕湖人萬曆二十年任

魯一貫 直隸宣城人萬曆二十二年任

鄢浩 直隸興化人萬曆二十五年任

金登雲 浙江錢塘人萬曆二十八年任

謝[illegible]榮松 遼東廣寧人萬曆三十一年任

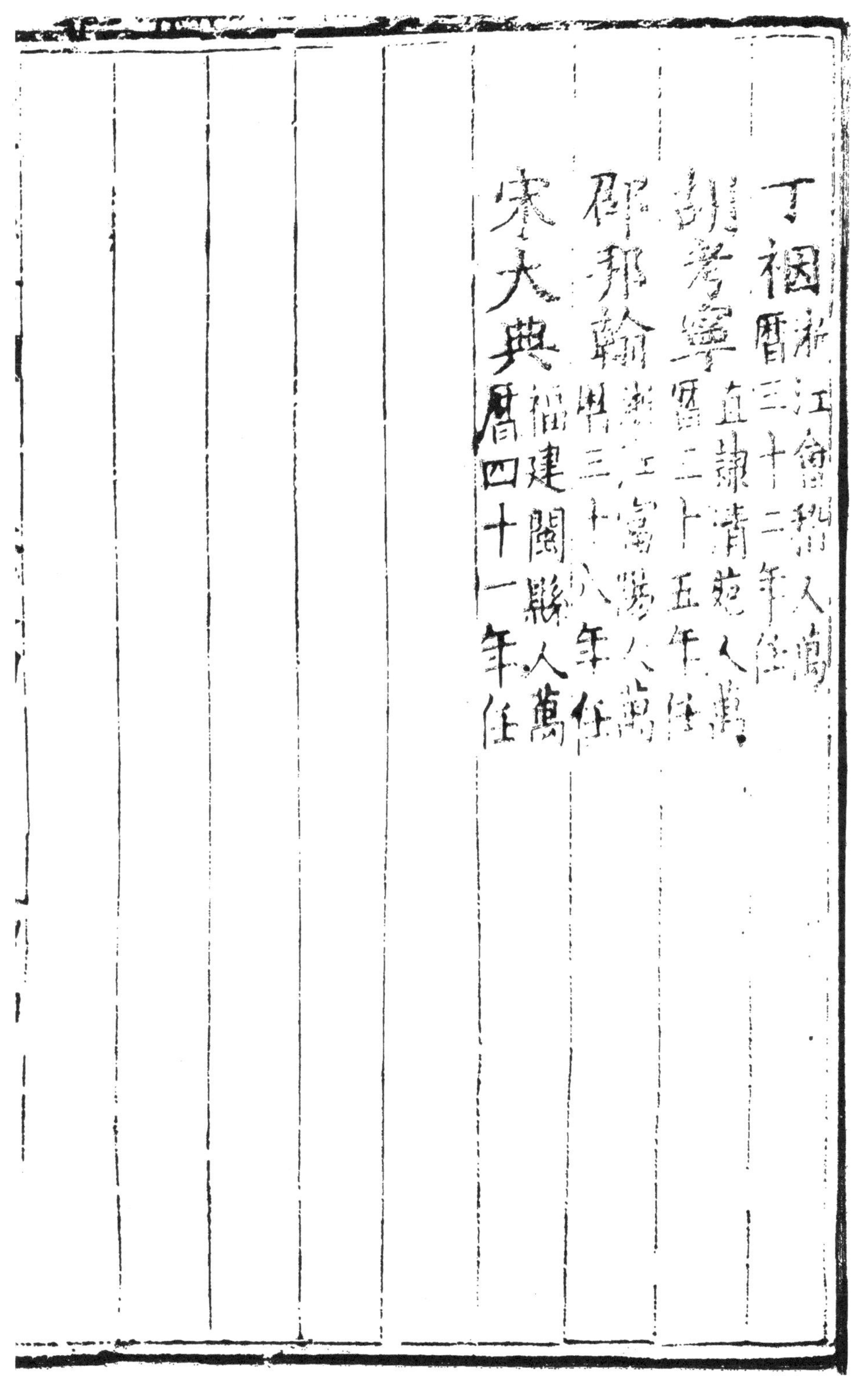

丁裀 浙江會稽人萬曆三十二年任

胡孝寧 直隸清苑人萬曆三十五年任

邵邦翰 浙江富陽人萬曆三十八年任

宋大典 福建閩縣人萬曆四十一年任

六合驛驛丞

孟思 [illegible]二年任[illegible] [illegible]見永樂志

[illegible]革三汊河泊所所官

蔡守正 洪武間任

呂九皋 正統十四年任

王文通 弘治初任

袁津 山西澤州人弘治間任見什一集

孟雲

宋志嵩 湖廣人正德間以教職謫任嘗[illegible]試

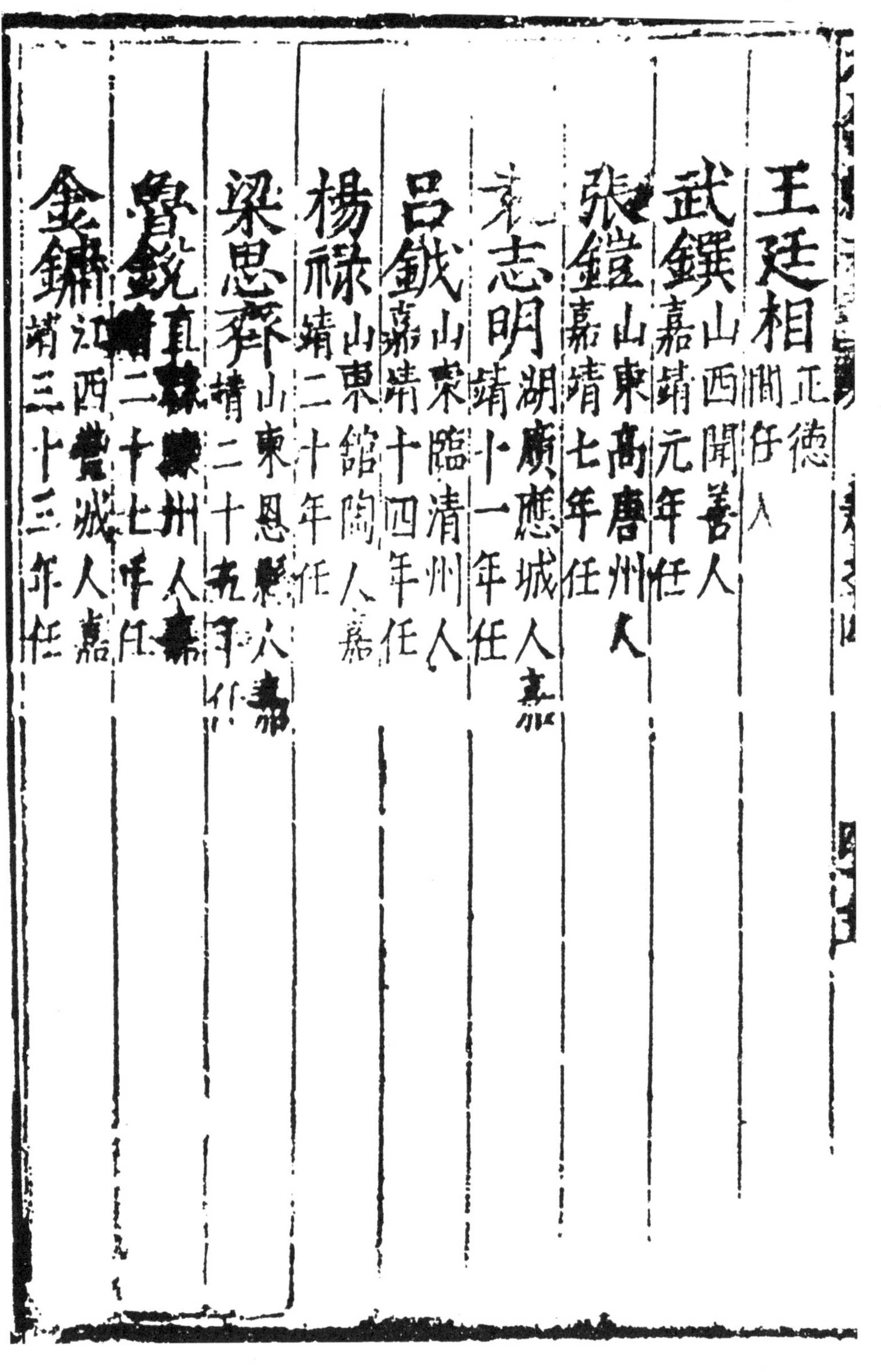

王廷相正德間任人

武鏌山西聞喜人嘉靖元年任

張鎧山東高唐州人嘉靖七年任

袁志明湖廣應城人嘉靖十一年任

呂鉞山東臨清州人嘉靖十四年任

楊祿山東館陶人嘉靖二十年任

梁思齊山東恩縣人嘉靖二十九年任

魯銳直隸滁州人嘉靖二十七年任

金鏞江西豐城人嘉靖三十三年任

本頁原闕字，現據臺灣『中央圖書館』藏本校補。

何潮順天玉田人嘉靖三十五年任

劉應登山東平原人嘉靖四十一年任

劉濂廣東南海人嘉靖四十三年任

郭廷美山西長治人隆慶三年任

郝守同陝西朝邑人隆慶五年任

趙大仁山西襄陵人萬曆元年任

王瑞容江西崇義人萬曆九年任

龍應祿湖廣桂陽人萬曆十二年任

陳芝浙江永康人萬曆十六年任

本頁原闕字，現據臺灣『中央圖書館』藏本校補。

田學 直隸永寧人萬曆二十年任

馬載高 山東茌平人萬曆二十四年任

洪尚德 直隸涇縣人萬曆二十七年任

鄭仁 山東陵縣人萬曆二十八年任

韓夢麒 山東濟寧人萬曆二十九年任

潘煒 浙江觀海人萬曆三十年任

向添桂 四川仁壽人萬曆三十五年任

李材 陝西華州人萬曆三十八年任

戚自新 廣東遂溪人萬曆四十二年任

本頁原闕字，現據臺灣『中央圖書館』藏本校補。

陰陽學訓術

王原 洪武十七年任

尚進 永樂二年任

饒 正統十四年任

季瑄 景泰間任

胡楷 成化間任

呂鑑 弘治間任

袁嘉 嘉靖四年任

唐寬

本頁原闕字，現據臺灣『中央圖書館』藏本校補。

馬逢暘 俱嘉靖三十年奉例

醫學訓科

張仲剛 洪武十七年任

孫俊 正統間任

徐信 正統十四年奉例

許鑑 成化間任

季智 成化間承例

[illegible] 弘治十六年任

[illegible]

夏曆 嘉靖三十年奉例

[illegible] 嘉靖三十年奉例

[illegible] [illegible]靖四十[illegible]奉例

[illegible] 隆慶三年奉例

僧會司僧會

會海

了義 天順間任

真定 成化間任

宗鑑 弘治間任

宗澄弘治間任

道清嘉靖間任

祖濂萬曆廿年選

道會司道會

胡應聰成化間任

繆本源弘治間任

錢真慶嘉靖二年任

陳大方萬曆二十年選

四卷終

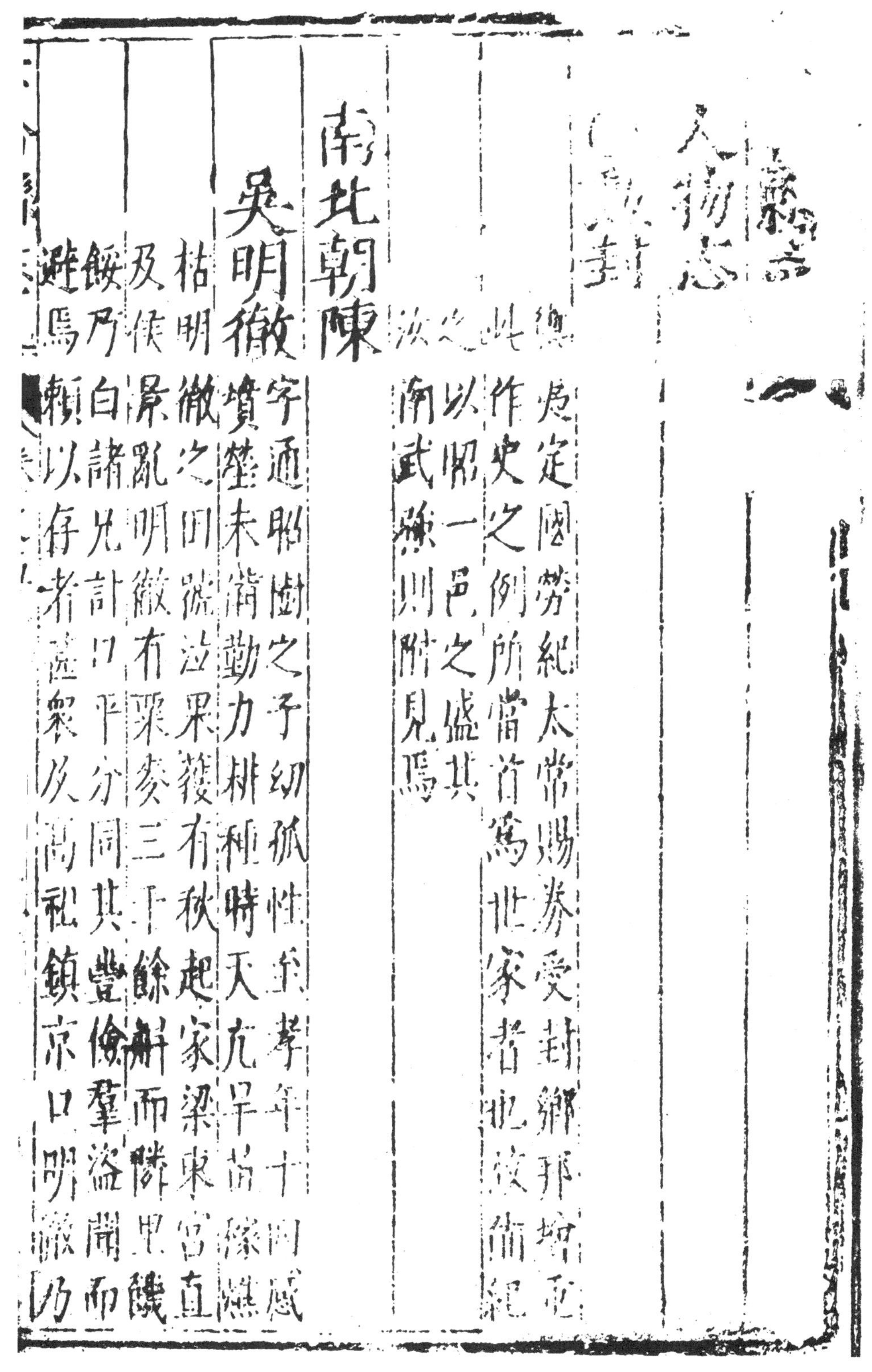
縣志
人物志
[illegible]封

備虎定國勞紀太常賜券受封鄉邦增重此作史之例所當首為世家者也故備紀之以昭一邑之盛其次南武蔭則附見焉

南北朝陳

吳明徹字通昭樹之子幼孤性至孝年十四感墳塋未備勤力耕種時天大旱苗稼焦枯明徹之田號泣果獲有秋起家梁東宮直及侯景亂明徹有粟麥三千餘斛而鄰里飢餒乃白諸兄計口平分同其豐儉羣盜聞而避焉賴以存者甚衆及高祖鎮京口明徹乃

請高祖爲之降階執手即席與論當世之務明徹亦涉經史學周[illegible][illegible]天文[illegible]以英雄自許高祖深奇之承聖三年授戎昭將軍安州刺史紹泰初隨周文育討杜龕張[illegible][illegible]授使持節散騎常侍安東將軍南兗州刺史仍與侯安都等將兵擊王琳及衆軍敗沒明徹自拔還京世祖即位詔加右衛將軍王琳敗授都督武沅二州諸軍事安西將軍武州刺史[illegible]遣大將軍賀若敦率馬步萬餘人奄至武陵明徹衆寡不敵仍破其別軍於雙林天嘉三年入安西將軍及周迪反臨川詔爲安東將軍江州刺史領豫章太守總督諸軍以討迪尋授鎮前將軍五年遷鎮東將軍吳興太守世祖謂曰吳興帝鄉之重故以相授君其勉之及世祖不豫徵拜中領軍廢帝即位授鎮[illegible]將軍[illegible]遷丹陽尹仍詔以甲仗四十人出入殿省及華皎陰有異志詔授使持節[illegible]侍[illegible]督湘桂武[illegible]州諸軍事安[illegible]

賜[illegible][illegible][illegible][illegible][illegible][illegible]軍發自京師[illegible][illegible][illegible]
相繼降進軍至泰郡克其水柵齊遣大將[illegible]
破胡將兵為援明徹擊走之[illegible]獲不可勝計
泰郡乃降高祖以泰郡明徹舊邑詔具太牢
令拜祠上冢文武羽儀甚盛鄉里以為榮進
克仁州授征北大將軍進爵南平郡公增邑
并前二千五百戶次平峽石岸二城進逼壽
陽齊遣王琳將兵拒守琳至與刺史王貴顯
保其外郭明徹乘夜攻之中宵而潰齊[illegible]退
擁相國城及金城明徹令軍中益修治攻城
中雲悉一鼓而克生擒王琳王貴顯扶風王
可朱渾孝裕尚書盧潛左丞李騊駼送京師
景和遁走盡收其駝馬輜重詔加都督豫合
建光朔北徐六州諸軍事車騎大將軍豫州

刺[illegible][illegible]封弁前三千五百户遣謁者蕭淳風[illegible][illegible][illegible]冊明徹於城南設壇士卒二十萬陳[illegible][illegible][illegible]甲明徹登壇拜受成禮而退將士莫不[illegible][illegible]馬六年自壽陽入朝輿駕幸其第賜鍾[illegible]一部米一萬斛絹布二千疋七[illegible]進攻彭城軍至呂梁齊遣援兵前後至者[illegible][illegible]明[illegible]又大破之八年進位司空詔給司空太都督鈇鉞龍麾尋授都督南北兗南北青譙五州[illegible]軍南兗州刺史會周滅齊高宗將事徐兗九年詔明徹進軍北伐令其世子惠覺攝行州事明徹軍至呂梁周徐州總管梁士彥率衆拒戰明徹頻破之仍迮清水以灌其城[illegible]舟艦於城下攻之甚急周遣上大將軍王[illegible]將兵救之會明徹苦背疾甚篤遂從[illegible][illegible]之議及至清口水勢漸微舟艦不得[illegible]甲皆潰遂陷于周以憤遘疾卒至德元[illegible]郡追封邵陵開國侯以息惠覺嗣詳見[illegible]傳唐建中元年從祀武成王廟以忠[illegible]

孝事父以孝之同州刺慧覺字明徹子汝勤
尚書左僕射與洪同時戊昭將軍負
外散騎侍郎撕行南兖州事□黃門侍郎以
平章大寶功授豐州刺史至德元年詔歸南
下卒

公

吳超字逸世明徹兄子少倜儻以幹畧知名隨明徹征伐有戰功官至忠毅將軍散騎常侍桂州刺史封汝南縣侯邑一千户卒贈廣州刺史謚曰節見陳書本傳

國朝

楊洪字宗道□□子少有大志以忠義自許永樂元年襲洪中衛百户有聲三年調開平衛開平在比塞最荒遠屹然孤城虜時時入寇洪號令嚴明善撫士卒與同甘苦精騎射用兵簇出奇擣虛寇至輒決策應機操戈奮擊□諸將校先矢發則寇應弦而斃百無一失

虜人畏之自洪熙元年陞正千户宣德元年陞指揮僉事守備馬營堡八年陞指揮充左遊擊將軍分守懷来提督軍務進[illegible]指揮僉事正統三年陞都指揮同知[illegible]將分守北路陞都指揮使四年陞行在後軍都督僉事七年充鎮朔左參將九年陞右都督十二年充鎮朔將軍封昌平伯食祿千石鎮守宣府總兵官十四年進封侯爵景泰二年賜世券復鎮宣府加鎮朔大將軍洪屢立戰功生擒胡寇斬獲首級無筭其勲烈之最著者則開平衆伯顏山宣府大石門寶昌州捕虜阿谷打剌花威名聞嶺北呼為楊王迨己巳之冬也先大舉入寇直抵京師洪將兵入援遇之於城下寇遂夜遁尋破其餘黨於固安追河[illegible]等四[illegible]八人斬首四百八十邀還俘人萬計馬牛[illegible]方以數萬京師解嚴[illegible]安天下也[illegible]臣[illegible]宗流等奏捷[illegible]

[illegible]

□績　飢貧□騰□□□□□以雄□□□詩

□傑敗□戰指揮使□□□□淹□□□□侯

洪短　上廿有之□不付試自治洪以吟□歙

慎表□□學校一人章治司試國八論武襄當

時論英安　社稷及紀功□□前治□□□為

稱才略忠讓彭惠安韶□□貴成開其□□業

岳世身名流芳成訓其壯□虎臣下□□姚

一今宣府鎮城保龍門衛□□□□□尼

上祠而□賊復祠之名官□□傑字文成洪

學編名下紀及名臣言行錄　傑子嗣爵邪

侯爵上言臣家一侯三都督諸□□□□旗

者十六人乞與蒼頭役許之未□□□千

以繼燕俊字文英洪子正統間歷陞□□都

先後嗣　俊指揮僉事守備馬營堡□□守

格虜關景泰元年陞都督僉事充右參□鎮

守宣府陞右都督加忠能人京充遊□□平

兼理前府事進左都督尋降都督僉事昌

平侯爵後嘗擒叛賊喜寧及護兀剌使人出

寒惟請兵擊虜　上特下其議少保于謙沮
之天順元年石亨坐俊附謙死非其罪及赴
西市英勁不屈大呼曰陪　駕者今　珍俊子
何在吾起兵救　駕其及也固宜　珍自
下伏爵石亨誣俊遂謫珍戍廣西奉議天[illegible]
八年赦授龍虎衛指揮使議者以亨既敗歸[illegible]
諸[illegible]已褒崇則昌
平[illegible]當世及云
男[illegible]
[illegible]實洪從子正統初從洪征興州虜帥
[illegible]西寧涼亭塔兒斬首功累陞開平衛指
[illegible]僉事十四年陞都指揮僉事守紫荊遷從
[illegible]洪入衛追虜及於紫荊關例爲五郎河辦出
前與洪腹背夾擊大破之進同知景泰改
元命守懷來斬虜勢尚熾人無固志信急
城垣修戰具撫循安集諸鎮底寧進積府都
督僉事充左參將同守懷來會洪病發信協
守宣府五年充副總兵　英廟復辟信[illegible]
都督同知命充總兵官鎮守延綏[illegible][illegible]

[illegible]將軍[illegible]

內使邀擊[illegible]

友兵丁安邊[illegible]擊虜遇大同年[illegible]

與世[illegible]食[illegible]五年移鎮大同[illegible]

毛里孩入川[illegible]山後寇上召信[illegible]京[illegible]上

累信言[illegible]雖遥度乞精騎夾走至[illegible]林[illegible]上

上於是從信言命為平虜將軍總諸鎮兵至延

綏屬兵抹馬待虜烽火以救虜竝[illegible]得入[illegible]

我帳兵入塞信從兵邀擊小龍州[illegible]青原處

將[illegible]盡棄掠我人畜遁渡河去五年[illegible]還[illegible]

同六年虜又入延綏聚信西援信口[illegible]虜[illegible]

大同兵渡河必乘虛東掠設伏胡出[illegible]潰[illegible]

果至伏發擊斬獲功多八年又敗[illegible]仙[illegible]

寨自是虜馬不敢南下十三年冬以疾卒[illegible]

彰武侯論賊殺信出自將門慷慨有大志[illegible]

敵不泥古法善撫士卒取人所長有功能[illegible]

於下故人樂效用所至建勲尤長於騎射人

毋以小由基名之然其守懷來普化乙遣兒

馬黑麻入貢先期　奏報　勅護至京及登宣府時前御吏林庭舉主事胡深請成于[illegible]特薦二人通曉邊事　制從冠帶帶俸事盖尒猷體　國破格薦賢是以帶俸之職求世無數有光於邦家云巡撫都憲劉源清　奏立褒忠祠于宣府鎮以祀忠義而居正殿中位

則　信　瑾信子嗣彰武伯爵管後府事瑾子

勅　弘治元年嘗奉　簡命出使　質嗣彰

武伯爵　質子嗣彰武　丙儒子嗣彰武伯爵

生京營　儒伯爵掌府事　炳歷掌左府南京後府并後府事尋奉　勅總督京營內外戎政督工　陵寢入侍　經筵所　賜有白金表裏寶鈔之類

世階炳子嗣彰武伯

楊能字文敬洪從子正統初鎮撫歷陞都指使充遊擊將軍陞都督僉事充右參將守宣府進都督同知充左參將轉副總左都督掛鎮朔將軍印封武強伯能[illegible]

紀行[illegible]廣[illegible]之變[illegible]遣爲將能驍淮[illegible]
戰有功[illegible]廣[illegible]藏茂
遂獲偉爭[illegible]李秉只寧宿雁夭[illegible]巳年授
二[illegible]功[illegible]食祿千石四年[illegible]文林
以[illegible]倫[illegible]吏部[illegible]戒旅李[illegible]
倫備[illegible]指揮使[illegible]本職其功云
彼大明一統賦誌稱漢淮南王英布六合
人十國紀年稱唐吳王楊行密六合人吾邑
總稱[illegible]國朝永嘉侯朱亮祖六合人致有
係今之英山行密係合肥亮祖係六安故不
良睡襲以修鄉邦若夫僞眞志載明徽於世
中南畿志載明徽於流寓內而楊氏世家
轉野史尚有開平撫寧漢　俱[illegible]
廣陵之誤今俱從實錄云　志畧

○舉[illegible]

帝王用人莫先於薦舉　聖明詔令每歲
延訪眞才吾六邑途皆背失[illegible]今處事之

可徵者紀之惟張約之
從嘉靖志列忠賢傳

晉

王濤 杜預 御史中丞

王鑒 字茂高濤子少以文筆著稱初爲元帝琅邪國侍郎駙馬杜弢作逆江湘流弊王敦能制朝廷深以爲憂鑒上疏勸帝親征辭甚切帝雖[illegible]納之[illegible][illegible][illegible][illegible][illegible][illegible]征起茂已平[illegible][illegible]中[illegible][illegible][illegible][illegible][illegible][illegible][illegible]朝請東與令大將[illegible][illegible][illegible][illegible][illegible][illegible][illegible][illegible][illegible]就而[illegible]文集五卷傳於世共七夕[illegible][illegible][illegible][illegible]六朝詩彙晉書有傳贊曰茂高[illegible][illegible][illegible][illegible]章九善

王濤 字茂略鑒弟有才筆歷任著作郎無錫令所著集五卷并三國志序評三卷

[illegible]之字庭堅濤子亦有[illegible]以上見晉書列傳

[illegible]筆任著作郎[illegible][illegible][illegible][illegible][illegible][illegible]兩[illegible]

劉宋

張約之仕至梁州府參軍詳忠賢類

蕭齊

吳景安仕至南譙太守見陳書列傳及儀真志吳氏世傳

南梁

馮亮仕至州刺史見嘉定志

宋

徐執中仕至尚書屯田郎中餘見封蔭

徐彥孚執中子徽[illegible]時歷仕戶部侍郎獲以金紫郡君贈封父母蔭其兄子為參軍能

立門戶見稱于 以上見
除章黄庭堅云 山谷集

張自牧 長蘆鎮人高宗時召而官之後河南朱
敦儒不受敦遣其故人勸之曰今天子
側席幽士翼宣中興自牧仍于長蘆辭流天
京風動群國觀此則自牧之名位卓越矣見
宋史

國朝

郭 盤城人洪武初
仕儒學訓導

邵眞 下二圖人洪武十
三年以材仕京官

唐圖暨 東買人洪武中仕浙江龍游
縣知縣陞廣西潯州知州

謝眞 南一圖人以大夫長亦寫手洪武二十[illegible]
人材陞任湖廣[illegible]縣安江河南汝[illegible]

南村二司巡檢陞湖廣義化遞運所山東蒲臺[illegible][illegible]場俱大使

林蕭 字子敬北二圖人洪武末以薦授江西樂安縣丞

潘永忠 南三人永樂中人材任兩淮運司呂四場大使

邵顯 東里人永樂五年楷書授直隸潛縣主簿

凌皜 北四五都人永樂五年楷書授直隸内黄縣縣丞

毛丙 南四五都人永樂六年楷書授四川岳池縣主簿

孫蒙 西里人永樂六年楷書授四川布政司經歷

按周專諸係伍員薦其勇于吳 國[illegible]

孫敬 汪濙 武佛保 包彥名 夏隆 沈衡 王[illegible]

文顏 政 張顯 周人受 芮換 季大有 朱英[illegible]

張紳 貢俊 王旺 吳贇 唐驪 耿亮 吳信 李[illegible]

舉人材徐慧衆楷書俞建舉　俱衆
明經緣未授職附名於此　志畧

○科第

隋煬始置進士科後世重之毋中式于鄉
始入吾六鄉試求以眞州元以江淮河南
行省　聖朝以應天府得人居多其
他省者水木皆有自也於例得書附

宋

佐著字仲約新安鄉人慶曆二年楊寘榜
四十年仕至朝散大夫知梓州事遷
眞私於建至樂
堂以見子侍傳

趙萬乾道八年
黄定榜

錢有嘉淳熙八年
黄由榜

孫傚 開禧元年毛自知榜

李可 字與可仕部郎傳曾孫寶祐四年文天祥榜歷蔭官監察御史歷右正言簽同御史大夫陳堪游文卿論賈似道熊肯貶斥朝論快之 志畧 科錄

元

黃普保 字居德總把世襲孫以頭寧省中至正丁未科福建鄉試仕忠州酆都丞

黃仁 字淵濟普保從子中福建鄉試第四人仕太常贊禮郎

余文 上元都人中洪武甲子科登乙丑丁顯榜進士仕兵科給事中按永樂志不書文登第蓋以練黃同榜作碑故諱之耳諸志失考今據登科錄正之

許晹 東里人洪武庚午科仕至江西按察司僉事

傅謙 西里人洪武丙子科授浙江天台縣丞

吳珏 西里人洪武丙子科授北京任縣學訓導

夏潤 字澤民東里人建文己卯科授王府典寶陞廣西鎮安府經歷卒于官

尹昊 上三前人永樂乙酉科授北京大名府縣訓導

孫智 西里人授南京翰林院習爽字改廣東朝川府檢校

繆衍 西里人永樂戊子科授湖廣衛陽縣學教諭陞國子學錄

鄭猷 字宗遠東里人衛第初貢至禮部以告洪會試登永樂乙未陳循榜選翰林吉士授檢討遷江西布政司理問丁憂復補福建布政司

[illegible]四五都人[illegible]步子

[illegible]教廣東高[illegible]

[illegible]三都人宣德[illegible]子科授山東萊陽

[illegible]縣學教諭善爲文[illegible]有[illegible]其作

字饒瑞東里人[illegible]縣同子正統戊午[illegible]

王璘 河南鄢陵縣學教諭改鄭縣[illegible]遂平[illegible]

致仕璘潜心問學落筆驚人士司以[illegible]

賞名第六京兆尹宴多士爲爵邑喜生[illegible]

見問時稱殊典後以乙榜得教職景泰[illegible]

京闈有校文之聘璘正身率物不計贄[illegible]

事干謁橫經二十餘載囊無贏積而歸[illegible]甚

杜門課子罕至公庭成化丙申知縣席[illegible]絶

修邑志詔最爲賢今而璘簡質不阿[illegible]漫

援時政尤其不可及者平生重義則[illegible]家乘

以[illegible]親志善事允瑄

[illegible][illegible]前文獻巨族

鄭[illegible] 字邦潤檢討獻從子東里人正統丁卯科

景泰甲戌孫賢榜仕刑部主事奉勅[illegible]

問承德郎能執法京師號曰鄭閻門後丁外艱以事忤權奸門達遂落職時甚惜之

李景脩縣上三都人景泰庚午科授浙江江山縣知縣族孫崑以戎籍將貢于寧

黄縉字明章東里人天順巳卯科授直隸知縣蒞事通敏人有鄰竟官成誣監司去縉蒞得其情風力大著湖廣黄州府通判致其事而歸嘗作字賦[illegible]甚為時所稱賞

詹倗字良弼北門五都人天順巳卯科教授校鄉多所成就陞河南修武知縣縣積有逋負倗念其疲累特疏于朝遂獲蠲免監縣頌德憂歸服闋起部保留者若干人累宰尹公旻賢之遂補山東歷城歷城旻鄉邑也彝以不媚權要調繇造求春未究所施而卒發以子寅貴奉勅進文林郎具杯酒以談

字復初西里人天順壬午科授山之卜知縣善崇志節學初與詹倗同

光祿卿三載不[illegible]具功竟賞其顏惟行績第[illegible]
給宦庶憤又歸墓[illegible]尚有再不謂有[illegible]推波引
進[illegible]元子誠以義衣喪偶遂不再娶不臺
血篤信義而非流俗所移也以[illegible]餘談
[illegible]從學下一圖人成化乙酉科登[illegible]月藁

命

門榜私考忘云授兵科給事中家乘云授
[illegible]京兵科
給事中

余槃字本遠西里人成化辛卯科第
十二名未第卒見杯酒餘談

黃肅字敬夫東二圖人成化辛卯科登戊戌曾
彥榜授河南新鄭知縣賑濟饑民多所全
活伏滿民為立去思碑陞工部都水主事晉
管[illegible]泉閘與修河工各見碑志奉勅往治
滄德郎進刑部貴州司員外郎擢廣西按察
司僉事部內土官趙源妻岑氏以賄謀立假
子肅偕議竟立其姪思明貴紹及肅卒兵討
之其子破誅紹昇以憂死思恩知府岑濬謀

作亂蒙築卅良城以截行舟肅曰是賊咽喉
也即被甲先登士皆躁附賊遂焚營壘全師
以歸東塞巒扮肅從間道破其巢巒潰撫按
交章薦之尋進湖廣兵備副使猶上言貲右
事宜除職惡以靖地方等七款朝廷多見
允行正德初以軍功陞三品致仕嘉靖壬午
中兩奉恩詔進階二品有司存問其門
壽八十六始卒肅剗意舉業以禮經名家授
弟子及試南宮一薦壯盛者輙登高第應人
求作俱佳麗可傳今有靜菴集後以子貴贈
奉　制進階而奉大
夫榮遇罕見其儷

胡瑄字廷璧南一啣人巡檢貞曾孫成化甲午
科仕山東東昌府通判時青州起衡府
藩臬擬其能委任之經畫有方事竣[illegible]
後河次末就以[illegible]
竹竟[illegible]
[illegible]

專董其成見院文[illegible]收葬[illegible]學[illegible]
勅進階承德郎階同知[illegible]
葬悉除清軍蹟薦于[illegible]
服闋起復官於湖廣[illegible]
膺旌擢以疾乞致仕不待報而[illegible]
嚴諸子俱有善行季名[illegible]宦齡失怙孝[illegible]
尤知縣董邢政紀其事遺
官致祭特以公慎謚之

袁文紀 字邦振東四圖人成化丁酉科授浙江龍游知縣龍游最號難治而文紀淺[illegible]薦介有爲興學宮治公署改建倉儲其[illegible]斂迹治之綽如也使者交薦以失當路意[illegible]通判台州府嘗掌太平縣事前教諭應紀[illegible]而貧破格以待收紀文古和稿叙而刊之[illegible]考志云嘉靖二十八年龍游祠之名宦文[illegible]膺坦彌月守志從女適松謙孝尊嫜見志畧

王弘 字叔毅廣洋衛人成化庚子科登弘治癸丑毛澄榜弘夙負天才弱冠舉禮記第一

定山莊先生景愛而惡之遂品隲古今[illegible]
理學以名節自砥礪授行人考績奉[illegible]
階修職郎正德改元擢南京福建道監[illegible]
史論列逆瑾罪狀忤[illegible]被逮杖發[illegible]
仍矯榜姦黨于朝堂弘[illegible]馬政[illegible]
東僉事進副使嘗攝學[illegible]時霍宗伯[illegible]
成以訓在生儒中尚落人後弘首嘉獎進[illegible]
服其明在廣數輩專教義糾貪吏祀先[illegible]
風采凜凜值江右海南[illegible]危峰起隨[illegible]
戌之嘗獲延賞以執法論時相之[illegible]
歛怨而歸嘉靖初京官[illegible]擾弘出[illegible]
者弘不附名士尤高[illegible]之節[illegible]
其所著為巴山集前[illegible]吳公廷[illegible]
之有四海王巴山詩[illegible]十春之句[illegible]
丙論其無愧定山云嘉[illegible]十七年[illegible]
京禮部劄付入祀忠賢祠隆慶篤[illegible]
院同謝[illegible]案[illegible]採輯世宗實[illegible]
賢亭題俱有弘傳[illegible]詩詞[illegible]

印[illegible]字廷用東里人成化庚子[illegible]守府通判陞瀏廣[illegible]澧州知州[illegible]州府同知歷
治事才家乘云以世宗登極恩加階
中憲大夫嘉靖志云進階朝列大夫

張瓚字宗器虎賁左衛人弘治乙卯科授浙江
餘姚知縣值海溢浮屍蔽江瓚淚泣督
人瘞之其免於溺者又懇請賑濟當路猶督
租瓚俟其行縣率饑民路號請貸無與家事
當路猶盛氣加瓚瓚應對如響民頓全活緣
見見許調湖廣竹溪姚人未思祠於名宦嘉
靖三十八年學院周　明文行縣入祀鄉賢
祠隆慶元年本縣奉學院批　周案驗抹
入世
宗實錄

黃宏字德裕孝陵衛人弘治辛酉科登壬戌
康海榜累官江西布政使司左參議死節
贈太常寺少卿敕賜
旌忠祠詳見忠賢類

李傑字伯奇北四圖人縣丞廣子弘治甲子科登正德丁丑舒芬榜傑性行方潔博學洽聞造就英賢甚衆授太常博士時武宗南狩輿駕崩傑覲導秉輿執事甚洛詩家實錄嘉靖改元大慶勅進文林郎[illegible][illegible]之京刑部員外絶私謁守官箴時有關節[illegible]號柔擢廣西僉事值土酋[illegible][illegible]征剿靖王[illegible]底不守仁時爲總制委傑監[illegible]中營往來合餉傑悉心任事客兵不敢[illegible][illegible]寧守仁上其

朝廷錫之金帛且捐俸市藥以療疫癘推陞獄以釋矜疑迄三載緣不合當道而歸隆慶元年本縣奉學院[illegible]周案驗採世宗實錄有傑傳兄杯酒餘談

張愷字惟德留守右衛官籍正德癸酉科授[illegible]廣澧州知州陞廬州府同知[illegible]任性莊重溫淳雖處[illegible]覺咯不務矜[illegible]色君[illegible]以[illegible][illegible]

氏[illegible]縣房東里人知烏程縣[illegible]徐嘉靖二
[illegible]授浙江[illegible]知
州[illegible]秋州[illegible]于[illegible]上
情[illegible]而薦之郊朝進遷伯備一級賜賦三
渭以榮之隆慶元年奉
縣[illegible]宗寶[illegible]

張在 字[illegible]東二图人[illegible]卯[illegible]子嘉
靖庚子科授浙江[illegible]康知縣

張緒 虎賁左衛人嘉靖庚子科以漢川籍中湖
廣鄉試授直隸桐城教諭陞南國子監學
錄歷吏部司務戶部員外左遷直
隸繁昌教諭復進四川[illegible]陽知縣

金鴻 字[illegible]卿壯一图人嘉靖丙
午[illegible]授湖廣華容知縣

黃驊 字[illegible]東二图人副使肅子授江西豐城
[illegible]陞直隸曲阿知縣奉 勅進階文林
郎[illegible]陞江西南昌同知致
仕奉 詔進階朝列大夫

龍施　比三図人嘉靖壬子科以雲南右衛官籍方中雲南解元授四川峨眉教諭歷陞都察院司務戶部員外郎中河東運司同知致仕

曹濮　字天嘉東里人萬曆丙子科授江西建昌府通判卒于官

季官　字國賢東里人萬曆丙子科授湖廣永興知縣卒于官

孫拱辰　字子極東三図人生員司立子萬曆己卯科授江西撫州推官奉　勅進階文林郎陞山東臨清州知州

厲昌謨　字崇善龍江左衛人儒官時嚴子尚[illegible]戊子科登壬辰翁正春榜授江西宜黃[illegible]知縣調新喻縣陞兵部車駕司主事晉員外郎

黃三策　東二図人同知驊孫萬曆丁酉科

汪元哲字魯生址三畐人監生如底子萬曆庚子科麟經亞魁登庚戌韓敬榜授直隸揚州府授陞國子監助教晉户部主事

黄[illegible]字從之府軍後衛人萬曆己酉科

汪金聲址三畐人縣丞如璋子萬曆乙卯科

○武舉

國朝

劉煥字用晦上三都人以直隸大河衛應襲登
嘉靖己酉壬子乙卯鄉試丙辰會試中式
以軍功歷陞本衛實授指揮僉事 劄委守備
雲梯關陞福山巷把總四十年奉 勅巡視
南京屯田緝捕盜賊以都指揮体統行事尋
陞署都指揮僉事山東都司軍政僉書奉
勅總督軍器尋陞山西都司掌印四十四年
奉 勅分守揚州等處地方充參將煥[illegible]
洊修条請韜畧教水戰平閩稅嘗督戰[illegible]
薦敵斬真倭都御史李公遂爲文自[illegible]

闕寄郡例賄賻文事緯有儒將風薦判文牘
僉期大用頗未五十而卒見惜于時見志畧

( )嚴薦

何諸從歲貢士上天子淡州郡歲貢一人
謹貢已先科眾立矣聖[illegible]宋明經
三合特薦應殿試吾六[illegible]人惜文
獻無徵不能詳其盛云以奉例貢[illegible]

元

郭士言 盤城人隱逸州孫元末貢入國學好學
古杵論語皆竊人及[illegible]如海[illegible]
吐懷而[illegible]舉翠管隱見玄深開可怖可[illegible]
米文竄[illegible]言為奇男子惜以兵咨死[illegible]
弟士中[illegible]在合為忠文王公褘
所交及[illegible]遊湖光褘特以言贈之

國朝

夏正 洪武十七年貢

嚴羅 洪武十八年貢

薛真 洪武十九年貢

張義 西里人洪武二十年貢授江西太和縣典史

倪懋 東二都人洪武二十一年貢歷任四川[illegible]江山東堂邑二學教諭河南許州[illegible]

吳良 西里人洪武二十四年貢歷任山[illegible]汶上四川巫山山東章丘三學教諭

姜琳 南二關人洪武二十六年[illegible]

周[illegible] [illegible]西里[illegible]武[illegible]七年貢授[illegible]

何宗東鄉人洪武二十九年貢授福建□汀縣知縣

許□洪武三十年貢

李恩字本信東里人知州國賢子洪武二十□年貢授江西撫州府通判改福建福□

李同字崇德東邑人人材大有節永樂元□授江西樂平縣知縣曾恤僚友之變□

方訓諸子孫

俞亨上三鄉人永樂三年貢授四川布政司經歷

陸臨西里人永樂四年貢授福建建寧右衛□歷丞歲克家撫有諸弟親甚宜之見家訓

丁□受下二圖人永樂五年貢

鄭猷永樂六年貢見科第

王田　南四五都人永樂七年貢授陝西會寧知縣

胡曄　十三都人永樂八年貢授北京道監察御史

郭曦　永樂九年貢

郭維新　上三都人永樂十一年貢授山東青州府通判

魏泉　永樂十一年貢

朱昭　西里人永樂十二年貢授河南彰德府照磨

馬昌　北一圖八永樂十三年貢授江西樂安縣主簿

吳秉　西里人永樂十四年貢授河南彰德府照磨

瞿奎　字子信東門人永樂十五年貢

侯觀 北洲九縣人永樂十六年貢授山東萊蕪縣主簿

馬驥 字志崇東里人耆老之弟永樂十七年貢授山西平遙縣知縣

戚 南門外都人永樂十八年貢授廣東海康縣主簿

居云 永樂十九年貢

許端 字思正東里人永樂二十二年貢

徐弘 宣德二年貢

王瑄 西里人宣德五年貢授湖廣瀏陽縣縣丞

王敬 東里人宣德七年貢授廣武衛知事

王芑 西里人宣德十年貢授福建崇安縣縣丞

徐信　東[illegible]人正統二年貢授浙江瑞安縣丞致仕嘗攝督學工

祁福　西里人正統三年貢授浙江崇德縣縣丞

馬驥　北一圖人主簿昌族正統五年貢

沈淵　東里人正統七年選貢授湖廣上津縣知縣考績進階[illegible]嘗道[illegible]年十[illegible]

夏惠　字存仁東里人[illegible]民[illegible]正統九年授廣東高要縣丞致仕[illegible]赴闕謝恩始歸自是詩禮相[illegible]郷飲孫鑾尤爲謹厚邑中以長者稱之

蔣貴　北四五都人正統十一年貢授湖廣黄陂縣丞

茹斌　西里人正統十三年選貢授江西南豐知縣

十六　許[illegible]　景泰元年選貢

[illegible]舉貢

□素 東二都人景泰四年貢授河南臨漳知縣

花敏 東二都人景泰四年選貢授直隸邳州訓官

陸斌 字文達西里人經歷臨從子景泰五年貢授浙江龍游縣丞立志直堅晚乃□□時名鄉右公澄等以文贈之任與修縣志詳考志有文苑傳

胡深 東里人景泰七年選貢以孝行特象旌表詳孝友類

陶亨 字文遠東二都人天順二年選貢就修質敏授四川廣安州同知見鄉飲酒淡□

李庸 字景弘上三都人天順四年選貢授山東肥城縣丞丁憂復補嶧縣後以子傑貴□□

勅贈太

陸富　字崇禮，北四圖人。天順六年貢，授湖廣黔陽縣主簿，篤德明賓，鄉飲耆行見尚。

季恒　字彥常，東里人。教諭舉子。天順十年□楚，任湖廣巴陵、安鄉、四川中江知縣，所至有幹畧，巴陵稱其能。歸出宦資創造本學祭器，完美可傳，盖誠知報本者。

胡漢　天順七年貢，授湖廣襄陽府知事，卒于官。

陸淵　字性之，西里人，隱逸榮從子。天順七年貢，授直隸廣宗縣縣丞，賦性剛直不阿。[illegible]

孫景禎　東里人，訓科俊子。天順七年貢，從氏繼盛早以自牧，雖老不衰，鄉稱厚德。

陸瓛　字世賓，天順十年貢，授湖廣荆州左衛經歷。

唐繼宗　字述明，東里人，通判忠孫。天順八年貢，授江西按察司檢校。

吳濬　[illegible]貢，[illegible]西[illegible]民[illegible]子[illegible]

[illegible]任事[illegible]可[illegible]委之[illegible]
居[illegible]關行[illegible]建[illegible]書[illegible]
[illegible]縣[illegible]八[illegible]縣
[illegible]門[illegible]貢

孫英 字國[illegible]求但人貢士景[illegible]成化六[illegible]
[illegible]貢授[illegible]基縣知縣[illegible]長[illegible]司文[illegible]
[illegible]草字[illegible]之今聞有藏其遺跡者
[illegible]不[illegible]事件分[illegible]官去治民以爲[illegible]
謂爲力[illegible]其高節槩
可見六見林酒餘談

陳璧 字若瑞[illegible]里人著民清子成化八年貢授浙江[illegible]縣縣丞飭躬勤學士林允推爲

俞昇 字從周下一闔人明經建子成化十年貢卒于京妻金氏苦志訓孤見志書

劉文 字義道成化十二年貢授王府審理副

晉永寧 字壯康東里人貢士[illegible]附子成化十四年貢

朱瓛 字廷儀東里人成化十六年貢授湖廣平湖縣主簿

胡鵬 字翔之府軍左衛人成化十八年貢授[illegible]西南昌府經歷卒丁宗自鵬父壽有恭[illegible]鄉而軍籍食廩者寔自鵬始

林允義 字大道北一圖人縣丞肅曾孫成[illegible]十年貢授福建按察司知事允義[illegible]孝思事繼母亦有道及居喪哀毀重上官如古田學宮長樂布價皆有裨於士民當時贈言盈冊云

楊冬 字特貞西里人成化二十二年貢

尹文奎 北四五都人成化中以湖廣德[illegible]衛所軍籍應德安府貢仕至[illegible]

孫景仁 字文榮東里人景祐從[illegible]授陝西鎮番衛經歷陞[illegible]

公惟
學釣魚
至今
公度龍
授滿建建宗
守廷玉上三□
八弘治五年

丙治
莽詳

純正西里人陸逸榮第弘治十一年貢溫
□雅有禮度言動不苟定山莊先生累嘗薦
之於學院云籍還□□季論前室
所生始終無間私□志有賢淑傳

周綱字孟錫西里人弘治九年貢授遼東三萬
衛經歷丁憂後補直隸涿州中屯衛所□
人府節州判官賦□陞和平歷官
愚慎乞休歸里所□澹未仕者

□倫字大經西里人□□剛齋授河南
嚴沈丘訓導到任數年引疾致仕

□宋字克明東二都人井官號予弘治十二年貢授四川南川縣知縣

□綃字韌儀弘治十三年貢授河南温縣學訓導卒于官

汪洋字大之北三廚人誠治四年貢授大僕寺主簿奉勅進階文林郎尋左遷湖廣衡州府經歷陞桃源縣知縣洋質敏量寬鄉評見重弟祠事兄甚恪為鄉飲賓見私考志

夏鑾字元和東里人耆民林子弘治十五年貢

陳紳字大章東一圖人弘治十七年貢歷任盧東廣寧盖州二衛經歷居鄉和緩未嘗失色於人見杯酒餘談

楊城字台夫留守右衛人正德元年貢授□雄府學訓導陞建山教諭卒于

□顯東四人正德二年貢授永順宣慰司知事卒于官

[illegible]江[illegible]關文東二人[illegible]正德五
貞授貴州[illegible]東縣知縣卒于官
於大下[illegible]八[illegible]晁子少孤力學[illegible]懃
俞[illegible]
[illegible]十[illegible]後[illegible]州府學訓[illegible]
[illegible]之隆河間[illegible]縣丞[illegible]
以濟[illegible]二冉陞[illegible]府東門[illegible]
[illegible]錫[illegible]從卒于官子耆民[illegible]
[illegible]贊理[illegible]遺金不[illegible]人
王
[illegible]用周龍江左衛人訓導程子正德九年
[illegible]學[illegible]行有文風顧授山東萊蕪縣
[illegible]謹亦卒于[illegible]人
成[illegible]具文子[illegible]六
袁璟字介石來四[illegible]人通判文紀子正德十一
年貢授山東[illegible]本縣知縣飭吏胥除奸弊
[illegible]料不[illegible]徭役[illegible]均民安其政操持清苦有
以金[illegible]者對出其金懲之以法會吳門無私
[illegible]害更屢[illegible]與之陞陝西漢中府通判[illegible]泣
[illegible]送[illegible]以[illegible]而[illegible]清二[illegible]八

年淛木祀[illegible]館祠嘉靖三十一年移[illegible]
合入祀鄉賢[illegible]隆慶元年本縣季學院[illegible]
周案驗採世宗實錄有張傳
子需娶汪氏事嫡姑孝見志畧

陸鏷 字剛之東四圖人正德十三年貢
試高等授廣東鹽課司同提舉

季維 字光術東里人知縣[illegible]從姪正德十四年
貢授潤廣襄陽府[illegible]寺[illegible]
[illegible]詩才爲[illegible]
士之貧者周之[illegible]
素行無愧[illegible]
[illegible]人[illegible]
自[illegible]邑[illegible]
[illegible]所[illegible]

[illegible]

陸綺字用修西里人縣丞淵了虛靖元年貢
宦不群辭險以已從广之堯八尚其茂

陸昌字母文西里人贊民漳子嘉靖三年貢授
山東臨朐縣知縣持已端燕節故勸譯縣
連遭蝗旱府議半災昌爲民力爭獲以全災
上發粟賑濟然去捕蝗全活甚衆特奏　欽
依開礦念民貧邑賦中許剌完洞口禁戢礦
徒事養萬全特守悉有招所者里胥爭欲應
之堅執不聽其佗舊政若宜　聖諭重學校
刊古訓省夫馬節送迎出疑獄收孤貧勸典
桑植榆柳遏誣訟肅吏胥開墾荒蕪招撫流
亡詳載占驗小試師生候謙等以政教無率
頌之兵備道康公天爵獎爲君子仁人　蕭
府亦方之卓魯平生篤孝爲養乞休丁内外
艱衷毁執救庭塡玫瑰服闋始華重義敎倫
延從兄女弟養于家并厚其所出至妻黨記
財產有司召佃種俱拂屑誠禮所謂鄉先生
省賫觭有什一等集嘉靖隆慶萬曆間冬阬

行縣採輯守令實錄　世宗實錄名賢頌
皆有昌傳仍書清白孝友頌其門見順[illegible]一編

吳銀　字剎之東里人嘉靖五年貢其先洪武
國初籍此戶惜見存有志未仕而卒

曾憲　字守成廣洋衛人經歷清子嘉靖七年貢
和毅之資苦辛之學惜其未就教云

張鼎　字時舉東二圖人嘉靖九年貢授江西會
昌縣學訓導到任四年引疾致仕嘗作馬
鞍山[illegible]王廟及重修何令生祠二
篇[illegible]於詩詩餘詩文亦多可觀

孫籙　字景純東五圖人嘉靖十一年選貢授
告亦解官未歸為人忠實寡言嘗以經業授
弟子諸生師事
[illegible]官而卒

袁[illegible]　字學聚東四圖人[illegible]嘉靖二十二
年[illegible]授貢[illegible]

[illegible]

市舶司提舉

管紹文 字[illegible]前[illegible]子後衛人[illegible]太常少[illegible]選貢授江兩南安[illegible]江[illegible]學教諭紹文[illegible]有[illegible]書表裏如一陳人物淹[illegible]文在追台作黜浮靡可以為式[illegible]生時見知於督學每衆成擬其第不[illegible]也及茲教職教人以忠孝為先嘗取[illegible]學者學為忠與孝之言訓迪諸生媲[illegible]不[illegible]諸生中有貧乏者時為薪火之助一[illegible]前十[illegible]吏賀得師當道屢旌獎之居鄉時知[illegible]賢政聘修縣志典雅可觀尹齊賈德州志微忠行於世所著有滿若干卷弟庠生紹武亦詩值紹文承重奉命詣闕為父白忠[illegible]貢而沒惜哉

錢湧 字文灝東一圖人嘉靖十七年貢浙江臨訓導湧和以處僚勤以作士尋卒于[illegible]

鄭洛字宗[illegible][illegible]里人監生銀子嘉靖十八年[illegible]
授[illegible][illegible][illegible]陽府學訓導洛初以貧而[illegible][illegible]
教諭徐[illegible][illegible]之遂超補應貢及其仕
也復引[illegible]老乞休所著有蚓鳴詣稿

杜講字文會[illegible]海衛人教諭綱于嘉靖二[illegible][illegible]
貢授[illegible]隸威縣學訓導卒于官講[illegible]高年
明志行簡樸勵事好古自信不為時俗所
移雖顯者過之規如矣素君子路上人也

陳清字至一武德衛人嘉靖十九年貢嘗讓產
於昆季斥倡義助族即之同袍有詩文[illegible]

章慈字義之廣洋衛人經歷清于嘉靖二十一
年貢授浙江[illegible]於縣學訓導平生篤敬[illegible]
辨義利不營[illegible]荷服[illegible][illegible]節累學事[illegible]邑[illegible]
所[illegible]自歸老[illegible]讀書別墅志在出言其[illegible][illegible]
史閱[illegible]攝[illegible]不受教於有司并所著
學基學[illegible]質言[illegible]言[illegible]元等篇可傳

李禾字應登[illegible][illegible]衛人嘉靖[illegible]二十三年[illegible]
江東陽縣[illegible]縣[illegible][illegible][illegible][illegible][illegible][illegible][illegible]

[illegible]字民望水門圖人同提學鐸從子嘉靖二
澗十五年貢勤於設教且資貧者之館穀

季恩字惟而歷城衛人嘉靖二十七年貢授
湖廣保康縣知縣自文芳業儒不仕恩克
承遺訓儉約是甘不為浮
靡趨承態惜未食其報云

朱一峰字元望東里人縣丞良棟子嘉靖二十
九年貢授江西宜黃縣丞未幾卒于官

徐沂字大淞東里人縣丞信從曾孫嘉靖三十
一年貢授浙江常山縣學訓導陞湖廣宜
都教諭沂晚始食廩官垂十年僉以
爲淳厚之報第禱雨致疾遂卒于官

朱懿字若虛府軍左衛人嘉靖三十三年貢篤
厚端凝足為後學矜式惜其未仕而卒

徐繼芳字子實上三圖人庠生祿子嘉靖三十
五年貢授湖廣崇陽縣學教諭丁憂復
補沔陽州學陞　襄府教授卒于官繼芳奉
貞妣姚氏於宦邸　王旨以節孝扁額旌之

謝銳字進夫江陰衛人主簿珙子嘉靖三
十七年貢嘗考索嘉靖志未仕卒

章瑚字汝罷廣洋衛人貢士憲子嘉靖三十九
年貢授山東嶧縣學訓導卒于官瑚志大
抱奇俯視塵俗見高尚朴不為詭隨竟以
數奇與論共惜所著詩文諸稿足稱大方

侯何字觀化興武衛官籍嘉靖四十一年貢授
江西安仁縣學訓導陞　魯府滋陽王教
授未
任

潘儒字子學留守右衛人嘉靖四十三年貢授
湖廣長沙府學訓導卒于官儒性緩而[illegible]
夷言動不苟居鄉淳謹有父珙風義幾二[illegible]
友于昆弟家人宜之及訓長沙與上[illegible]
恩義弗計贄儀人人感服追其卒也[illegible]
已相與呈于文宗入祀名宦該學[illegible]
天府請詞鄉賢第偉有逸材所著[illegible]
面談[illegible]

齊[illegible][illegible]汝璧廣寧衛人經歷清逆孫嘉靖四十
滑[illegible][illegible][illegible]貢[illegible]河南羅山訓陞直隸威縣教諭
[illegible][illegible][illegible][illegible]嘉靖中以湖廣武昌護衛官
[illegible][illegible][illegible][illegible]由學貢授陝西平涼府通判
中[illegible][illegible][illegible]五都人知縣文奎孫嘉靖
[illegible][illegible]以德安軍籍應德安府貢

孫可久字惟建東三昌人貢士簡子隆慶二年
貢雅嗜吟詠尤工草書授浙江壽昌訓

李維嶽字時會壯四邑人僉事傑孫隆
慶二年　恩貢授新泰縣知縣

徐楠字子材武德衛人隆慶四年貢性聰敏自
翁冠時卓有聲譽遐邇傳誦其文稱則大
用顧屢試弗偶人甚惜之嘉靖志嘗與
考索文宗且兩奬其孝友未授任而卒

馬廷義字呈圖留守右衛人隆慶六年貢授六
安州訓導陞清河教諭湖廣寶慶教授
真誠渾朴夙有文名每見重于學使者在
官振舉條教惠貧助婚致政屢聘賓筵

魯萃字國敬，龍江右衛人，鎮撫儀後。萬曆元年恩貢，授湖廣沔陽州同，九十六歲猶健。

季恩字光甫，東里人，壽官綱子。萬曆二年貢，選直隸霸州判，陞陝西清水知縣，謙恭縝密。

方登澈字子鑑，壮一圖人。萬曆四年貢，授浙江海寧縣丞，陞湖廣興寧知縣，温州通判。守堅冰蘖，才勝劇煩，在官有聲，卒于子任。

錢應元字體乾，東一圖人，訓導溥子。萬曆六年貢，授鎮江府學訓，陞來安縣教諭。表裏洞達，質任性成，居官愛護青衿，與時事相左，遂浩然有歸志，尋致仕，屢聘賓筵。

李思皋字惟謨，萬曆八年貢，授江西樂平縣主簿。

魯華字國聘，州同萃弟。萬曆十年貢，授浙江淳安縣丞，陞廣西岑溪知縣。

季[illegible]字[illegible]熙，東里人。萬曆十二年貢，授浙江富陽知縣，丁外艱，補福建平和知縣，陞漳州府[illegible]

□曾字以文，東里人。萬曆十四年貢，授山東鄒縣學訓導，陞河南封丘縣教諭，以疾卒于官。

□□□□南北四啚人，經歷瑀子。萬曆十六年貢，授和州訓導。性剛直，不伍于時，家食廿年，甘守清苦，識者重之。

胡大賓字孔寅，府軍左衛人，縣丞以子。萬曆十八年貢，授四川隣水縣知縣，卒于官。

汪文選字經甫。萬曆二十年以二十人選貢，未廷試卒。

方宮桂字德馨，北一啚人，通判澄灝子。補萬曆二十年選貢，授直隸順義縣知縣，扶襯卒于金。

袁一理字汝純，驍騎右衛人。萬曆二十二年貢，授徐州訓導，陞江西南城諭，廣東肇慶授

汪全惠字任之，北三啚人，縣丞如璋子。萬曆二十四年以二十人選貢

朱應京上二啚人萬曆二十六年貢原名鎮

徐樹字子茂西里人貢士楠弟萬曆二十八年貢授浙江蕭山縣訓卒于官

周思燕字尚[illegible]萬曆三十年貢未任而卒

胡大化字宗聖址三啚人萬曆三十年恩貢赴選卒于京

金鉉字鳴甫東二啚人萬曆三十二年貢未任而卒

沈坊東里人萬曆三十四年貢授宜興縣訓卒于官

傅希說下三啚人萬曆三十六年貢未　廷試卒

王世爵字汝錫址一啚人補萬曆三十六年貢未　廷試卒

閔思宸字伯觀西里人補萬曆三十六年貢授浙江金華縣訓

張問達字以誠府軍左衛人萬曆三十八年貢授蘇州府學訓

陳紀字汝治東四爲人萬曆四十年貢

陳上英字[illegible]應天衛人萬曆四十二年貢

[illegible]兆賜字卄南[illegible]一島人教諭應[illegible]萬曆四十四年貢

○例貢

馬籌 西里人萬曆十八年以廪生奉例歲貢

周思登 西里人

厲士表 字宗南龍江左衛人 以上俱萬曆二十九年以廪生奉例歲貢

應例

國家[illegible]崇川[illegible]校[illegible]成奉例[illegible]
作[illegible]氏[illegible]事[illegible]以生員[illegible]之外凡[illegible]
官[illegible]其[illegible]跡於學
校者[illegible]悉志之[illegible]附

國朝

鄭鏜 字時宗東里人[illegible]
事衛子有文名

[illegible]璽 字廷綬東四圖人者民智子端重孝弟
以接人[illegible]陸感[illegible]代之燃臂志[illegible]有[illegible]

[illegible]清 字源潔廣洋衛人授福建福州府經[illegible]
少穎敏[illegible]數千言[illegible]官[illegible]介自持[illegible]
[illegible]敏於[illegible]當道每重委之節署連江[illegible]
[illegible]三縣事嘗於[illegible]吏還家吏獲有[illegible]升訊[illegible]
婦伏法俱人所難
以疾致仕而卒

陳傑 字世英

鄭傳 字希賢，虎賁左衛人

王聰 字彥文，東三圖人，授四川酆都縣主簿，丁憂未任，復補浙江金華縣

余[illegible] 字汝欽，南二圖人，知[illegible]倜子，授蔚州[illegible]，[illegible]歷奉勑進階徵仕郎，陞浙江新城知縣，未任卒

湛倜 字良輔，下二圖人，授江西廣信府永豐縣主簿

呂勝 字尚義，西里人，授南京鴻臚寺序班

張鉞 字仲巖，授河南按察司照磨 以上俱成化二十一年

宋宸 字大鄉，東里人，義官璋子，授浙[illegible][illegible]樂縣丞，嘗置義田以贍宗族之貧

厲垍字守之，龍江左衛人，百户嵊子。嘗奉部命，衛金助修縣治。

厲坒字達之，龍江左衛人，義官僖子。授四川西充縣主簿。請賑貸，拒餽儀，欠遞馬之費決訴，伯給之証獄，解部脚價則貸之貧者而赦責其償。當道見知，檄署縣事，即請罷不急工。嘗均練卒，并革塌法水利數端，民甚安之。引疾休致，張中丞錙贈詩曰：青年勇退人難及，自首忘歸亦可慚。以上俱正德三年

謝洪字君贊，江陰衛人，壽官宗旦子。授浙江餘杭縣主簿。嘉靖初待次銓曹，嘗奏復古樂，事下不見采。其於先墓則置祭田，蓋亦慕古者。

田叙字尚礼，甫二圖人。在監呈定過湖塘例，迄今賴之。

趙銑字汝澤，廣洋衛人。授浙江富陽縣主簿，廉靜不擾，致仕歸。

湯誠字懋實留守右衛人壽官寬子授浙江寧海縣主簿卒于官弟瓚實衛飲畧學事詒導王自新率諸生以敦誼序贈之 以上俱正德十六年

胡遵字于道府軍左衛人經歷鵬從孫遊太學時湛公若水為祭酒聽選卒于家今家乘有若水墓志

松晃字克文留守右衛人授長蘆塩運司經歷兄晟早亡嫂聞人氏守志撫孤晃事之如母及贅鹾政廉幹嚴明聲徹當塗屢加獎委方期遷秩惜卒于官志畧有聞人傳

陸瑀字邦儀比四圖人耆民德明孫授福建塩運司經歷

印崙字邦奇東里人同知寶子授河南汝州判官 以上俱嘉靖三年

張怡字惜孝留守右衛官籍同知怫弟父泉友于弟兄以怡為仲兄後怡少齊名於鹽覽

本衛一試悲夫八

楊郡字君牧留守右衛人千户志剛後授河南許州吏目丁憂復補□貴陽州

宋忠字□□講應天衛人百户侍從授福建鹽運司經歷以抱恙疾侍之□□□□歸行養義或屬人急并券焚之如先濟陸洲發家日貧仰縣章世禮扇田東鄰貲辛于忠家

朱勲字以巽應天衛人經歷忠從弟授浙江清江縣丞陞南京留守後衛經歷乞休不赴

以上俱嘉靖十六年

厲安字載之龍江左衛人義官瞻子授江西萬載縣主簿陞湖廣施南宣撫司經歷□任

張性字惟善留守右衛官籍同知愷從弟以鴻臚寺序班奉勅進階登仕佐郎陞直隸魏縣丞致仕

夏桐字成封東里人庠生萍子授西城副兵馬指揮萍以純篤貽後桐以勤敏涖官俱得馳封指揮卒于任鄉邦惜之

胡昇字汝恩府軍左衛人監生遵從子

胡旦字汝存府軍左衛人監生遵子授雲南武定府經歷特蒙欽賞陞福建泰寧縣丞以憂未任復補浙康大台縣

厲邦化字汝弘龍江左衛人義官瞪之孫授江西南安府照磨陞楚府典儀未任

湯詔字晉卿鎮南衛人指揮保後授浙江天台縣主簿

以上俱嘉靖二十二年

胡昌字汝大府軍左衛人監生遵從子

金汝礪字研齋比二晶人舊民鵬子

高懷忠字惟精龍江左衛人主簿堙子授[illegible]
大台縣主簿賦性淳篤惜征太久而卒

丁[illegible]字尹立東里
人背民渠子

劉夢吉字[illegible]一府軍後衛人
授河南上蔡縣主簿

以上嘉靖
三十一年

王大時字伯正武德衛人
授山東高密縣丞

顧楠字子立北一圖人與膳
麟子授廣東儋州州同

劉夢兆字應之府軍後
衛人夢吉弟

張祺字子謙留守右衛
官籍同知愷子

以上嘉靖
三十[illegible]年

黃秉幹字子貞驍騎衛人授鴻臚[illegible]
京司儀署署丞奉勅[illegible]封[illegible]陞南[illegible]
[illegible]子任

金汝賡字器甫北二圖人監生洪[illegible]
[illegible]授北京開州同[illegible]

印汝佩 字季封東里人判官裔子授山西忻州判官 以上嘉靖三十三年

夏校 字季敦東里人典膳芸子授湖廣武昌衛經歷 嘉靖三十五年

汪如璧 字子文址三啚人耆民拱秀子授浙江淳安主簿以子元燮貴奉敕進登仕郎

夏烈 字以成東里人正科术子授浙江崇德縣丞

汪如底 字子道址三啚人子登甲第

黃中色 字允賁號驍衛人壽官相子授浙江長興縣丞 以上嘉靖三十八年

夏熙 字以載東里人典儀术子授福建南靖縣主簿

黃鯉 字子檢東二啚人同知驊子

汪如璋 字子德址三啚人耆民瀾孫授福[illegible][illegible]縣丞 以上嘉靖三十[illegible]年

[illegible]字子房[illegible]一邑人授湖[illegible]子

夏應登 字以宣，東里人，[illegible]指揮[illegible]子，[illegible]山主[illegible] 以上俱嘉靖四十一年

張補 字子吉，留守右[illegible]同知愷子，授浙江黄岩縣丞

張繼明 字克肖，興武衛人，授[illegible]舉子，授江西南昌府照磨

吴汝賓 字良用，西里人，耆民澍之子 以上嘉靖四十二年

夏秉夔 字以善，京里人，正科棟子，授福建永安主簿

胥尚交 字思曾，留守左衛人，百户勝後，授主簿 以上嘉靖四十三年

黄秉乾 字子健，驍騎衛人，序班秉幹弟，授四川瀘州吏目 嘉靖四十五年

黄[illegible] 字子通，東二邑人，鯉弟 隆慶三年

黃繼耀字文光號騎衛人序班秉幹從子萬曆元年

林弘達字汝德留守右衛人

王節字自安東四啚人壽官立子授陝西洛南縣丞以上萬曆二年

曹應龍東里人授湖廣黃州府照磨

戴鴻基字君肇天長進士翘子授山東膠州州判陞湖廣承順宣慰司經歷以上萬曆四年

胥應龍字德卿留守左衛人

方曰篁橫海衛人以上萬曆七年

朴大綬字子章北二啚人[illegible]訓子授直隸[illegible]簿

夏應期東里人監生植子以上萬曆八年

薛齊瀛字希敬下邳人萬曆九年

龔繼美字文玉號騎衛人縣丞秉幹子萬曆十年

柯時升授湖廣景陵主簿萬曆十一年

汪元賓字廷上壯三邑人進士元哲兄萬曆十二年

湯之一鎮南衛人主簿詔子授廣東歸善縣主簿

黃廷謨字伯嘉號騎衛人縣丞中色子

黃繼周字文德號騎衛人

金全剛字希賢授陝西華陰主簿以上萬曆十四年

汪元慶字善甫，北三啚人，主簿如璧子，授南京鴻臚寺序班，奉勅進父階陞鳴[illegible]

余允升字以進，西里人。以上萬曆十八年

顧可大字汝功，北一啚人，州同楠子

朴大紳字子薦，北二啚人，大綬弟。以上萬曆二十年

汪元忭字叔鳳，北三啚人，進士元哲兄。萬曆二十二年

厲振民龍江右衛人，縣丞昌緒子

汪元英北三啚人。以上萬曆二十三年

馬恒字道遠，北一啚人

謝儇字論之。以上萬曆二十四年

汪天學北三啚人主簿如璧子

夏應台東里人

沈居正東里人

吳浚西里人　以上萬曆二十五年

馬夢桂字汝馨北一啚人

汪全聲北一啚人縣丞中偉子　以上萬曆三十六年

晉伯紘字成甫留守左衛人監生應龍子　萬曆二十八年

唐允孚

王良駇東四啚人縣丞節子　以上萬曆三十年

胡希宏字國謨府軍左衛人知縣大賓子

耶之藩

曾玄齡字淡生州同華子 萬曆三十八年以上奉例入監

沈健字大健東里人人材衛後

戚應龍字子雲址一啚人巡檢華子

王奎字汝恒東四啚人庠生快鳳子

夏應聘字以尹東里人耆民梧子

黄中理字允通號騎衛人壽官鄉子

湯有光字崇武留守右衛人

錢□字志道水軍右衛人百戶、後

□時嚴字□□龍江左衛人義官職曾孫

陸懷仁字本原晉民坚子西里人

余采

以上奉例儒官

周仁字子育北二圖人典史吳後

蘇爾字良臣西里人耆民聰子

夏芸字馨卿東里人貢士鑾子

鄭爾字君相南三圖人庠生泰姪

鄭楠字子才虎賁右衛人監生傳姪

以上奉例典膳

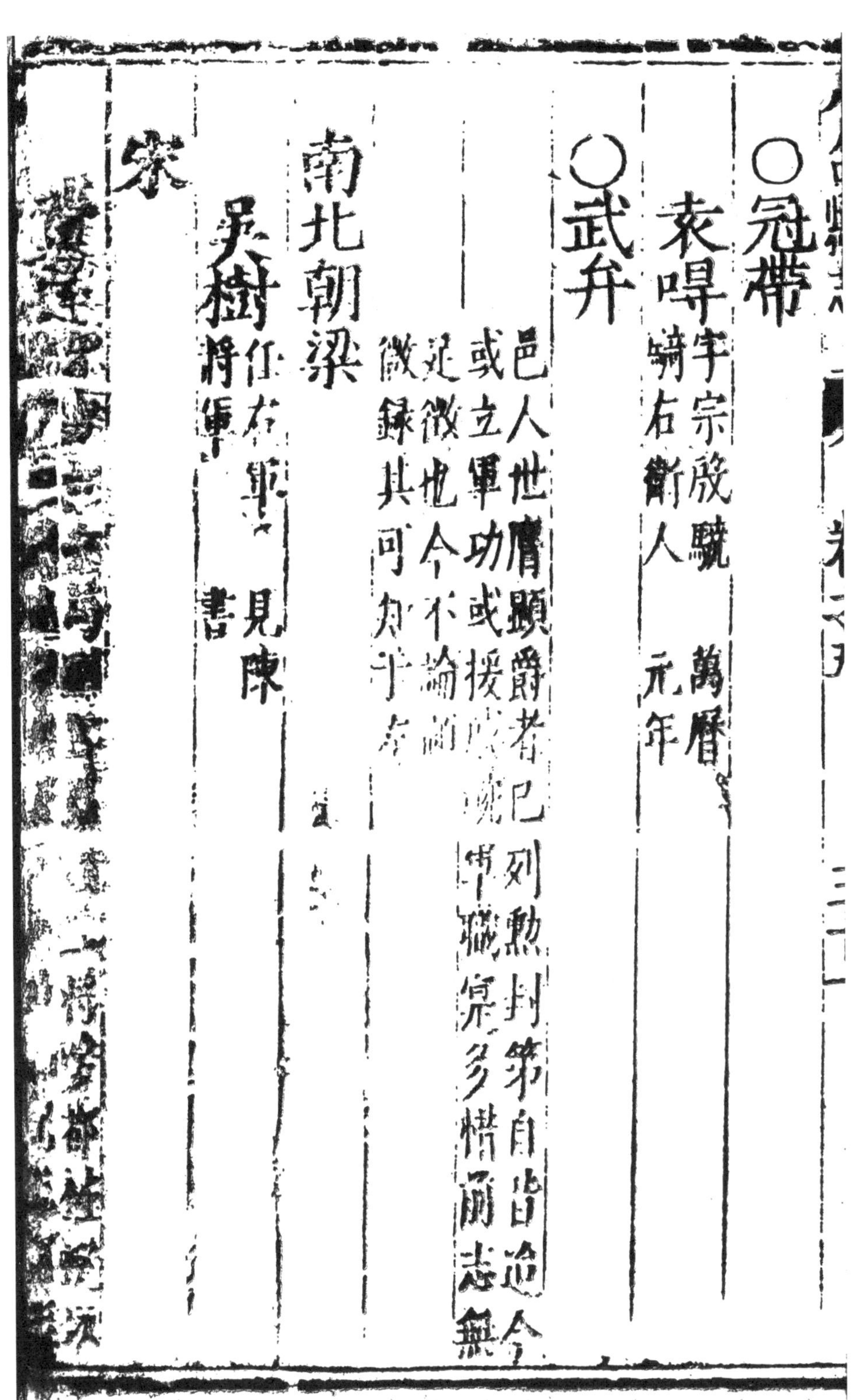

○冠帶

袁嵲 字宗啟驍騎右衛人萬曆元年

○武弁

邑人世膺顯爵者已列勳封第自昔迄今或立軍功或援[illegible]中職寔多惜前志無足徵也今不論前[illegible]微錄其可知于左

南北朝梁

吳樹 任右軍將軍見陳書

宋

[illegible]

尹尋棄官歸後舉[illegible]翰林[illegible]家[illegible]寓
謂定獲免于難類季女爲金陵[illegible]寄齋

元

黄世衡 定之子任鄂傳翼總把 以上見宋學士濂集

甘之富 盤城人元末千夫長見家乘

國朝

陳遠 字弘道正統間襲父啓方忠義左衛指揮通州同知景泰間陞都指揮僉事奉勅鎮守通州天順二年陞都指揮同知欽賞銀[illegible]歷陞都督同知遠忠厚端謹恂恂若儒生孝第嗜書史爲文端王直忠文李賢[illegible]重鎮通幾三十載上下安之肅[illegible]推奸所搆密賂中書牧其[illegible]後謙子晟遣襲兄康簡遠遠仍[illegible]

歸葬于今所賢達高鳳見西湖志餘通州志旌功錄等書

王儀　洪武初任揚州衛千戶歷陞都指揮同知尋調河南都司

楊伸　武襄公從子歷陞都指揮僉事充右參將成化十四年分守宣府北路廉以律己嚴以馭下治屬無敢私一卒一馬者見宣府志

魯儒　正德中陞四川行都司都指揮同知見四川通志

楊寶　武襄公洪後嘉靖中陞宣府都指揮僉事

郭　嘉靖中陞遼東都指揮僉事

陳戈　洪武初任江西袁州衛指揮同知見李忠文集

卜求安　西昌人洪武後任廣東[illegible][illegible]濟衛指揮同知

[illegible]

陳清 滁州二圖人任鎮江衛前所百戶[illegible]揮

倪斌 東二圖人洪武中任[illegible]衛副千戶陞[illegible]千戶指揮僉事

李謙 東四圖人任浙江寧海衛指揮

韓轉 上三圖人革除中任南京金吾左衛指揮同知 貴 轉子襲

陳啓方 同知成子以[illegible]戊大寧向兵[illegible]婿出奔勢不兩全[illegible]備妻盧捨子戶與求永樂初授忠義左衛指揮同知尋本[illegible]守遵化進階懷遠將軍李學士時勉誌[illegible]其墓子達見前見李忠文集

陳 鳳梁人歷陞興州中屯衛指揮僉事正德間嘗立碑先塋

蔣環景泰中歷陞湖廣岳州衛指揮僉事

陳善千戶義子陞指揮僉事調山東臨清衛　功善子　謨功子襲

楊仁成化襲公縉子錦衣衛指揮僉事

楊倫成化間伯能弟天順中授開平衛指揮使

楊智武襄公從子任開平衛指揮使

楊越襲父珍龍虎衛指揮使乞調開平衛

曹安成化初襲茂山衛指揮

詹珏東甲人任福建泉州衛指揮僉事　濟珏子　瀅襲

龎琳任江西袁州衛指揮同知

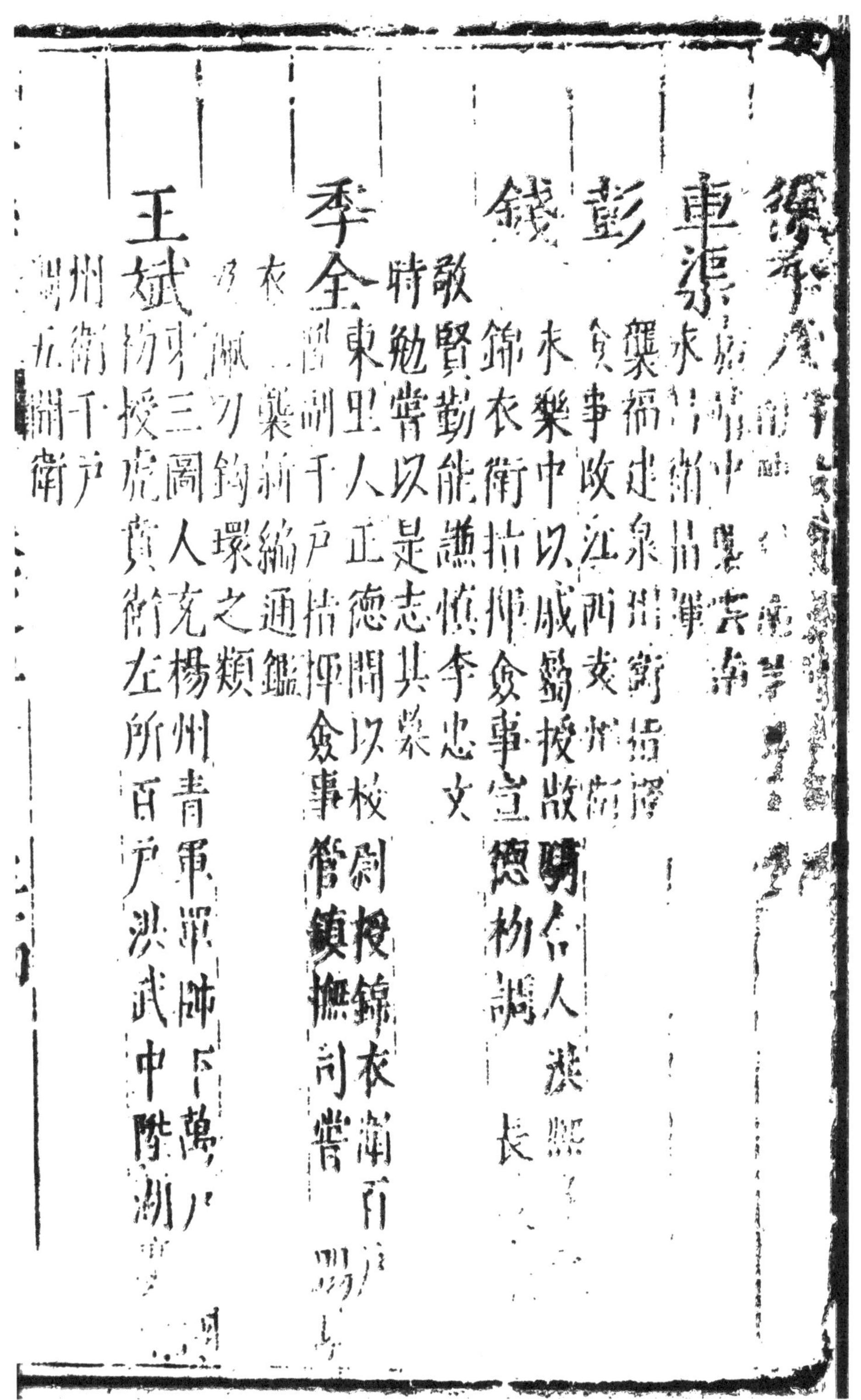

[illegible]

車源 [illegible]指揮中[illegible]
永[illegible]衛指揮
襲福建泉州衛指揮
僉事改江西袁州衛

彭[illegible]
永樂中以戚畹授散騎舍人洪熙[illegible]

錢[illegible]
錦衣衛指揮僉事宣德初調[illegible]長[illegible]
敬賢勤能謙慎李忠文
特勉嘗以是志其槩

季全
東里人正德間以校尉授錦衣衛百戶[illegible]
[illegible]副千戶指揮僉事管鎮撫司嘗[illegible]
衣[illegible]襲新編通鑑
[illegible]佩刀鉤環之類

王斌
[illegible]三阁人充楊州青軍跟隨下萬戶[illegible]
授虎賁衛左所百戶洪武中陞湖[illegible]
州衛千戶
[illegible]左衛[illegible]衛

王鈞　東一圖人洪武初任山西大同前衛千戶

楊成　東四圖籍充胡大海先鋒洪武初授台守禦所副千戶調南京驍騎右衛水軍所

宋亨　南一圖籍洪武初授應天衛千戶調雲南大理衛左所

劉全　南一圖人洪武初授龍江衛千戶

徐忠　南二圖人洪武初授羽林衛百戶陞遼東廣寧右屯衛千戶調宣府前衛

畢子原　東一圖人洪武初授羽林左衛山東萊州直隸儀真二衛永樂元年南京金吾前衛前所千戶

高得　東一圖人洪武中羽林前衛後所千戶　智襲

黃敬錢　西里籍洪武中任真定衛千戶

□□三灣人洪武中以父鎮
鄒政陣亡陞貴州烏撒衛千戶
上二啚人洪武中授燕山前
馮□衛千戶正統中調金吾前衛
東三啚人洪武中授武德衛百戶
劉綠永樂中陞羽林左衛右所副千戶
北二啚人洪武中山西太原六□
□□一襲衛百戶陞安東中屯衛千戶

□勝
紹□勳□襲□

李里人洪武中授所安衛百
黃□戶陞漳州衛中所副千戶
惠官經惠
子經子敬
經子敬
榮子傑
傑子□
紹□濟
襲

東二啚人洪武中陞陝
楊福西延安衛右所正千戶

下二啚人洪武中授興武
韓興衛百戶陞振西衛千戶

孫成　東岡人洪武中授驍騎衛試百戶陞貴州平壩衛前所副千戶　寬　[illegible]

綸　承祖　憲子承祖　栗子憲　一夔襲栗子

管敬　上二圖人洪武中授留守左正陽門千所百戶調儀真衛右所單除中陞大同衛中中所副千戶　瑄襲

戴得　南三圖人洪武末授福州中衛後所百戶陞千戶

陳興　下二圖人洪武末授南京廣洋衛千戶

陳義　歷陞正千戶子善見前

馬四　下二圖人任甘州右衛右所千戶　俊襲調山州衛

[illegible]成　以里繇南京衛守右衛本甲千戶[illegible]衛千戶

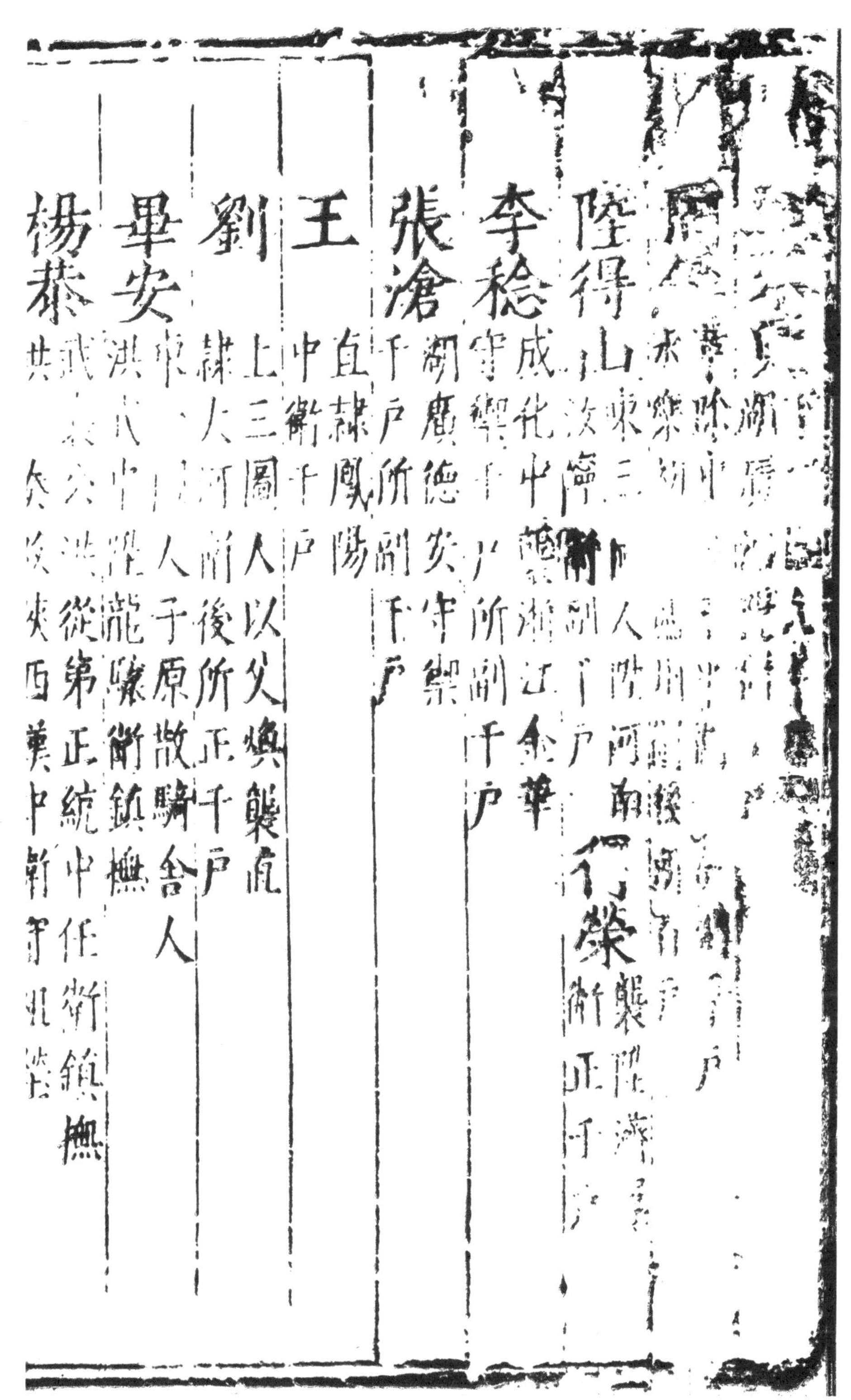

[illegible]

周[illegible] [illegible]永樂初[illegible]

陸得山 東三[illegible]人附河南[illegible] 汶寧衛副千戶

何榮 襲陞濟[illegible] 衛正千戶

李稔 成化中襲瀋江金華 守禦千戶所副千戶

張滄 湖廣德安守禦 千戶所副千戶

王 直隸鳳陽 中衛千戶

劉 上三圖人以父煥襲虎 隸大河前後所正千戶

畢安 本[illegible]人于原散騎舍人 洪武中陞龍驤衛鎮撫

楊恭 武[illegible]六洪[illegible]從弟正統中任衛鎮撫 共[illegible]癸[illegible]

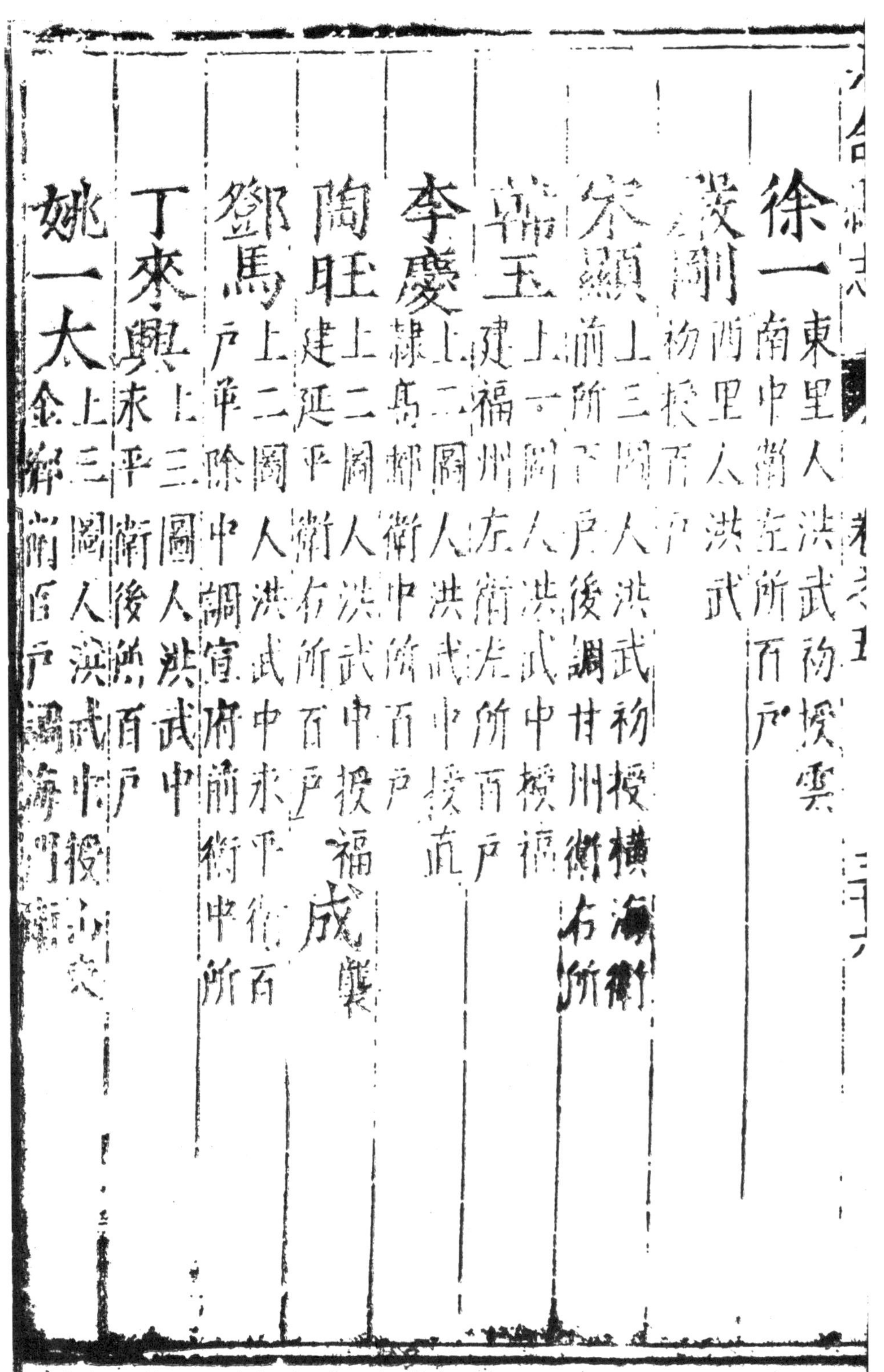

徐一　東里人洪武初授雲南中衛左所百户

殷剛　西里人洪武初授百户

宋顯　上三圖人洪武初授橫海衛前所百户後調甘州衛右所

蒲玉　上一圖人洪武中授福建福州左衛左所百户

李慶　上二圖人洪武中授直隸高郵衛中所百户

陶旺　上二圖人洪武中授福建延平衛右所百户　成襲

鄧馬　上二圖人洪武中永平衛百户革除中調宣府前衛中所

丁來興　上三圖人洪武中永平衛後所百户

姚一大　上三圖人洪武中授山東金鄉衛百户調海門衛

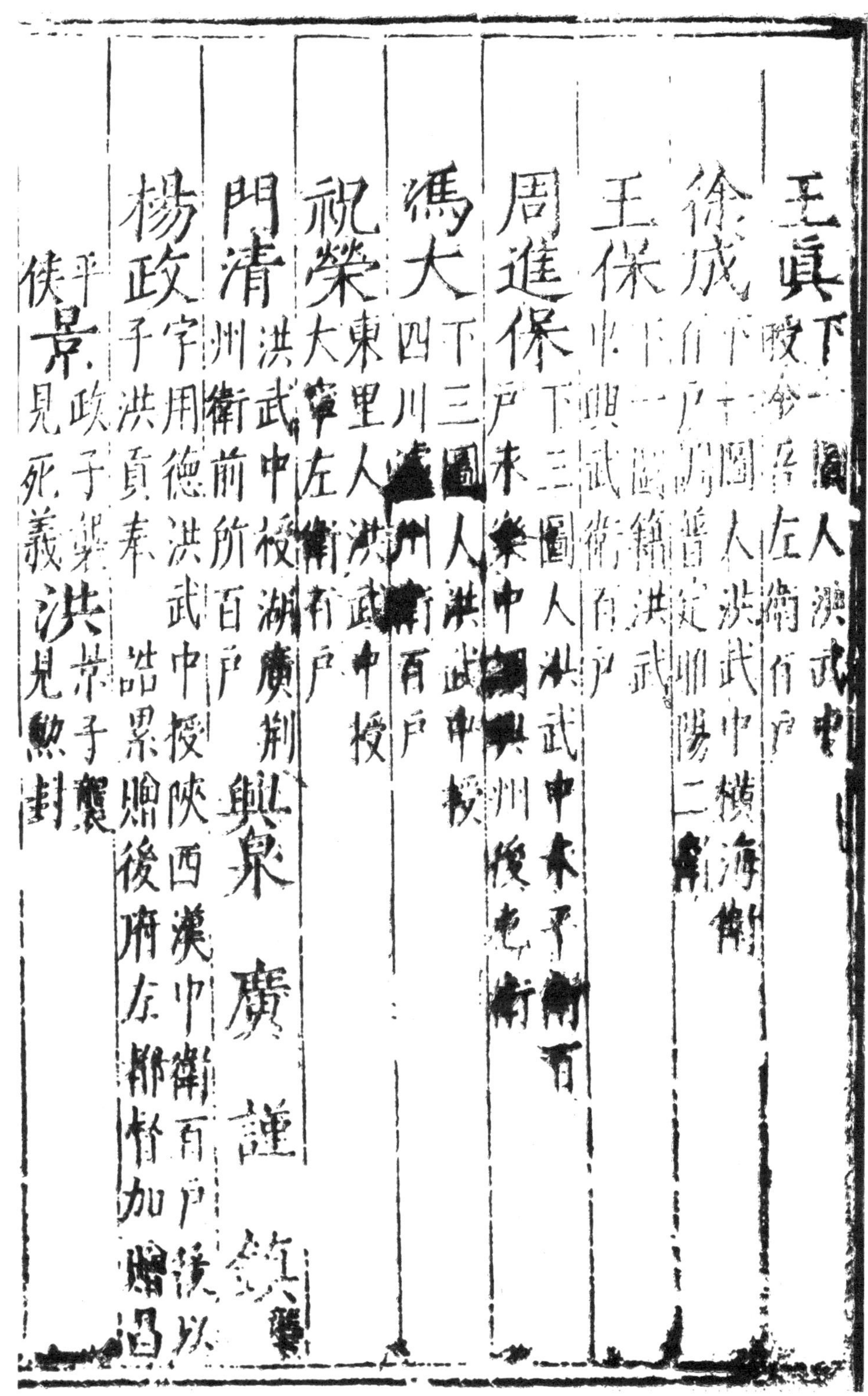

王真下一圖人洪武中授金吾左衛百戶

徐成下十一圖人洪武中橫海衛百戶調普定瀋陽二衛

王保下一圖錦洪武中興武衛百戶

周進保下三圖人洪武中永平衛百戶永樂中調興州後屯衛

馮大下三圖人洪武中授四川瀘州衛百戶

祝榮東里人洪武中授大寧左衛百戶

門清洪武中授湖廣荆州衛前所百戶　興泉　廣謹　欽贊

楊政字用德洪武中授陝西漢中衛百戶後以子洪貢奉誥累贈後府左都督加贈昌平侯

景政子梁見死義

洪景子璽見勲封

徐興洪武中授成都右護衛前所百戶 敬文興父敬弟宣德中子正南京龍虎左[illegible]

左所榮政孫春榮子襲

鄒銘北二圖人洪武中百戶詳見死義 文銘子 正見前

沈經東三圖人洪武中百戶詳見死義 成 敬文 清 鵬襲

陳招弟東二圖人洪武中授虎賁右衛百戶調鎮朔衛左所 均玉襲

張隆東二圖人洪武中授寬河衛百戶

王福孫東三圖人洪武中授[illegible]州守禦千戶所百戶 [illegible]襲

葛貴北一圖人洪武中授[illegible]府衛捷勝守禦千戶所百戶

楊和尚東二圖人洪武中授湖廣黃州衛右所百戶

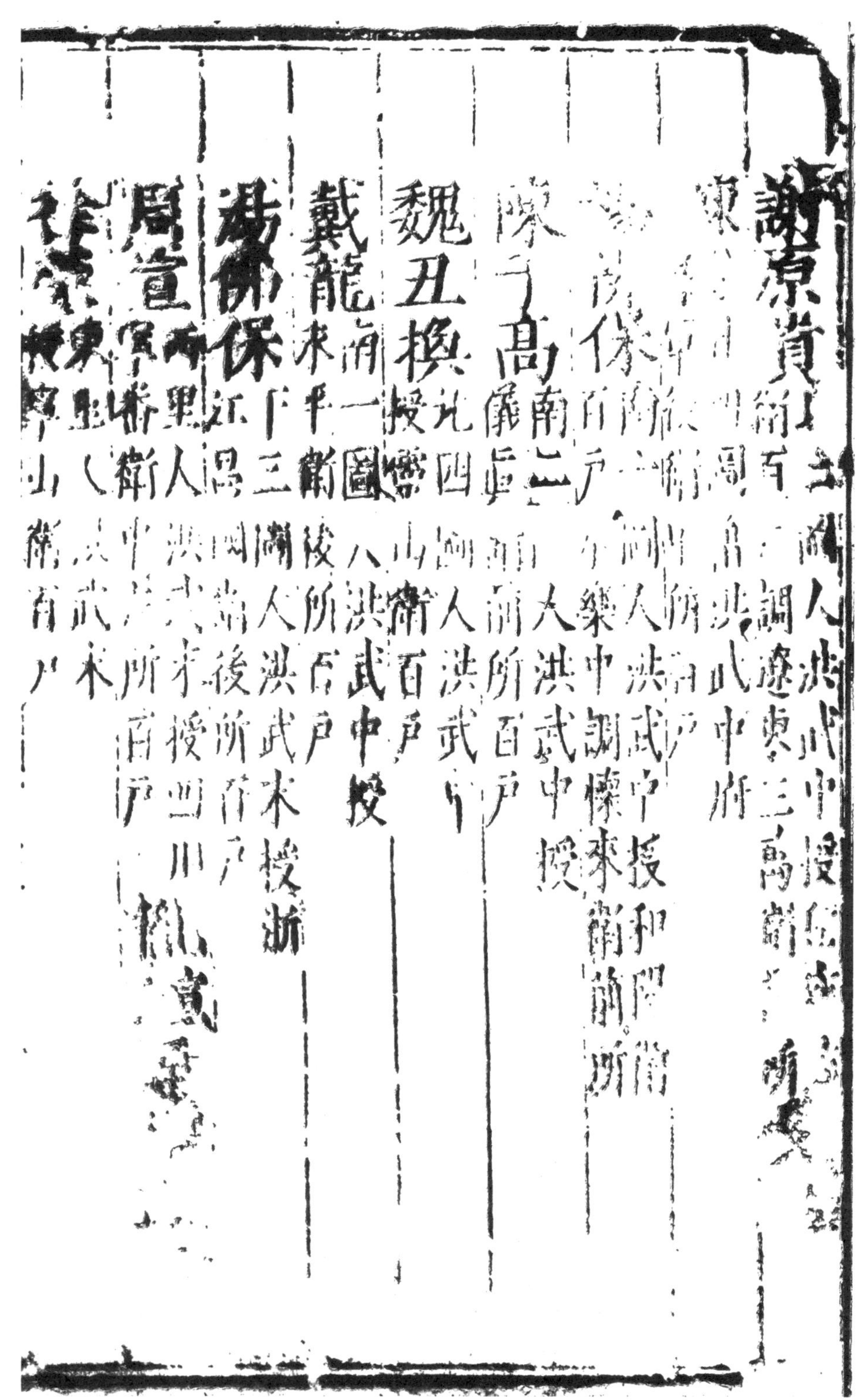

謝京貴[illegible]人洪武中授[illegible]

衛百戶調遼東三萬衛[illegible]所[illegible]

東[illegible]洪武中所

[illegible]所百戶

[illegible]人洪武中授和陽衛

[illegible]保百戶[illegible]欒中調滁來衛前所

陳子高南二[illegible]人洪武中授

儀真[illegible]衛前所百戶

魏丑換允四[illegible]人洪武[illegible]

授寧山衛百戶

戴龍[illegible]一圖八洪武中授

來平衛後所百戶

湯佛保下三[illegible]人洪武來授浙

江昌國衛後所百戶

周宣兩里人洪武[illegible]授四川[illegible]

寧[illegible]衛中[illegible]所百戶

[illegible]東[illegible]洪武[illegible]

[illegible]寧山衛百戶

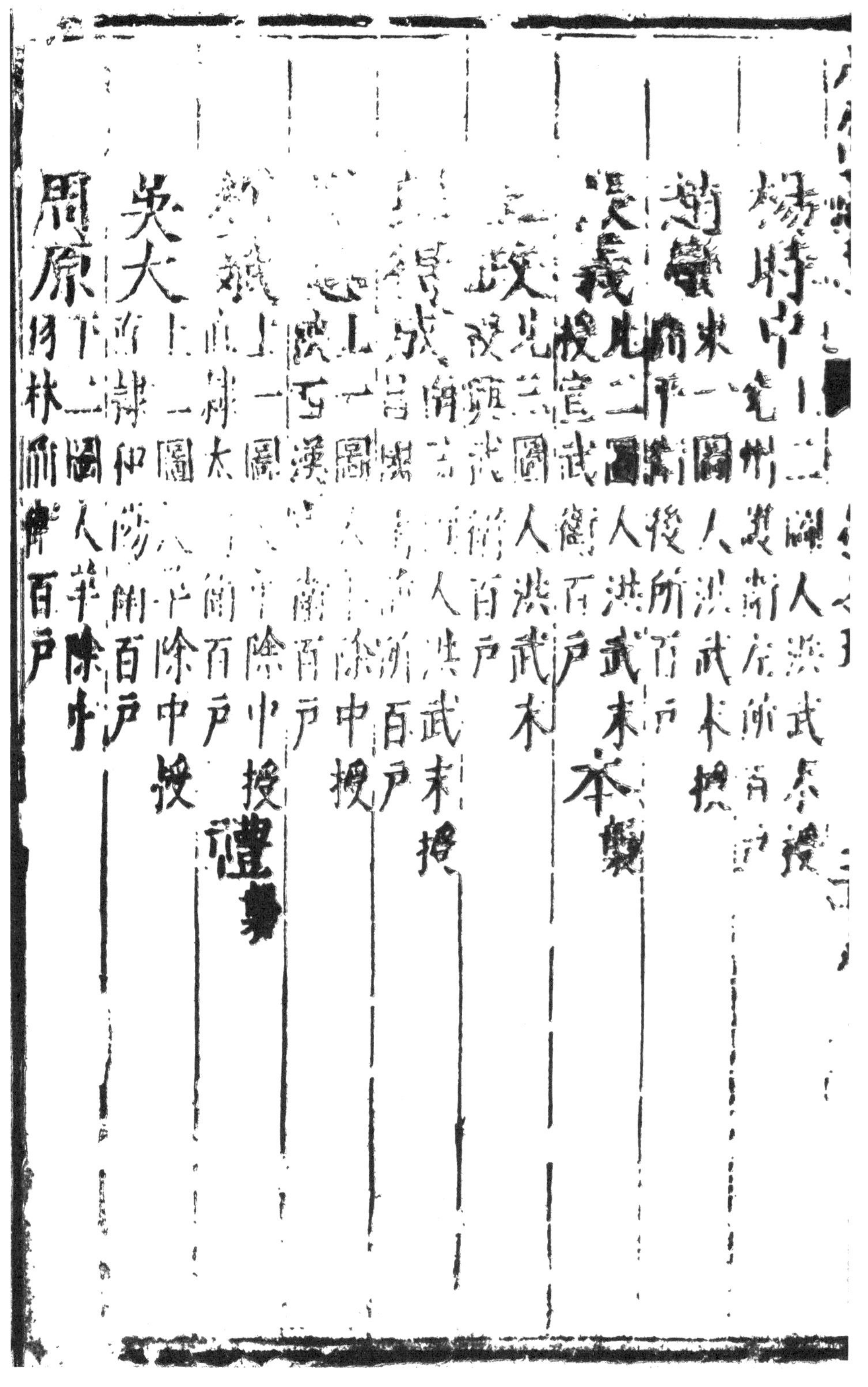

楊時中 上二圖人洪武末授 兗州護衛左所百戶

趙鑑 東一圖人洪武末授 府[illegible][illegible]授所百戶

吳長義 北二圖人洪武末本 授官武衛百戶 本縣

王政 北三圖人洪武末 授鎮武衛百戶

[illegible]得成 [illegible][illegible][illegible]人洪武末授 [illegible][illegible][illegible][illegible]所百戶

[illegible]心 上一圖人[illegible]除中授 [illegible][illegible]漢[illegible]衛百戶

[illegible]娥 上一圖[illegible][illegible]除中授 直隸太[illegible][illegible]百戶

禮

吳大 上一圖人[illegible]除中授 直隸和陽附百戶

周原 下二圖人弟除中 羽林前衛百戶

宋成 東里人永樂初授龍江左衛百戶 榮 龍襲

張偉 一上一圖人永樂中般豹韜衛百戶 原 偉任子襲

王佾 三圖人永樂中授武德衛中所百戶正統中調廣東神電衛寧川守禦所

龍 北一圖人死義再興後授雲南雲南右衛百戶

祝顯 自隸新安衛百戶

朱春子 北二圖人正統中授州衛後所百戶

王周保 西里人景泰中授山東寧海衛百戶 琰 繼武襲

王英 東二圖人正德中以校尉授錦衣衛百戶

厲昧 守元明龍江左衛人義官文貴下正德以例授錦衣衛百戶昧自大分坳悊貴下

江淮迪昧資貴識最高棄舉子業以詩鳴
書出金百餘助知縣萬廷埕重建公署子
詩尤佳麗有稿若干卷生擇入義
田子學知縣茅宰中名學院六

夏旺東一圖人洪武初授陝西興旺子西安右護衛前所鎮撫襲

陳保洪武間從湖廣荆州左衛後所鎮撫浩保子良浩子綱良子昱綱弟英

豆下襲

楊玘字朝用正德初襲江西南昌衛千戶所鎮撫

盛興宗西里人革除中備羽林前衛左所百戶

王伴兒西里人洪武中征進營州[illegible]遼衛守禦

○封蔭

貽厥之典川泉之禮焉側建明恩廟六
狩捕恩者孩活羽二三人恐人世盛衰

周

專諸 敬王時吳子闔閭以其受諸力僚
為上卿見左傳史記吳越春秋

宋

徐執中 原任郎中以子彥孚貴累贈
金紫光祿大夫餘詳彥伯傳

徐武 以叔父彥孚蔭仕 以上見黃
宋末州司法參軍 山谷集

國朝

楊順 洪武二十四年以子政貴 勅贈陝西漢
川中衛百戶歷永樂正統間以曾孫洪貴累
贈特進榮祿大夫後軍都督
府左都督加贈昌平侯爵

楊政　原任百戶以孫洪貴累贈至左都督加贈昌平侯正統中洪　奏[illegible]第蔡謁守頭基

學士周敘為作神道碑

楊[illegible]　[illegible]襲百戶以子洪貴累贈左都督加贈昌平侯

楊[illegible]　武襲公洪弟正統天順間以子信貴累贈都督同知加贈彰武伯

楊林　六武襲公洪弟正統景泰間以子能貴累封後府左都督

嚴仲祥　洪武[illegible]以子用貴[illegible]贈百戶

鄧衡　天順四年以子瑛貴　勅贈刑部湖廣清吏司主事

黃瑛　弘治[illegible]年以子肅貴　勅贈[illegible]部都水清吏司主事

[illegible]廣　[illegible]一年以子文紀貴　勅[illegible]龍[illegible]

謝麟 弘治十三年以子尚貴 勅贈山東東昌府通判

何倣 原任知縣正德六年以 貢貴 勅進文林郎

朱慶 正德六年以子宏貴 勅封 南京禮部祠祭清吏司主事

汪杲 正德十三年以子洋貴 勅贈太僕寺主簿

李賡 原任縣丞嘉靖元年以子 傑貴 勅贈太常寺博士

黃肅 原任按察副使嘉靖四十一年 以子驛貴 制進通奉大

○諸途

國家以科貢取士謂之正途其得入為然無收崇使初不以此限天下士出諸途進而膺一命者多矣舊志而不錄今特志之以俟興起者焉

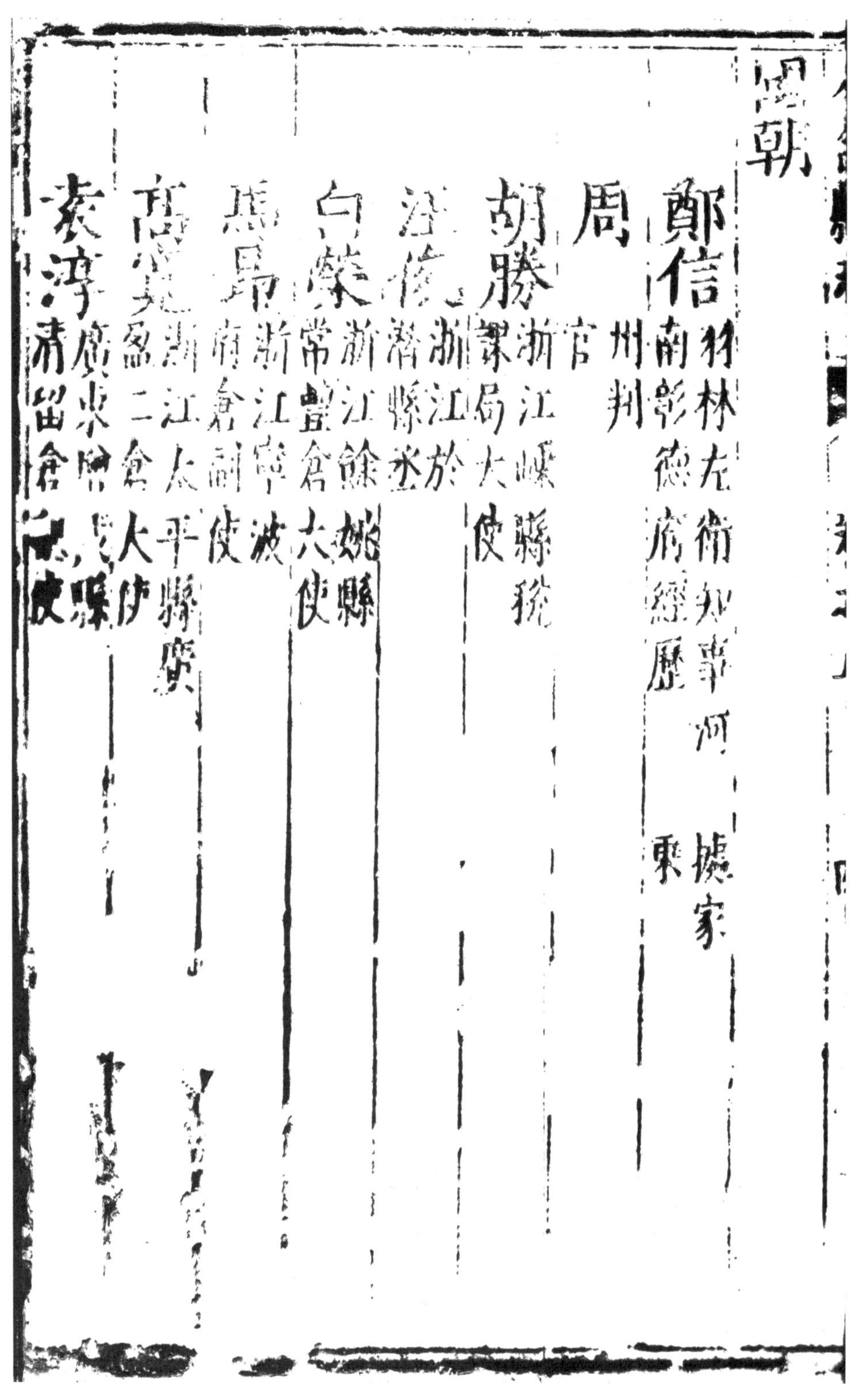

國朝

鄭信 羽林左衛知事河南彰德府經歷據家乘

周 州判官

胡勝 浙江嵊縣稅課局大使

潘[illegible] 浙江於潛縣丞

白榮 浙江餘姚縣常豐倉大使

馬昂 浙江寧波府倉副使

高[illegible] 浙江太平縣廣盈二倉大使

袁淳 廣東[illegible]附[illegible]縣[illegible]留倉[illegible]使

胡文才 湖廣布政司司獄 [illegible]廣西賀縣信[illegible]

[illegible]寺巡檢

[illegible]未寧海州可[illegible]崖[illegible]判吏[illegible]

[illegible]縣田市巡檢[illegible]

劉蘭 [illegible]東寧陽縣典史

武秀 山東冠縣典史

王道 江西上饒縣典史 復任浙江崇德縣[illegible]

周錦 河南中牟縣湖廣江陵二縣典史[illegible] 循縣主[illegible]台縣令以薛勞[illegible]

方總 [illegible]州[illegible]丞 [illegible]城縣

馬祿 [illegible]南鄆衛[illegible]副使陞 廣東恩平驛丞

胡能 四川威農長官司吏目

孫[illegible] 湖廣竹山縣竹山倉副使

許[illegible] 南京孝陵湖廣顯陵衛知事

陳門 南京府軍衛倉副使江西布政司廣積庫大使初爲庠生壽幾九十卒

王銳 直隸徐州龍門倉山東鹽運司信陽場俱副使

潘岱 湖廣沅江縣典史

孫節 湖廣郴州豐[illegible]倉大使

于陽 [illegible]海北塩課司大使

彭[illegible] 四[illegible]翰

季佐　山東德州倉大使浙江湖州府□□□□　州府倉副使福建寧德縣東洋□□人[illegible]

□鏞　浙江象山縣　廣積倉副使

李鉞　浙江平陽　縣倉副使

胡炷　福建古田縣　水口驛丞

戴昂　遼東廣寧衛倉大使浙江武義縣主簿　卒于官質朴謙謹不設于晉紳評章之

鄭奎　河南郾城　縣典史

陳悌　順天府西鴿驛丞湖　廣辰州府大剌巡檢

湛然　福建延平府豐衍倉副使　湖廣善化縣椿市巡檢

孫思顏　浙江永嘉縣倉副使　太平縣三山巡檢

祁承賢浙江平陽縣廣濟二倉大使湖廣荊門州樂儒橋巡檢

湛銀山東歷成縣典史

周禧直隸揚州府軍儲倉大使

陳科浙江象山縣廣積二倉大使

曹椿江西南安府橫浦遞運所大使

袁金山西太谷縣典史

劉鎮浙江定海縣常盈倉大使以上俱吏員

厲堣福建白蓮驛丞浙江衢州府倉大使寧府歸里以詩書訓後益振家聲

戴復河南衛源水馬驛丞山東招遠縣典史

周宮東陝西灞縣典史

金聲遠南京留守衛倉大使

孫大昺江西安福縣大使

劉棟南京留守衛倉大使

厲昌緒江西萍鄉縣丞進士昌謨兄

徐學益江西市汊巡檢

胡大樂山東衡府典膳

夏秉昊

沈存河南花苑頭巡檢

以上俱吏員

唐郡山東典史

周易東　福建泉州府司獄

顧棟　江華縣典史

朱氣沖　湖廣岳州府司獄

朴訓　四川保寧府知事

沈孔　武進毘陵驛丞

孫廷訓　湖廣灃州清化驛丞

厲以恒　湖廣公安水馬驛丞

汪元穀　吏目

汪元士　海康縣丞

[illegible]新晃[illegible]陽州 [illegible][illegible]京衛

錢楧 浙江西安縣 校[illegible]巡檢

潘宏 福建福州府 三山驛丞

厲以選 直隸宿州 夾溝驛丞

尚思齊 山東滕縣 滕陽驛丞

陳鈿 四川叙州 府檢校

以上俱知印承差 禮部儒士

○忠賢

六合人物於各類中已著其事嘉靖志其死於忠而以賢稱者特為之傳今[illegible] 死事附

南北朝宋

張約之

堂邑人，仕至梁州府參軍。約之耿介不阿，嘗爲吉陽縣令，致事歸，不忘王室。宋主義符景平二年春正月，司空徐羨之等謀廢立，以次當及廬陵王義真，乃誣廢義真爲庶人，徙新安郡。約之上疏切諫，宋主不納，放約之爲前職，尋殺之。舉朝懼無敢言者。義真竟廢，羨之等尋廢其主而弒之，并殺義真[illegible]于野。胡致堂嘗論約之，或憫其隕於權臣[illegible]，稱其爲忠諫之士，而今之議者猶謂其有遺直之風云。嘉靖十一年，本縣知縣董政奉主入忠賢祠。萬曆元年，本縣奉學院謝憲牌采輯忠臣事蹟，有約之傳。

國朝

黃宏字德祿，孝陵衛人，進士，仕至江西僉[illegible]

[illegible]正以持身厚以[illegible]

[illegible]
[illegible]員外郎禮部[illegible]下[illegible]江省追悉丁[illegible]
南贛陽明王公[illegible]安旨餉驛平詣鄉[illegible]
述倅一紹戊寅寧濠縱益良刊時[illegible]
所宏卒兵進討獲[illegible]遂竹濠[illegible]已[illegible]
每語人曰今年省城當有大故判其
死而已至六月十有四日濠殺[illegible]
被脅多觀望者宏抗不屈濠縛之受[illegible]
獄憤恚絕食以扭自截其胄引[illegible]宗[illegible]
項即日死之濠暴其屍賊臣劉養正[illegible]
行仁義始加棺斂陽明及諸臣具[illegible]
[illegible]乜干　國事節[illegible]可嘉道無忝千丈
干天下義廷以爾屈節之賢忠同
之築　詔贈太常寺少卿祀於忠[illegible]
[illegible]忠南安報功薦安名宦本縣鄉賢忠
[illegible]炎皆血食見全人前祠祭[illegible]忠錄[illegible]
[illegible]以易月年譜思南[illegible]江西通志吉安府

慶臺等志嘉靖隆慶萬曆附本縣奉學院批

周謝　明文采輯守令實錄　世宗實

録忠臣事蹟俱有宋傅爲孤忠折逆云子

紹文紹武孫坊有徵忠白忠緑忠孝相成集

○死事

國朝

卞名洪二閭人洪武閒以虎賁左衞百戶從征

雲南死于陣事　聞陞其子政貴州烏撒

衞副千戶

沈旺東三閭人洪武閒以武昌護衞百戶從

征荊門州蠻戶陣其後戚襲亦陣亡千戶

[illegible]事除千年以陝西漢中衞百戶死

[illegible]事發以子洪貴襲除後府玄縣軍餘

蕭敬 東里人以總旗漳州衛副千户死于陣

夏斌 東里人正統十四年八月[illegible]以錦衣衛校尉隨駕北征死于[illegible]

包真 東一圖人正統十四年八月隨[illegible]以錦衣衛校尉隨駕北征死于鷂兒嶺

[illegible] 一北三圖人國初丙中年從軍死于陣

許福 一東一圖人國初己亥年從軍死于陣

陳山 王遠 宗仁 李秀 張憑 李實 許金 郭能 呂洪

姚訓 崔甫 陳甫 嚴在 盛遷 周浦 沈坤 崔貫 [illegible]

黄庚 俱充本縣民兵嘉靖三十二年倭寇入[illegible]本縣知縣董邦政奉檄禦之邑俗[illegible]人應募而行各懷死戰之念是歲六月[illegible]戰於八團山以鎗運以[illegible]仁以火藥焚以[illegible]

扒皆殺傷數賊衆寡不敵遂死于陣其[illegible]三
十四年太平寺大戰秀亦烈烈然而死相[illegible]死
千兵者則寶等十八人冊戰于刘家河則[illegible]于
同溺水死眞可悲矣老人李淵輩聞之[illegible]然
奮勇爭先邪敵穫以功附僉事分理[illegible]
至本縣蹟請立祠位而祭惜其未聞于[illegible]
按以上死事諸人俱萬曆元年本縣[illegible]
院謝明文恭附忠臣事蹟其私考志弗信
西里陸朝宗綠事
出傳疑故不敢錄

〇孝友

吾六孝友代不乏人茲據舊志弃可徵者錄之其一行者不可使之遂泯也亦附焉

漢

防焉堂邑人成至孝為父報[illegible]
哭泣不食縣令[illegible]

者得[illegible]凡[illegible]論[illegible]人獻
邑令[illegible]論

國朝

陸傑字從貞其先吳人[illegible]
[illegible]
[illegible]
[illegible]
[illegible]
[illegible]
[illegible]王南山等詳允各院以[illegible]
[illegible]衣
輒爲其門

胡深字[illegible]源東里人義民[illegible]于[illegible]號中爲思[illegible]
[illegible]

禮廬墓三載服闋[illegible]學臣[illegible]孺其孝[illegible]闡
教諭張晴薦之仍叙其事有司以[illegible]聞[illegible]
詔旌為孝子遂選入國學未仕卒江浦[illegible]尚
書塩安成劉[illegible]攷狀嘗請其孝義名聞而[illegible]
并方之[illegible]河藍云深孫炎亦游道[illegible]
名利[illegible]不復要[illegible]弗樂冠帶能[illegible]

毛程字公度龍江衛人成化中為邑庠生[illegible]人
純謹事親篤孝父沒擗踊哭泣[illegible]立
[illegible]三年有鵲馴擾塋樹遂其悲號[illegible]雖
[illegible]勤[illegible]然後服闋去鵲亦不復留人異之尋
[illegible]訓
[illegible]官壽[illegible]

朱[illegible]性清虎賁右衛人百戸洪後[illegible]為
邑庠生醇謹[illegible]沖[illegible]學親志[illegible]
始終接人以恭不較[illegible]
規及饑[illegible]
恒為伐[illegible]
宗毋加優賞今[illegible]

卷之六

孝傳

周潮 子東之驥元

周旋洛具

稱字許其行無須弔卒儀以尸諫

父置妾酒忿充祀熙學志有傳

請防剝……序主定書

亦之坐有志一人

王一儒 字汝賢號騎右衛人嘉靖間爲邑

篤悉沉潛持躬恪慎事親善養動息以

遣與弟怡怡教愛諱至弟獲有成學院嘗以

行獎知縣章世顯舉一門孝友稱之竟厄于

數訓導張鯨盤爲懿

孝特與具階並許

○一行

王岳 東二圖人父允恭遘疾朝夜侍湯藥疾劇

祝天求以身代刲股肉烹粥以進疾愈人

稱孝感見續成化志後留守右衛方

頭亦嘗割股救親覃慈爲之作傳

留守右衛人弱冠爲父報讐郎中尹灝以

余士　孝稱之從子纘字韜所嘉靖初游邑庠以
門勤學造就後生庠師每薦其
行屢舉不第卒私考志有傳

曹鎮　東里人有火延于門與護父柩錐
燎體不離左幾火又志畧稱其孝

彭章　東四圖人壯年喪母念父獨居隨侍臥起
不入私室凡一十五年父亡始已鄉官陸
昌嘗言于知縣董邦政書之旌善亭時[illegible]
陳鎰東里沈鎧亦竭力養其寡母各見[illegible]

黃閭　驍騎右衛人繼母夏氏[illegible]而秉節閭佑
疾飆熾燃劈籬夭逼[illegible]不[illegible]宗戚稱之[illegible]
江左衛厲克昌爲州承差聞父安
弗豫衣不解帶安親紀其孝行云

隱逸

史稱隱逸蓋以德言匪徒不仕已[illegible]
六前志嘗載其人今採之以備[illegible]

唐

陳融 紫芝鄉人爲養[illegible]

上[illegible]兄第[illegible]

[illegible]知命訛隨[illegible]仕遁不仕[illegible]

[illegible]孝長惠幼敦無怨爭傲[illegible]

其光中東平呂溫寓居昇[illegible]

其之而嘆曰芳蘭所生其[illegible]

其山有光必有賢者生於是乎[illegible]

周訪故老僉以融對溫徹融純惠予行[illegible]

光鄉少陂典校德編曰貞悔先生津[illegible]

其縣時縣爲揚屬至今揚州府郡丁[illegible]

見唐文粹維揚志

正祀録嘉定志

元

郭淵 字巨川盤城人唐汾陽忠武王子[illegible]

[illegible]宋[illegible]復[illegible]而[illegible]義[illegible]後以封[illegible]

紫鄉人化而多儒宋季崙與淵聚族爲保
休食燕大德未泯[illegible]升粥以活[illegible]
蕃丁自救者撫[illegible]咸、[illegible]弱之嘗得遺[illegible]
遂其人邑有為丞相[illegible]及少年相役[illegible]
言而止所爲有[illegible]肥遯自廿而[illegible]之[illegible]
於宋不屑於元其[illegible]高矣者作[illegible]
[illegible]今孝光大其[illegible]金華宋濂京之
[illegible]後人欽仰[illegible]成先生嘉靖十七年
[illegible]稱知縣周[illegible]府京
[illegible]入祀忠賢[illegible]成化志

國朝

陸榮字純仁西里人孝友傑予賦性貞惇功無
過舉中規[illegible]聲隨所意欲極力求改[illegible]
少違顏色教愛弟常變與俱治[illegible]
教閨門嚴肅無狎諢敬宗族無親疏[illegible]
[illegible]凡有所爲必咨之或有不直必質[illegible]
[illegible]以[illegible]于孫恂恂雅飭或[illegible]

卑幼不問知爲盧氏子弟也邑大夫[illegible]
初[illegible]大賓樂平[illegible]道[illegible]義性不嗜酒色[illegible]八
[illegible]言在[illegible]相與商[illegible]古今[illegible]分忠[illegible]
儒業[illegible]論道[illegible]女之[illegible]與[illegible]得[illegible]
建[illegible]貞[illegible]其[illegible]術貞[illegible]盛世[illegible]民
[illegible]家法謹產于昆弟[illegible]實其訓
[illegible]牧育成立之爲有以繼其先德云之
世友[illegible]家皆不能及士大夫談其家世無不
嘖嘖稱賞曰唐貞[illegible]不是過也黃[illegible]史[illegible]銘
其墓曰孝之篤行之教宜介爾[illegible]之[illegible]
族之雖爲六峯稱[illegible]昆季[illegible]穆子姓[illegible]族以
末[illegible]其芳[illegible]章有樂隱集[illegible]尊論[illegible]慶元年
本縣[illegible]采入[illegible]世宗實錄[illegible]節奉[illegible]
讀[illegible]以[illegible]友世德嵩之[illegible]考志有傳

○尚義

六合民情已有於公評之尚義雖述其
[illegible]懲其[illegible]六[illegible]貨殖者不[illegible]其[illegible]

宋

孫永錢塘人紹興間捐家貲重建肖
浮橋升以酒課以獻步軍司

國朝

胡瑛字叔達東里人富鳴江北正統五年大歉
與弟璵出米一千一十石賑之[illegible][illegible]以
聞　賜勅嘉獎旌爲義民璵復捐貲[illegible][illegible]郁
縣黄淵修學其後涿陽鄉官史[illegible]捐穀百金
行縣備賑　詔進
其階茲不獲傳

金貴比二圖人與西里張氏世居學南知縣[illegible]
[illegible]諭貴等徙居學始臨滁水教諭應[illegible][illegible]
序[illegible]之延賓鄉飲了鑑岔
正德間亦皆効勞於學

陸德明比四圖人父和嘗功知縣黄淵之後自遮德
[illegible]閒知縣萬廷程重建學校復崇[illegible][illegible][illegible]

[illegible]時習[illegible]德明子[illegible]進[illegible]負

[illegible]人奭其尾角路購官書則西里陸

洋[illegible]輔也

李宗[illegible]上元人方知縣萬廷理成桑梓首出[illegible]全以倡諸邑後了鑑用石建文明坊

陸田西里人縣丞謝孫奉母貞節鄭氏至孝其子貴民堅謀置義田贍族人里稱之貴

按先時修學庠議築城建塔有社稷[illegible]上築劉本高李家等助資各見志略其堅田畫建科第坊與李鑑同時李憑徐科購書與陸韓溯讃同事爾不附傳以其人存耳

〇文苑

文苑應傳於史吾邑雖茂髙其人仕籍具書例不另志茲于有才未試者表之

宋

徐彥伯字長儒其先彭門人唐末遷於六合父彬[illegible]中仕職方郎中彥伯[illegible]讀書多聞[illegible]閒不肯下首作當時進士語故數舉不[illegible]刻意于詩得張籍句法為高士劉[illegible]之[illegible]作[illegible]內[illegible]在南康病卒歸葬于馬鞍山蓋自[illegible]少[illegible]逸爵而葬猶反于邑豫章黃太史銘其墓[illegible]之以孝友文學惜之以與祿無年志畧有劉氏傳

崔子房字彥直溍陵人也徙居縣南袁[illegible]西邁春秋學與東坡山谷諸名士交嘗[illegible]滁州曾子開作記刻石醉翁亭側復與[illegible]文忠辨芳草澗詩永樂志云子房授經蘇[illegible]仕至知滁州事

仇傅字彥文其先薊人貞觀中[illegible]居江浙[illegible]上沛遂占籍新安鄉父[illegible]倅州[illegible]曰柔樂傅時甫十三即作記蘇[illegible]許[illegible]附其[illegible]曰後生可畏[illegible]

之舟尚米粮以湖[illegible]三左台但田之[illegible]
爲之以文[illegible][illegible]衣者[illegible]載[illegible]目[illegible][illegible][illegible]
謂我[illegible][illegible][illegible][illegible][illegible][illegible][illegible][illegible][illegible][illegible][illegible][illegible][illegible][illegible]
天紅日[illegible][illegible][illegible][illegible][illegible][illegible][illegible][illegible][illegible][illegible][illegible][illegible]
志云有
集一卷
倪商又發悲定山以吉將所建俞誠夏[illegible]
戴綫傷深湛霖[illegible]思寬池焦郭道津有詩[illegible]
見志

貫

列女

易曰无攸遂在中饋貞吉女德之攸[illegible]
六爲肯[illegible]最稱閨儀節烈法得表旌[illegible]
次惠特傳志[illegible]具載[illegible]比閨幽婺亦
其名姓附見後有千歲必[illegible]而從也

國朝

郭氏名丑字道安美姿容父彬授之書頗大

肯毋劉得末疾氏上扶起居下撫弟十叔

幹紉縫皆親冬盛寒持針恒至夜半年十九

歸同里鄭玄婦道甚修玄難以列女傳氏一

舉之無溺玄父讓素不悅玄多悒悒氏曰

十但盡誠孝瞽取底豫豈猶不聞耶玄釋然

氏秉性堅貞而讓有新塋之意氏厲色叱大

及發見凌迫氏彈指出血曰父誤我矣不孝

遇昇州有死耳勝人勸曰何不告人君知之

氏曰吾苟自共故父予何何日相見耶膽曰

宜走訴父母氏曰祗揚惡顏耳無益也不者

就死之為安遂赴出沉于河而死時洪武十

年七月十七日也彬出悲痛於錫予西涉余

水滸上一夕玄夢其來車而儀衛甚都曰

吾今在長蘆水府掌鉤考人間[illegible]鉛

吾故一來耳不可久留也言畢[illegible]然[illegible]

而去次三具始寤知之見[illegible]

[illegible]

曆元年採氏行朱氏唐氏訓氏屈氏[illegible]
英氏沈氏爲列婦其中[illegible]記劉[illegible]六[illegible]刻
邑人王經妻經失[illegible]堅擬死將[illegible]何爲乎
孫氏嫗而泣曰汝夫既死我生何爲[illegible]
杳嗟必自隨家人問之嘗夜[illegible]守[illegible]代[illegible]
月餘中將步衞氏未閒燃死成化志[illegible]
名姑與適單人陳氏王嫁成化閒[illegible]人求[illegible]遵
[illegible]氏所氏然出且少艾天忘事姑[illegible]上人求論
月乃佯許預警厥隣曰爾各家可宜齋木吾
夜夢不俗恐有火患及夜聚薪木下舉火自
焚而死邑人陛昌因續成化志推氏貞烈侍
見從嘉靖閭蒙遂復自其博志始有傳[illegible]
邑人同知瑄女弘治中適庠生孫繼焉爨
謝氏善與氏甚宜無何早喪氏無子哭之三[illegible]
尋立姪表爲後表又旋氏嘆曰吾爲大無[illegible]
矣自縊而死邑人爲撫瑄行狀特以夫亡
死之許氏云私考亦有傳氏妹適
洲朴貞定牟孀婦順夫子見忘喾

畢氏　邑庠生李文奎妻知縣恒婦也氏兄勝仁序班兩姓俱富而尚義文奎乃績學有聲早卒氏年二十四無子守制終自縊死正德五年有司即以事聞特家　旌表嘉靖志有傳文奎族弟金娶段氏段嘗割股救夫見志畧

吳氏　嘉靖初適東里民許坦年二十坦亡氏舅姑因貧不可守強使再嫁氏懼自縊死嘉靖志有傳後朱化妻沈氏陸沭妻蔡氏張金妻耿氏或縊或刺歸絜其身志畧俱有傳

郭氏　邑人許士瞻妻彬之女[illegible]乾年二[illegible]夫亡止生一女[illegible]隱道安貧[illegible]比婺[illegible]女子[illegible]

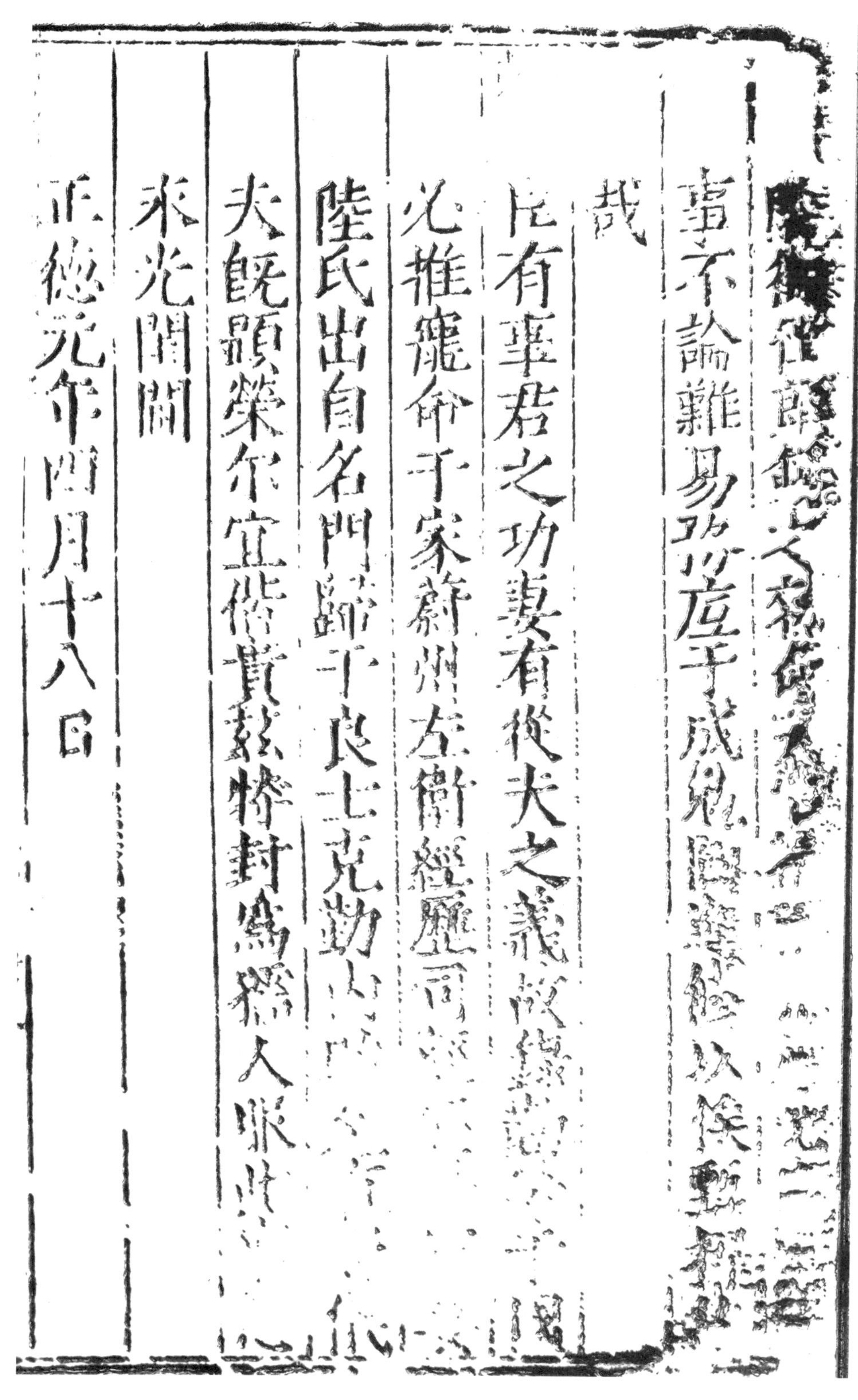

[illegible]

事不論難易恐虛乎成功[illegible]以俟[illegible]

哉

臣有輔君之功婦有從夫之義故[illegible]

允推寵命于家爾蘇州左衛經歷司[illegible]

陸氏出自名門歸于良士克勤[illegible]

夫既顯榮爾宜偕貴茲特封爲孺人[illegible]

承光閫闈

正德元年四月十八日

[illegible]

蘄州左衛經歷司經歷詹寅父母

勅命

奉

天承運

皇帝勅曰教子以忠必使效勞于國勸臣以孝必爲

致顯于親顧惟世官之良可後褒崇之命爾故

福建泉州府永春縣知縣詹俶乃蘄州左衛經

歷司經歷寅之父蚤游成均晉身筮仕克慎久著[illegible]

[illegible]之績復成教子立[illegible]有深恩以申[illegible]

[illegible]氏鐙女適[illegible]明事畢然[illegible]
[illegible]寺謹開明衷自八年二十一丁用內
[illegible]不更[illegible]戕維之不可奪矢心訓子節
[illegible]氏[illegible]休幹奉詔舉氏書
[illegible]閒[illegible]張術爲作傳序
[illegible]以妹亡京[illegible]志
[illegible]部中女訓慈淑然
[illegible]娶蔣氏成小傳守節[illegible]
徐[illegible]娶侯氏姆娶蔣氏成小傳守節[illegible]
[illegible]氏孫彦試妻年二十二喪夫遺[illegible]丁
[illegible]自誓守節守貞甚躬二十三喪夫遺[illegible]晉
[illegible]伯姆帶數喪撫子[illegible]知縣事養尊婦[illegible]
治[illegible]氏[illegible]貞節仍遺木內綿花壽七十餘詔
舉[illegible]志作傳彥斌宗妹適同知即寶者侍辛
[illegible]者氏夏盤者事夫以教見志畧
[illegible]氏許完妻年二十七完卒誓不再適
[illegible]繼節貧持節侍三如以[illegible]四
[illegible]成[illegible]死不踰閫者四
[illegible]以壽終見嘉靖志

胡氏載適于深孫女年十九歸天長庠生陳濟三
濟不[illegible]求[illegible]弗獲終養舅姑尋[illegible]
譯同居守志撫其從子師儉巡按御史張淮
怨以雙節扁門[illegible]例無[illegible]節尤為可嘉
壽六十六[illegible]許[illegible]為
[illegible]之志[illegible]有傳[illegible]採六長志

徐氏[illegible]官厲聰妻年二十六聰歿於
[illegible]隨扶柩歸[illegible]撫廿[illegible]
[illegible]門[illegible]二[illegible]義[illegible]義方訓[illegible]撫女[illegible]
[illegible]六所生壽八十二卒鄉官陸昌齊白其
[illegible]慶三年知縣章世禎奉詔舉氏[illegible]
部[illegible]千安輯[illegible]梧晚節云見志略
[illegible]庠生林實妻知事乞義婦也年二十二
大于[illegible]方二歲夫[illegible]過其政節氏以[illegible]
[illegible]甫白堅持粟亡孫殁死氏竟無後[illegible]
八[illegible]孫婿李禎家知縣章世禎奉
[illegible]節志略有傳并傳李[illegible]倫妻[illegible]
[illegible]妻印氏張劉妻[illegible]

奨將氏云

張氏監生鄭鋐妻大司寇瑄女也有淑德爲夫氏置毛氏爲妾毛生子張撫之甚慈氏無子長洛甫四歲毛氏張賢自誓成孤以長志諭躬紡績養舅姑事張最謹川貧善節中六閭閭者六十年壽八十五終稱孝志□汲下有傳并傳洛妻張氏毛傳見嘉靖志貞激

厲氏知縣陸昌妻錦衣肱女性賢状年二十二郎爲夫買妾久之得虎而亦從□文熊謹于侍大事厲尤善初生男女厲育爲子子著終不言其所出復生男女張自子之□示以敍嫡讓長之義鄉官黃輝作厲傳張傳見於考志并傳章清妻金氏張鼎妻馬氏志畧有夏琳妻周氏汪漢妻陸氏孫繼盛妻湛氏胡爵妻俞氏□□妻郭氏厲贊妻黃氏胡棠妻夏氏張愷妻孫氏張欽妻王氏湯濟妻沈氏駱鵬妻陽氏等傳悉不盡錄於此□附見

○方技

醫卜列于九流藝術傳于諸史是邑方技志畧因私考志載之今惟纂其最者

元

郭節之善琴有聽琴卷與化成廷瑾贈曰六出隱者吾故人得天下名亦琴耳見志異

國朝

劉琮以含餘應明醫薦侍 憲廟幷壽 鄭州子授太醫院御醫 勑進迪功郎[illegible]

或玫其術補其辨諫同時有黃集任 王府良醫

吳秀芳備劉琮隋嫌姓 從醫民賈亦能醫以伐一集

何通有户初級繼世業職多為復亡卒行小方脈以酒醫[illegible]

俞礼章 錦衣官論以其藝起之尤長於[illegible]
一科嘴者有從小你[illegible]孫續[illegible]
官
[illegible]俗宇伯昌庠生知醫卜有奇驗與同邑徐禄續
[illegible]士戴庠裕亭庠水後先行功恩门劉玉夏
[illegible]湖[illegible]先[illegible]
適方書見巴山集名鈔黄石龍朱東沙重

謝金 之常者傷寒論東氏新集本錄滴雜字

黄懷英 自從祖秉慶業醫與藥不執方書切脉
同陸曉占術盛行且八歲能琴藻下事
父什一集有
贈黄秀甫序

張[illegible]吾外科所授輙效不以豐歉易情若[illegible]
[illegible]志濟之心湯有德之術蓋彷彿乎[illegible]

王蕙 字惟勤庠生攙小方青囊通其術[illegible]
著凡少拾金物訪還其人教諭方術[illegible]字

王寰號玄所少清六奕翹邈聞名有見重於
內名公著奕譜行世板藏已傳朴仲詡

○方外

仙釋中病佛稽然史或書之儒或嗤之故錄其槩庶交經者得有所攄云

慧琳南宋沙門姓劉任祇洹寺善談論廬陵王愛之文帝與議大事遂參權要習道生書及彭城刺江州問琳琳曰恨公不讀數百卷書其集五卷訂老子二卷出二十一史

張[illegible]梁種氐叟天監中其鄰常怒有女老彌貸[illegible]馬尋辭去謂曰王星山下有小庄可令大[illegible]求天壇山山相訪越數年遣子義訪之[illegible]上一山十餘里異色斷異有朱戶[illegible]

[illegible]

果得錢如數蕭復[illegible]

性錄太平廣記鄉官印崙有訪張老灘詩

脫居祇垣隋間伐陳師云乘桃葉必克晉王

廣造桃葉舟開桃葉歌陳果滅焉定志

法定 唐高僧得法四祖下靈巖貞元中來住

寂就肉身塑像宋元符崇寧賜號應靈大

聖見淮揚志擇之齊有詩刻靈巖碑陰

無考隴李蒼題寺曰七百高僧第一巢

神堅 咸通住棲巖寺鄭滂詩巨盜黃巢鋒刃

神堅終不下俯床儀眞志云盜合掌拜而去

智福 宋長蘆釋有才略見下王安石詔寺有大禪

師替蔣上人蘇公軾方公信儒各以詩贈

龐眉僧 工壽聖齊積院秦少游稱僧遂然昔無

齊於性與之言心如其觀益知道者云

沙應 李氏受業釋迦院誦經典化緣揚州有道

人日取其費因授以胡洪至京贈蔡京東

明字京覺死東明寺及遇張魏公於大梁謂

公是夕秦公為作墓銘云見成化志考齊東

梵語長蘆僧亦善相初寧宗賜后隱養毋張
不于前僧知其當貴故以二千楮復如杭嘉
泰二年累封天下絕類章獻
上泉寺嘉定□亦封玉泉
元来任□□蕭寺張蓊成廷珪俱贈詩
毅寺中先是寺□□舟以尚其徒勸碑頌之
姓方通青□□化開講經楠旨賜名圖
太虛談禪師住招覺寺和莊定山半雲亭禰日
宇宙中間理渾淪自形自色自相分大觀湏
信馬非馬發散誰知我亦雲綠見江浦志其
註種樹詩陳白沙喜之許以眞無累且云公
在吾儕公亦豪越八十尚童顏無疾而逝
接嘉定志載建名曾寓此然志畧有伍人夫
呂衡洲范文正韓岳二忠武葦供以例逸羣
怕方
外哉

六合縣志卷之六

萬曆六合志

○制命

朝廷錫命庶位則有誥敕其制存品以上[illegible]為誥六品以下為敕乃當世之所榮而人[illegible]之所同也然恩不濫及人不可以求[illegible]致故志誥敕以彰吾人而有命云

敕六合縣城隍

奉

天承運

皇帝制曰帝王受

天明命行政教於天下必有生聖之瑞受[illegible]之[illegible]
天示不言之妙而人見聞所及者也若司[illegible]
爲天降祥亦必受天之命所謂明有禮樂幽有
鬼神天理人心其致一也朕君四方雖明智弗
類代天理物之道實將于衆思應天命此神所
鑒而簡在
帝心者君道之大惟典神天有其舉之承事惟謹六
合縣城隍聰明正直聖不可知固有超於[illegible]
[illegible]池之表者世之崇於神者則依然神受於[illegible]

寧可知也歟以[illegible]御之初詔天下更其名[illegible]

隍之神皆新其命然此特為[illegible]頒[illegible]

隨祭司民共曾[illegible]有[illegible]則歛響不至者[illegible]則[illegible]

[illegible]施此固神之德而亦天之命也同[illegible]我[illegible]

鑒於邑政享茲典祀悠久無疆主者施行

洪武二年正月　日

勅義民胡瑛

皇帝勅應天府六合縣民胡瑛

國家施仁養民為首爾能出米一千一十石用助

賑濟有司以聞朕用嘉之今特賜敕獎諭勞以
羊酒旌爲義民仍免本戶雜泛差役五年尚允
蹈忠厚表厲鄉閭用副朝廷褒嘉之意欽哉故
敕

正統六年九月二十二日

敕鎮守通州等處都指揮僉事陳逵

敕鎮守通州等處都指揮僉事陳逵爾事國家克効
勤勞茲朕復正位及册立皇太子宜有恩[illegible]
賜爾銀幣爾其體朕至懷益[illegible]以副委任之

重修勅

天順元年三月　日

勅命　都指揮同知陳逵

皇帝　都指揮同知陳逵仍命爾□□□□地方

提調通州并武清等衛所官軍操練□□作□

城池禦侮安民遇盗賊生發即便相機戡勦捕仍

把總提督馬快船兩京運到官物并各處所追

方物及修橋梁河堤□□□項合用軍夫聽爾於通

州左右衛神武定邊五衛從公差撥如有□要

之人到多要船隻軍夫等項并威逼科歛財物營幹私事者爾即便指實跡具奏其天津衛近方相離不遠爾仍與同巡按御史時常往來督彼處官軍修理操練禁革奸弊如彼處衛所官員及操旗軍人等有互相交構縱肆非為苦害良善亦聽爾與巡按御史具奏拿問持廉秉公以率下人不許生事擾害百姓濫受詞訟沮抑客商偏向行事致人嗟怨如或因循廢弛有乖委托爾罪亦不輕恕爾其勉之慎之故諭

天順二年六月初三日

刑部湖廣清吏司主事鄭瑛并妻

敕命

奉

天承運

皇帝勑曰朕惟刑部掌天下獄訟故置屬於諸司雖得其人曷稱委任尔刑部湖廣清吏司主事鄭瑛發迹賢科擢居斯職歷年兹久茂著能聲是用進爾階承德郎賜之勑命以為尔榮尔尚體朕

欽恤之意必使刑不濫而民不寃庶幾無忝厥

職爾惟欽哉

勑曰夫婦人之大倫故朝廷推恩群臣命必及之爾

刑部湖廣清吏司主事鄭瑛之妻李氏恪循婦

道以相其夫茲特封爲安人祗服榮恩永光閨

閫

天順四年九月初四日

刑部湖廣清吏司主事鄭瑛父母

[illegible]

[illegible]曰國家推恩臣下而必及其親者所以教人

[illegible]孝也亦何間於存殁哉爾鄭衢乃湖

[illegible]清吏司主事瑛之父訓成厥子而祿養不逮

殁其所自宜有贈襃茲特贈爲承德郎刑部湖

廣清吏司主事靈其不昧尚克承之

勑曰朕惟羣臣之才者固本於父訓亦必資母德焉

存則有養殁則有贈此有國之通制也爾許氏

乃刑部湖廣清吏司主事鄭瑛之嫡母有子能
官而不逮養泝惟所自宜賜襃嘉茲特贈爲安
人九原有知服斯寵命

勑曰毋以子貴古之道也故群臣能舉其職者則必
榮及其所生焉所以敦本而厚倫也爾陳氏乃
刑部湖廣清吏司主事鄭瑛之生母有子效用
克爾厥官皆爾善德所致茲特封爲太安人
其欽承來綏祿養

天順四年九月初四日

□部都水清吏司主□□肅父□□并妻

□□命

奉

天承運

皇帝勑曰父之教子期於成名子之孝親者□□惟

肆國家推恩群臣必有以體其孝子之心而□

其善政之功以□爾黃夔乃工部都水清吏司

主事肅之父晦迹韜業讀書尚禮訓成令子登□

青朝推厥本源宜申錫典茲特贈爾為□□

工部都水清吏司主事盧其不昧服此休嘉

勅曰孝莫大於顯揚恩莫隆於褒䘏肆朝廷推恩臣

下而榮必及其親者所以崇孝理而示激勸也

爾柴氏乃工部都水清吏司主事黄蘭之母

徽慈惠儀範閨門有子服官祿弗逮養可憮

典用推其源茲特贈為安人祗服隆恩用光泉

室

奉

天承運

皇帝敕曰工部即古冬官之任掌繕脩興造之務自

工山澤之政其屬有四皆置郎以長之而協贊

其事者必得明敏之士乃克稱爲爾工部都水

清吏司主事黄蕭蚤以明經登名進士擢縣令

而克宣愷悌遷部屬而茂著公勤歷歲既深繼

恩宜霈異之用進爾階承德郎錫之敕命以爲顯

榮爾其慎[illegible]能以光我訓詞臻于

遠大爾惟欽哉

敕曰夫婦人倫之始聖朝推恩群臣命必及之蓋

於存沒無間爲工部都水清吏司主事黃肅

妻趙氏蚤克相夫溘先朝露身雖不逮恩尚可

推茲特贈爲安人九原有知服斯寵命

勑曰國家推恩臣下而必及其室家者所以厚人倫

之本也爾工部都水清吏司主事黃肅繼室[illegible]

氏恪恭婦道允宜厥家夫既顯榮爾宜偕貴[illegible]

特封爲安人服此茂恩永光閨閫

弘治五年九月二十一日

勑湖廣按察司副使黃肅

朕惟湖廣永道郴桂等處密邇兩廣地方盜賊不時
出沒及郴桂等處又相接茶陵瀏陽地界不遠
人頑訟多豪勢横暴必須禁治今特陞爾前職
前去郴桂地方駐劄整飭兵備爾須往來衛永
等府提督所屬軍衛有司并巡哨等項官兵民
快人等脩理城池操練軍馬防禦賊寇撫安人
民禁革奸弊及往來茶陵瀏陽攸縣兼理詞訟
督徵錢糧仍聽鎮巡官節制調度不許偏執悞
事爾受茲任尤須廉公勤慎正已率下如遇賊

冦生發即調所在官兵民快相機勦捕務使兵威振舉盜賊知懼軍民安業地方寧靜庶副委任如違罪不輕貸爾其勉之慎之故勅

弘治十五年二月初七日

行人司行人王弘

勅命

奉

天承運

皇帝勅曰朕惟行人之職國體是關其登用也非精選

士不除其出使也非若令[illegible]擢[illegible]

制責任實重于國朝廷[illegible]命[illegible]

人司行人王弘英資天賦經術[illegible]

甲科列崇班于朝署累持使節[illegible]風采[illegible]

勿恪守官箴最績大書於考部賢聲蔚著行檢

血脩可無寵名以示褒勸茲特進爾階修職郎

錫之勑命於戲將命以不辱為難已微往[illegible]保

不以承終為善勿替初心益懋乃庸[illegible]

欽哉

弘治十四年十二月二十五日

勑廣東按察司副使王弘廣東瓊州府所轄三州十縣地方孤懸海外去廣城二千里控制爲難且切近外國所係尤重今特命爾前往彼處提督軍衛有司操練軍士編點民壯撫安兵民防禦賊寇芟除令行禁斷理詞訟禁革奸弊本處一應軍馬錢糧及凡有益軍民保障地方等項斟酌處置如遇賊生發外寇侵犯並調兵剿遏絕或勢重大奏聞區處仍不許生事

南京鴻臚寺署丞黃秉幹父

勅命

奉

天承運

皇帝勅曰朕以寵榮之祥敷綸有位雖品秩限於一二亦有移典以逮其親蓋曠典也爾黃圖乃南京鴻臚寺司儀署署丞秉幹之父直方範俗孝友敦倫毅訓彰于過庭才敏著于儕輩是用封爾為登仕佐郎南京鴻臚寺司儀署署丞祇承渥[illegible]

恩永綏壽祉

萬曆十一年三月二十三日

江西撫州府推官孫拱辰父母

敕命

奉

天承運

皇帝敕曰砥礪種文之士韜跡黌宮而子紹[illegible]

馳之寵豈非天道扶弱生員孫可立乃江[illegible]

州府推官拱辰之父名在諸生行稱長者[illegible]

寡[illegible]人有士不遇之嗟經笥一傳天遺子孝家
之[illegible]在[illegible]爾為文林郎江
西[illegible]州府推官[illegible]爾能休光于爾祖
勅曰[illegible]雖賢匪託于夫若子亦罔克發聞于世國
典[illegible]鋒往循貞烏爾錢氏乃江西撫州府推
官[illegible]拱辰之母惟德之行其儀不忒相厥夫子
[illegible]名儒廸乃嗣人展也良吏辭堂雖久[illegible]
不忘兹贈爾為孺人眷芳懿之如存儀門閭之
動色

萬曆二十七年三月二十二日

江西撫州府推官孫拱辰并妻

勑命

奉

天承運

皇帝勑曰朕聞唐虞之際道在平刑固以衡數[illegible]

濟世太和刑之所造者大矣乃今巧詆深文之令

安民興爾江西撫州府推官孫拱辰性之

才具精詳掄自賢科試于郡理而能辟[illegible]

賢去自賢牖屬寀以同仁借椼揚而寓教庶
我民稱不寃巳茲以成閱授爾階文林郎錫之
勑命夫司理雖職在奏當然兩臺使者寔以衆
吏之臧否寄聽焉喜怒憎愛亂其徵藏且甚于
失入爾務歷中而平之如皐陶所稱五章五用
一本之天乃稱知道者矣懋敬哉
勑曰朕讀國風而知甘棠德斷采蘋先之今吾理官
有明允著稱者亦[illegible]矣爾江西撫州府
推官孫拱璧[illegible]名聞嬪于令人[illegible]

而以佐貧訓[illegible]令茲從官不替素心

特有[illegible]舉賢助美是用封

為孺人尚攜徽于無私庶永宜于象服

萬曆二十七年三月二十二日

江西臨江府新喻縣知縣厲昌謨父母

敕命

奉

承運

皇帝敕曰夫士績學弗顯乃能式穀于子[illegible]

[illegible]其[illegible]之行不逮而取[illegible]無[illegible]加爾陳氏乃[illegible]
[illegible]縣知縣[illegible]丈紀之母敬戒無[illegible]
明有[illegible]文[illegible]子[illegible]若時名顧[illegible]養之未[illegible]
褒章之可慨茲特贈為孺人渙名是承幽冥永
慰
弘治十一年六月二十一日
山東東昌府通判謝瑄并妻
奉
[illegible]命

天 遷

皇帝勅曰親民之政非久不成錫命之榮雖賢奚予顧典章之具在實激勸之所關爾山東東昌府通判謝瑄諭秀鄉闈擢官府倅才既優于綜理志克謹于操脩閱歲既深課功斯最爰稽彝典用示褒恩茲特進爾階承德郎錫之勅命於戲治民莫先於獲上已徵名績之良善始尤貴乎保終庶竭猷為之益訓辭具在尚克祗承欽哉

勅曰夫婦之際風俗所先君臣之間恩禮攸在[illegible]

寵陞書出其啟佑弘矣□□勤勞厥有攸與爾
□□□儒時纖乃江西臨江府新喻縣知縣昌謨
□□學究墳典名著膠庠鄉高長厚之風庭式
義方之訓爰啟哲胤奏宦名封是用封爾為文
林郎江西臨江府新喻縣知縣祇承楓陛之寵
章彌增椿堂之鶴筭
勅曰夫壽母燕喜詩人侈頌□慶洽俱存典錫並貴
臣子際此詎不稱與選乎爾謝氏乃江西臨江
府新喻縣知縣□□昌謨之母夙閑內則積賤毋

儀相夫諧琴瑟之歡迪子奏絃歌之家範良著
于西楚邇聖善徽于北堂是用封爾爲孺人祇服
恩綸永綏祿養
萬曆二十四年九月十二日
江西臨江府新喻縣知縣厲昌期并妻
勅命
奉
天承運
皇帝勅曰朕觀漢吏以才見徙兩縣並家天

賜名臣以之朕方用漢故事以勸循吏以得人
今可無愧爾江西臨江府新喻縣人知縣潘凡
諳敏英年偉度明識宏才拔穎制科推賢名宇
自小邑徙治巖封迺能寓撫字於催科寓精明
以仁厚一邑之周疲頓起百年之積寢蠹清歲
閱未聞朕心嘉悅是用授爾階文林郎錫之勑
命而不聞乎盤錯別利磨湼別堅新邑之韶之
邑自昔難之夫衆人所難良吏之資也爾尚益
有狀尚益忠慎以善終圖朕將有顯擢欽哉

曰夫出而埤益入而偏攉即吏難乎良矣悵

令必及家室用酬閨勤亦勸壼賢爾江

府新喻縣知縣厲昌謨妻陸氏儉勤治

承尊規學名成於機絲從官身服乎綦縞褒功

製錦迴織鳴環是用封爾為孺人承象服以方

新遷鴻恩而未艾

萬曆二十四年九月十二日

兵部武庫清吏司員外郎厲昌謨父母

命

奉

天承運

皇帝制曰士有束髮受書沉潛白首而見詘于有司

者何限然不得于其身尤幸得之于子則亦

爾父之劬也爾生員封文林郎江西臨江府新

喻縣知縣厲時巖乃兵部武庫清吏司員外郎

昌謨之父才試多士學總羣言一厭足于縣封

遂矯羽于鴻陸然孀皆遺人多長者之稱德福

孫降天亦高年之錫佐樞之名既茂過庭之訓

可知茲特加封爾爲奉直大夫兵部武庫清吏
司員外郎祇服如綸益弘式穀
制曰父母俱存人子之幸即在貧賤以爲侈譚而況
富貴壽考龍章燕喜萃于一時者乎爾封孺人
謝氏乃兵部武庫清吏司員外郎厲昌諄之母
淑儀爲則敬德孔嘉舉孟案而酬對如賓和隨
九而教督過父壽祺未艾鍾毓方隆茲特加封
爾爲宜人恭承翟茀之榮益介庭闈之福
萬曆二十九年十二月初六日

兵部武庫清吏司員外郎[illegible]

奉

天承運

皇帝制曰朕讀孔子俎豆軍旅之論未常不廢[illegible]
嘆也夫古之名臣入為蹤附後先出即[illegible]
儆豈有不知兵者哉然則孔子之論特以[illegible]
不足與言兵耳爾兵部武庫清吏司員外郎[illegible]
昌謨通才練識曉暢度炎心自擢廷掄歷吏[illegible]已

閑奸興獘卓有餘稱廼陟爾為令官而爾能賦
車籍馬搏力訓材毋流茹蘖之毅克謹徹桑之
備朕尤嘉之玆特以覃恩授爾階奉直大夫錫
之誥命夫今天下雖曰撻伐肆張而士馬屢耗
戈甲朽鈍辟之手人形強實弱朕甚憂之試將
爾樽俎之猷以佐朕帷幄之寄朕且有賜[illegible]
欽哉
制曰士方隱約時與其婦攻苦敦淡黽勉相[illegible]
自禁亦微得一日融顯白首共之傷哉[illegible]

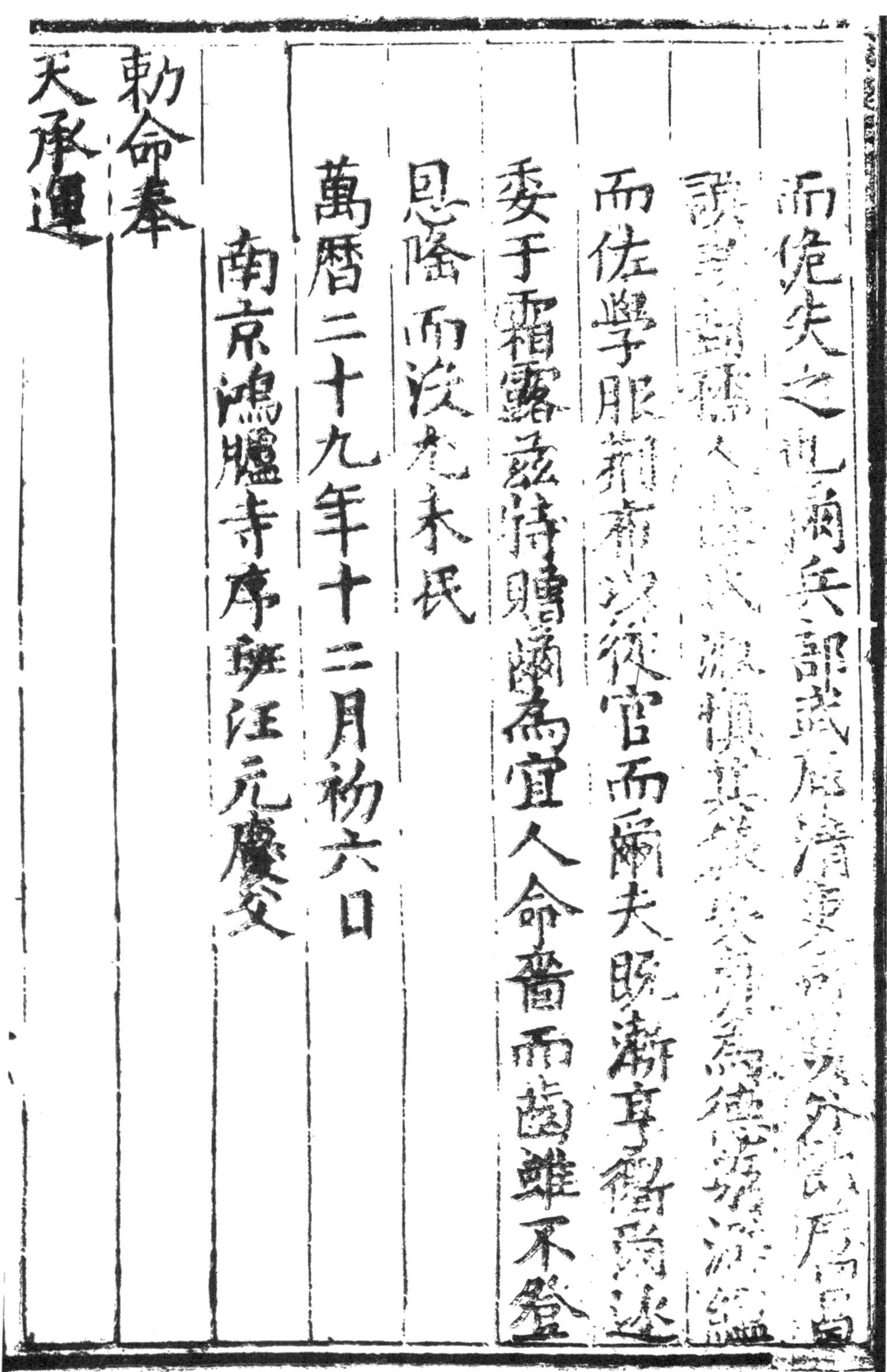
而俛失之祖爾兵部武庫清吏司[illegible]
識高翁孺人[illegible]淑慎[illegible]為德[illegible]
而佐學服勤靡以從宦而爾夫既漸享衛而遽
委于霜露茲特贈爾為宜人命晉而齒雖不登
恩隆而歿尤不泯
萬曆二十九年十二月初六日
南京鴻臚寺序班汪元慶文
勅命奉
天承運

皇帝勅曰大慶之覃羣寀榮親而詘于格者復得伸
情于貤寵爾句臚錄勤襄儀恩遺厥父可乎爾
原任浙江嚴州府淳安縣主簿汪知壁乃南京
鴻臚寺序班元慶之父儒林挺秀冑監蜚聲
險急親推胞惇讓存友無間于人言甫任乞休
遽留擁道清修具見于官譽迺茲鵷班之彥克
爾燕翼之貽是用覃恩進爾階登仕郎南京鴻
臚寺序班龍章孔赫鵷筴永延

萬曆三十四年九月初三日

浙江衢州府龍游縣知縣袁文紀拜疏

奉

天承運

皇帝敕曰親[illegible]縣令民[illegible]以[illegible]詢于按部之間[illegible]

命之寵或出于考績之外故法有定制而恩亦有

特施凡治有異之名必在褒嘉之列爾浙江衢

州府龍游縣知縣袁文紀名登鄉榜官領邑符

愛民勤撫字之方處已勵操修之節譽聲既著

薦剡交騰宜有渥恩以申旌勸茲特進爾階文林郎錫之勑命於戲治民莫先於儀上已徵名績之良善始尤[illegible][illegible][illegible]式獻爲之益明訓具在尚克祇承欽哉

勑曰臣有事君之功其有從夫之誠故錫賢勞于國必推寵命于家存沒雖殊心異則一浙江衢州府龍游縣知縣袁文紀妻林氏出自名門嬪十良士方著宜家之善遽遺偕老之心宜錫用昭佳懿茲特贈爲孺人庶彼幽靈服其

勑曰妻必有賢德[illegible][illegible]之儀則必早乎内爰褒封

之典於茲爾某氏今出[illegible]乃浙江衢州府龍游縣

知縣袁文紀繼室張氏幼閑姆訓繼配儀範流聲

未躬井臼之勞亦克效蘋蘩之職宜推恩典以

示褒榮茲特封為孺人祗服寵名益隆閨範

弘治十一年六月二十一日

浙江衢州府龍游縣知縣袁文紀父母

勑命

本

天承運
皇帝勑曰國家隆使臣之禮原教子之功爵賞爰加
其身褒封必及其父義實通于今昔例不異于
存亡爾袁廣乃浙江衢州府龍游縣知縣袁紀
之父晦迹韜光讀書[illegible][illegible][illegible]成方之美已報於甲
科祿養之榮竟遺哀于風木乃因子績用示褒
崇茲特贈爾為文林郎浙江衢州府龍游縣知縣
[illegible]靈[illegible]歆承無斁
[illegible]
萬曆[illegible]

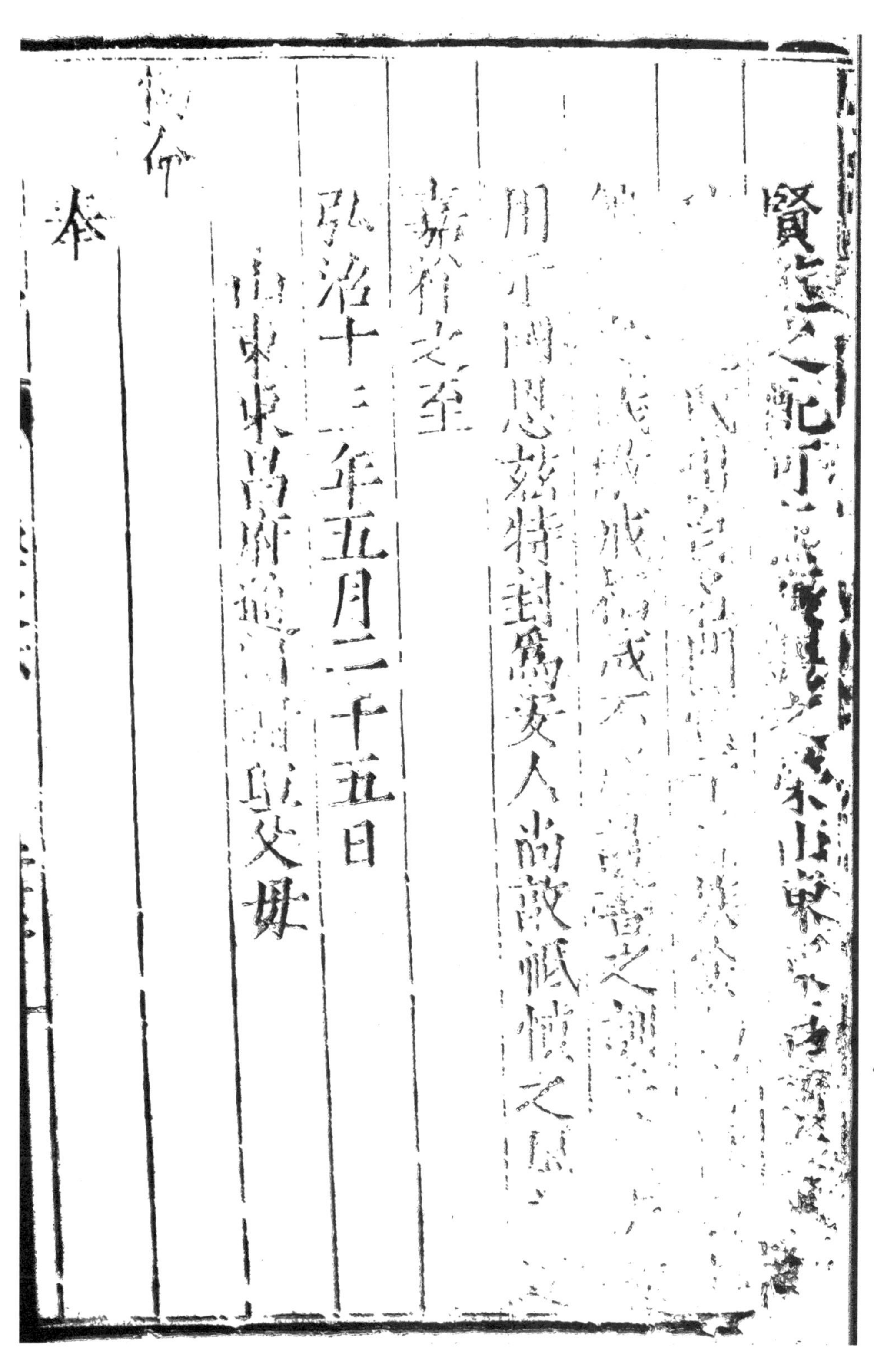

賢良之配可[illegible]東昌府[illegible]

[illegible]氏[illegible]

[illegible]戒[illegible]成[illegible]之訓[illegible]

用示[illegible]恩茲特封爲安人尚敬祇慎之[illegible]

嘉尚之至

弘治十三年五月二十五日

山東東昌府通判[illegible]父母

勅命

本

天　遲

皇帝勅曰人子事親之道莫大於顯揚朝廷待臣之
恩莫重於褒錫此古今之通制豈存沒之有間
爾謝繼乃山東兗州府通判謝玹之父□□丘
園家傳詩禮爲成令子久著勤勞既遂祿養之
榮宜示褒崇之命茲特贈爲承德郎山東兗州
府通判尚期神爽之貽益延寵靈之賁
勅曰子之於母孝愛無極其深君之於□□恩必
其親故爰有下逮而□□□□加爾□□□□

宗門著德[illegible]雖之[illegible]天性[illegible]式儀範肅[illegible]
太有遺教子[illegible]名者有[illegible]恩以申追錫茲[illegible]誥
爲安人於戲承[illegible]寵[illegible]

勅曰繼母有教育之德不異劬勞朝廷有褒[illegible]之[illegible]
寶均榮貴彝倫攸繫國典具存爾孫氏乃
東昌府通判謝瑄之繼母詩禮名家士流[illegible]配
克勤內助茂著閫儀顧茲致用之才亦爾[illegible]成
之力宜須恩典以示褒崇茲特封爲太安人[illegible]
服龍恩永綏祿養

弘治十三年五月二十五日

蔚州左衛經歷司經歷詹寳並妻

勅命

奉

天承運

皇帝勅曰國家設軍衛以安民雖專武職置幕官以

領務則用文資爾尚義實深任人宜慎爾蔚州左

衛經歷司經歷詹寳身膺監司職幕僚綜理

惟[illegible]秉持閫[illegible]以[illegible]民多艱[illegible]

贈徵仕郎[illegible]文林郎[illegible]

宜不論難易咸[illegible]平成化間[illegible]修以[illegible]

氏

[illegible]有[illegible]君之功妻有從夫之義咸[illegible]

[illegible]命于家蔚州左衛經歷司[illegible]

[illegible]氏出自名門歸于良士克勤内助[illegible]

[illegible]榮爾宜偕貴茲特封為孺人服此[illegible]

永光閨闈

正德元年四月十八日

蘄州左衛經歷司經歷詹寅父母

勑命

奉

天承運

皇帝勑曰教子以忠允使效勞于國勸臣以孝必爲

致顯于親顧惟世官之良可忽褒崇之命爾故

福建泉州府永春縣知縣詹側乃蘄州左衛

經歷司經歷詹寅之父[illegible]政勤以[illegible]持[illegible]祇愼久[illegible]觀

民之[illegible]紳復成教子[illegible]

天承運

皇帝制曰人臣敬[illegible][illegible]誠而貽恩及於其親所以褒

揚義訓也乃若秉憲宣猷夙效勞勤者可無懋

贈以追卹之哉爾原任湖廣按察司副使黃肅

乃直隷廣平府曲周縣知縣肆之父賦性端方

秉心忠義曩以制科之彥筮仕

光州宰邑蜚聲郎曹秖敘乃擢司臬憲陟副楚臺而

爾志在安民以身許國雙平寇盜備歷艱厄雖

弗究厥施而褒功進秩特加階一級致仕及爾

詔進階壽考榮名斯亦賢矣茲有令子起而繼之以奏績推恩特贈爾爲通奉大夫職如故不獨彰淵源之有自亦以慰孝慕於無窮

制曰朕聞婦德隱于中闈必托夫子之賢始克表見於世故褒卹之典罔有遺焉爾贈安人趙氏乃直隸廣平府曲周縣知縣黃驊之嫡母憲臣元配茂著壼儀樛木溥仁慶鍾哲嗣爰稽彝典用渙新恩特贈爾爲恭人尚茂明歆益承求貺

制曰古謂繼母猶母重父之齊體也國家緣情徹

特贈爾父[illegible]郎[illegible]

[illegible]德之[illegible]

[illegible]德之[illegible]則[illegible]封之命[illegible]張氏乃[illegible]州

[illegible]經歷司經[illegible]之[illegible]行特[illegible]

[illegible]天[illegible]饋祀之儀[illegible]封

[illegible]人欽[illegible]

正德元年四月十八日

南京禮部祠祭清吏司署郎中事[illegible]

并妻

[illegible]仰

奉

天承運

勅曰春卿統邦禮之司任爲特重主事贊部堂之政責亦匪輕必才行之俱優庶職務之能舉[illegible]所任厥任攸同爾南京禮部祠祭清吏司署[illegible]事主事黃宏拔備賢科分符劇縣茂著[illegible]良之績爰膺卓異之旌[illegible]進職於兩京久宣[illegible]茲[illegible]職式[illegible]勤補[illegible]

甲[illegible]公廉律己實心[illegible]
之[illegible]顯宗褒嘉之寵茲特進爾階承德郎賜之
敕命於戲禮兼名實豈徒制度之詳績勞尚明
尚有官階之陟益臻來效勉副訓詞欽哉
勑曰婦尊饋祀儀刑不出于閨門國重褒封寵命必
均于伉儷況乃賢能之配可無推錫之恩南京
禮部祠祭清吏司署郎中事主事黃宏妻林氏
儀度閑詳性資婉嫕秀鍾禮於德媲英流禮義
相成志不怠於姆訓儆勤自勵動必協于家規

壼道既修褒章宜錫用旌內助式耀中閨茲特

封爾為安人尚敦祗慎之風益迓駢蕃之寵

正德六年六月初三日

南京禮部祠祭清吏司署郎中事主事吳公

父母

作

奉

天承運

皇帝勅曰家教之[illegible]可徵錫命之[illegible]

存爲老者怔兹[illegible][illegible]自古爲難矧了郎當[illegible]
具有嚴慈之[illegible][illegible][illegible]恩命實倍常倫衛貴來[illegible]
乃南京禮部祠祭清吏司署郎中事主事[illegible]之
父忠信不欺禮法自守敦行孝弟儀刑著于家
蒞撫恤孤嫠仁惠孚于族鄰矧明經之訓素[illegible]
于義方致令子之才登登于郎署康強無恙[illegible]
齡已踰乎八旬光顯惟新褒寵宜申乎一命[illegible]
皆自致恩豈徒施茲特封爲承德郎南京禮部[illegible]
祠祭清吏司主事服茲冠服之華益享[illegible]倫之

勅曰毋氏勉勞義實兼乎教育朝廷寵數禮待重于

褒封肆緣報本之情誕不馳封之典亦惟有徵

始稱厥名爾張氏乃南京禮部祠祭清吏司[illegible]

郎中事主事黃宏之母武弁名家舍人良配相

夫治內賢聲播于族婣教子登庸嘉績成于[illegible]

署備慈齡之既茂爵祿養之方隆宜有寵章以

彰壺範茲特封爲安人諒夫道之足徵[illegible]

正德六年六月初 日

太僕寺主簿廳上簿汪洋并妻

勑命

奉

天承運

皇帝勑曰太僕之官實司馬政簿領之職特綜文移必資通敏之才始稱繁劇之任爾太僕寺主簿廳上簿汪洋發身胄監擢任今官在公績綜理之能處已剛撚持之志歷年寖久考稱是書爰

厥獎章用申褒勸茲特進爾階徵仕郎錫之勅命於戲居官以盡職爲良已徵往勣保譽以永終爲善勿替初心尚有崇階以需來效欽哉

勅曰夫婦有齊體之義倫理所關朝廷有錫命之榮典章斯具顧閨闈有關於風化肆國恩無間於存亡爾太僕寺主簿騰北鄉汪洋妻袁氏柔嘉維則淑慎有常秀鍾詩禮之家德媲衣冠之族式勤內助顧弗永年音斷瑟琴夙願巳乖今于寵頒綸綍之卹恩可慰於追崇茲特贈爾

庶幾寵之有加服休光於無斁

勑曰朕惟尊於儀祀名不可虛君寵重於褒封禮無所廢此國家之定制實閨闈之至榮太僕寺主簿廳主簿江浩繼室張氏禮度祇嚴性資柔婉夙遵姆訓繼配儒流井臼勤勞雖未躬于家食蘋蘩孝敬亦克效于宗祊婦道既修褒章宜錫用旌內助式耀中閨茲特封為孺人尚虔儆戒之心益迓駢蕃之寵

正德十三年九月初一日

太僕寺主簿廳主簿汪洋父母

勑命

奉

天承運

皇帝勑曰人臣以盡職爲忠人子以顯親爲孝故官守有勤勞之績則朝廷有褒錫之恩此倫理所當崇實風教所由繫典章具在存沒何間爾某乃太僕寺主簿廳主簿汪洋之父樸實不華[illegible]誠[illegible]居鄉樂善素敦仁厚之[illegible]

嘗[illegible]

宋[illegible]楷[illegible]大將軍[illegible]德主簿[illegible]則

神爽之[illegible]靈之至

所[illegible]有[illegible]德與文武均君子[illegible]之[illegible]

是[illegible]賢能之紀[illegible]遠[illegible]之[illegible]

幽明間[illegible]爾楊氏乃太儒吏主簿[illegible]汪塗

之如[illegible]族[illegible]善人良配性惟至孝心本[illegible]

敦禮義於家庭動循內則篤仁惠於族鄰[illegible]

賢聲著惟令子之發積實出遠閫之遺訓[illegible]

釜之養弗逮而摺捲之澤猶存爰體孝思用[illegible]

追鄖茲特贈爾爲孺人庶其未泯[illegible]

之澤

正德十三年九月初一日

太常寺博士李傑并妻

勑命

奉

天承運

皇帝勑曰太常之職丁付守[illegible]博士之[illegible]

[illegible]進[illegible]者行之兼茂斯名續爲有成匪愼
[illegible]授昇爾太常寺博士李傑學本家傳
[illegible]世用發名甲第擢任令官勤愼在躬心實
虔于邦祀淸嚴律已志克守乎官箴[illegible]與
之行預示褒嘉之寵名非倖致恩豈徒施茲特
進爾階文林郎錫之勑命於戲恩出常科愼勿
怠于爾報才堪大用尚有待于登崇益懋乃庸
嗣膺于寵欽哉
制曰夫婦有齊體之義倫理所關朝廷有竝命之榮

典章斯具煥揚綸綍式權褕禱太常寺博士李

傑妻遠氏柔嘉繼則淑慎有常秀鍾詩禮之家

德懋衣冠之彥式勤內助宜被顯褒茲特封爾

孺人順正是承嘉祥未艾

嘉靖元年五月十三日

太常寺博士李傑父母

敕命

奉

天承運

皇帝勑曰父以教忠爲賢[illegible]子以養志爲孝[illegible]務[illegible]風教所[illegible]博士之有得[illegible]鑑之議頒爾原任山東[illegible]嶧縣縣丞李廣乃大常寺博士傑之父[illegible]明經才成冑監佐知二縣式多惠政之遺安享七旬終有善人之報乃有賢子名顯甲科爰推錫類之人特用寵榮之典茲惟教孝亦以勵忠茲特贈爾文林郎大常寺博士庶其未泯之靈歆此至優之渥

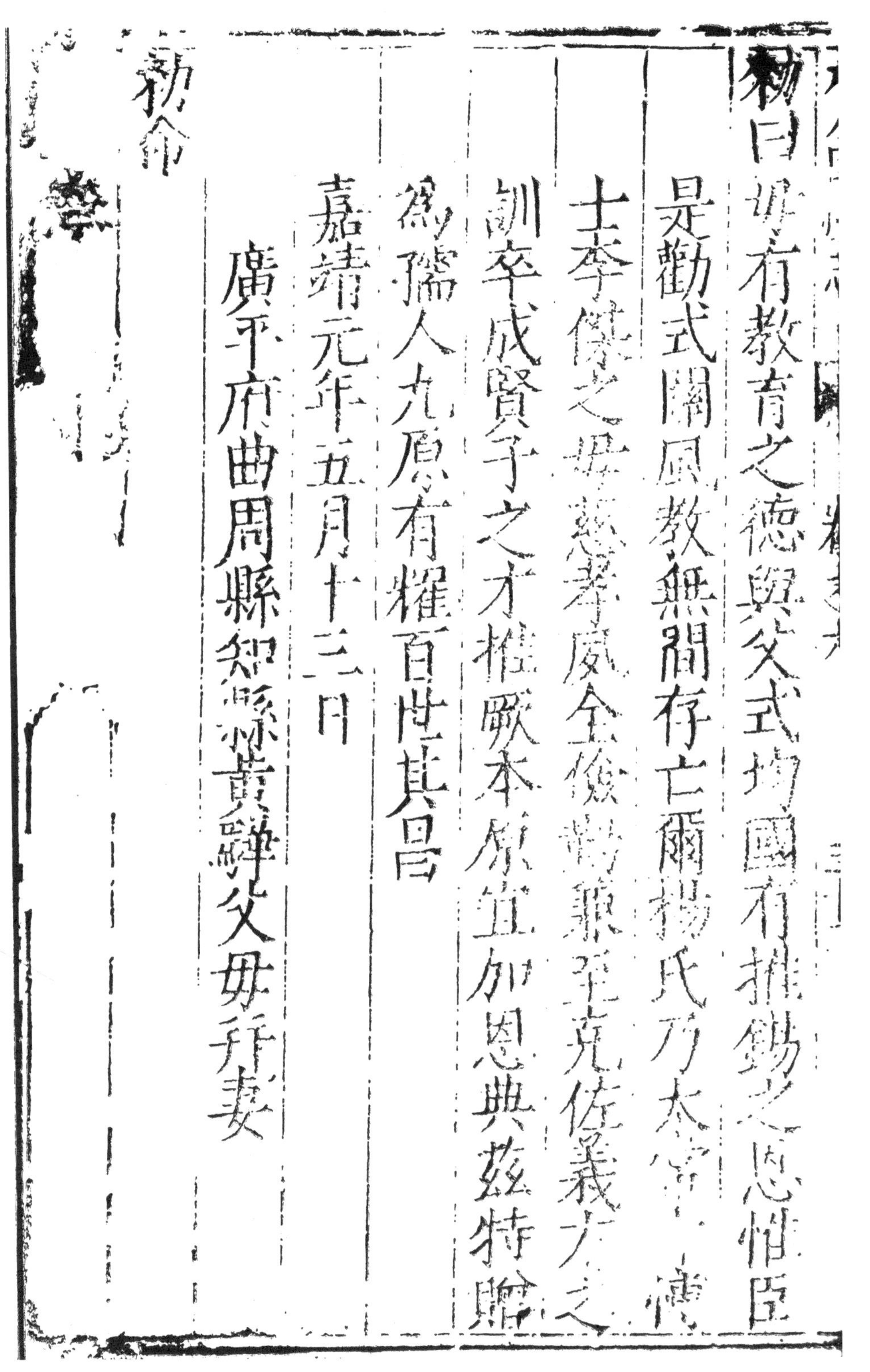
勅曰母有教育之德與父式均國有推錫之恩惟臣

是勸式闡風教無間存亡爾楊氏乃太常寺博

士李傑之母慈孝夙全儉勤鞠至克佐義方之

訓卒成賢子之才推厥本原宜加恩典茲特贈

爲孺人九原有耀百世其昌

嘉靖元年五月十三日

廣平府曲周縣知縣黄鐘父母并妻

勅命

奉天承運
皇帝制曰人臣效慎脩職而貤恩及於其親所
以勸義訓也乃若秉憲宣猷夙效勞勤者可
贈以追卹之哉爾原任湖廣按察司副使[illegible]
乃直隸廣平府曲周縣知縣驊之父賦性[illegible]
秉心忠義以制科之彥筮仕
先朝宰邑甚毅即曹祇叙乃擢司臬憲陟副楚臬而
爾志在鄉民以身許國優乎兵備歷艱危雖
弗究厥施而褒功進秩特加陞一級敕仕階

詔進階壽考榮名斯亦賢矣茲有令子起
之以奏績推恩特贈爾爲通奉大夫職如
賀彰淵源之有自亦以慰孝慕於無窮

制曰朕聞婦德隱于中閨必挹夫子之賢始克見
於也故褒䘏之典罔有遺焉爾贈安人趙
直隸廣平府曲周縣知縣黃驊之嫡母憲
配茂著壼儀樛木溥仁慶鍾哲嗣爰稽彝
典特贈爾爲恭人尚茂明歆益丕承

制曰

齊體

榮及之非以褒世教與爾封安人孔氏乃直隸
廣平府曲周縣知縣黃驊之繼母淑慎柔和躬
全懿行愛均厥子教育甚隆子今[illegible]官之道
澤可徵耶茲特贈為恭人歆此休光益綏慶澤

勑曰凡褒錄臣勞緣子貴母重其所生也國有令典
朕奚靳焉爾董氏乃直隸廣平府曲周縣知縣
黃驊之生母淑慎柔嘉動循內則篤生哲嗣式
穀有成祿養弗逮良可悼焉茲以爾子秩績特
贈為孺人祗服恩綸是為殊錫

奉

天承運

皇帝勅曰國家設縣令以敷宣德化於民有父母之

道朕恒慎茲選必得其人庶幾愷悌宜民者始

克稱爲爾直隸廣平府曲周縣知縣黄驊乃湖

廣按察司副使肅之子克承家學奮跡賢科爰

以儒校休聲擢宰名邑持身廉靜蒞政精明節

用愛民教養兼舉循良著譽藹績屢升可謂以

文學飭吏治不忝先猷者矣茲當奏績特授爾

階文林郎錫之勑命於戲王政之本在
朕撫安民和衆亦惟爾良令共此也今以
爾嘗有崇陟矣尚益懋忠勤以副朕意
人相其君子同艱辛於家食而不同其
也可閔焉國家追榮及之旌往勞也爾直
平府曲周縣知縣黃驊妻陳氏淑慎靜貞風閑
壼則媲德名士卒相厥成爾弗永年宜加
茲特贈爾為孺人靈爽不遷祇歆華典
勑曰朕為人臣克自砥礪以治行聞于時者非內

賢勵昌克致此故推恩必並及焉爾直隷廣平
府曲周縣知縣黄驊繼室王氏孝恭成性柔順
宜家允嗣前徽克勤内政用能弼相夫子茂著
賢聲皆爾之助也兹特封爲孺人往服榮書益
循壼教
嘉靖四十一年九月十八日
鴻臚寺序班張性
奉

天承運

皇帝勅曰鴻臚寺[illegible]明君臣國家之禮儀[illegible]朝百

官以賓四夷所以導儐宣傳者皆鴻臚之屬以

領之苟非端愼之士明達之才諳于舊章者不

輕畀焉爾鴻臚寺序班張性蚤明經術育秀校

黌擢自成均授官禁近律身嚴恪司儀雅詳三

載于玆克勤夙夜迺報最績特授爾階登仕佐

郎錫之勅命以爲爾榮於戲唐虞命官恒不遷

業故志專而業益脩爾職侍儀四方咸于是乎

觀禮尚益敷求昭代之彝典而慎行之以俟簡

用欽扎

嘉靖四十年五月二十二日

○奏疏

粵古陳謨不可尚矣後世臣子有所建白達之帝庭名曰奏疏蓋倣賈董之流也吾六如楊武襄威毅黄通奉王憲副黄太常葦奏議第無足欲茲據其可知者録之

請征杜弢疏

邑人王鑒晉琅琊國侍郎

天禍晉室四海顛覆喪亂之極開闢未有

遭歷運之厄當陽九之會聖躬負伊周之

近[illegible]區夏[illegible]之[illegible]上方將振長轡而御八荒掃河漢
[illegible]淮天下所籍之資江南之地蓋九州之隅角
[illegible]之餘人耳而百越甌閩視於五嶺蠻蜀很顢
加湘漢江州蕭條白骨塗地豫章一郡十殘其
八繼以荒年公私虛匱倉庫無踰月之儲三軍
有飢乏之色賦斂搜奪周而復始卒散人流相
望於道殘弱之源日深全勝之勢未舉壁懼雲
據天人旆元戎凱入未在旦夕也昔齊旅未朞而
興[illegible]侯懼其老況暴甲三[illegible]介冑生蟣蝨而可不

深慮者哉江揚本六郡之地一州封域耳若兵不特戰人不堪命三江受敵彭蠡振搖是賊踰[illegible]垣墻之内闞我家室之好黷武之衆易[illegible][illegible]方之鳥雞安鳌之所甚懼也去年已來畧地[illegible]備將軍師算失送死之[illegible]兵獸奔命賊量我力矣[illegible]繼遣偏裨懼未足成功也愚謂莫[illegible]宜[illegible][illegible]州然後方名大臣其力可得而宣能[illegible][illegible]所[illegible][illegible]於武昌爲[illegible][illegible]南[illegible]

虞□之也勑勁卒以保之深溝堅壁按者[illegible]
守之□畫既驕戰士思不備乃乘隙驟擊[illegible]
□究顯示大信開以生塗杜彊之頸同以[illegible]
麾下矣議者將以大舉後重人不可擾[illegible]
而常擾也夫四體者人之
[illegible]
所甚愛苟宜伐病則削肌刮骨矣然守不可虛
鑾輿王躬可委以蕭何之任或以小賊方熾不
足動千乘之重鑾王彌之初亦小寇也宜[illegible]
重其威後逆得肆其毒卒令溫懷不守三河傾

覆致有今日之弊也已然之明驗也蔓草猶不可長況虎兕之冠乎當五霸之世將非不良士非不勇征伐之役君必親之故齊桓觀兵於召陵晉文課甲於城濮古漢高光武二帝征伐之遠近敵無大小必手振金鼓身當矢石擒[illegible]以入營槳不騁馳騖四方匪皇寧處然後皇基[illegible]方勲以融今六弊之極制於異代崇替[illegible]以[illegible][illegible]華而已欲使鑾旂無野次之欲聖躬遠風塵之[illegible]四方功坐就鑾未見其易也魏武[illegible][illegible][illegible]

征邪城揚修盧龍之嶺頓轡盟塞之表非有[illegible][illegible][illegible][illegible][illegible]歲踰一月縱敵終已之志雖戎軒象[illegible]不以為勞況慧於者乎劉玄德躬登漢山而立侯之鋒摧吳偽祖親沂長江而關羽之首懸表紹猶豫後機挫衄三分之勢劉表臥守其衆卒亡全楚之地歷觀古今撥亂之主雖聖賢未有高拱閑居不勞而濟者也前鑒不遠可詔至龜議者或以當今暑夏非出軍之時鑒謂今宜嚴戒須秋而動高風捺塗龍舟電舉曾不十月

可到豫章豫章去賊尚有千里之限但臨之以威靈則百勝之理濟矣既掃清湘野滌蕩楚郢然後班爵序功酬將士之勞卷甲韜旗賡農桑之務播愷悌之惠除煩苛之賦比及數年國富兵疆龍驤虎步以威天下何思而不服何往而不濟桓文之功不難懋也今惜一舉之勞而納垂死之寇誠國家之大恥臣子之深憂也竊以凡猥陋蒙獎育思竭愚忠以補萬一芻蕘之言

聖[illegible]成卒之謀先后採之乞留神[illegible]

所陳

□□廬陵王疏　　邑人張約之南國宋吉陽令

陵王幼蒙先皇優慈之恩長受陛下睦愛之恩故在心必言所懷必亮容犯臣子之道致招驕恣之愆至於天姿夙成實有卓然之美宜在容養錄善掩瑕訓盡義方進退以漸今猥加剝辱幽徙遠郡上傷陛下常棣之篤下令遠近恇然失圖臣伏思大宋開基造次根條未繁宜廣樹藩戚敦睦以道人誰無過貴能自新以武皇

之愛子陛下之懿弟豈可以其丁青長致淪棄

哉

劾權奸賈似道黨與疏　邑人季可　宋右正言

以妬賢嫉能之元載輙自比於阿衡以不學無術之霍光敢妄稱爲師相專權横行誤國召兵延羽流塑己像而坐半閑之堂收珍奇聚玩器而建多寳之閣視棠棣而伐宗相驕淫而與宮人謀言納佞以邀功損留行人而不遣圖君上以[illegible]

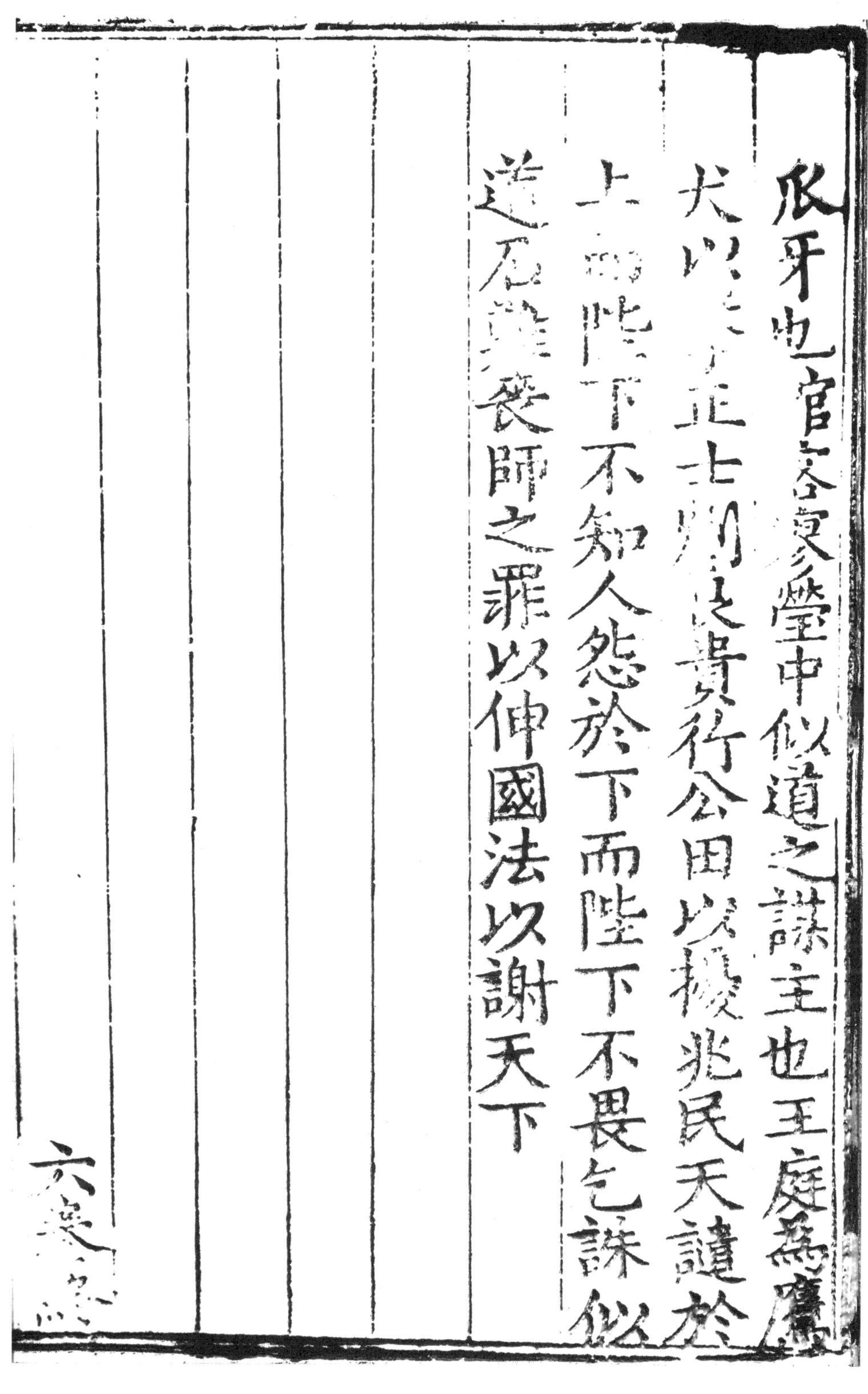

爪牙也官宦參壁中似道之謀主也王庭為鷹犬以之走七州之貴行公田以擾兆民天譴於上而陛下不知人怨於下而陛下不畏乞誅似道石[illegible]發師之罪以伸國法以謝天下

藝文志

○文籍

文載道之器也自聖人之道行而人[illegible]有天下郡邑莫不有文焉六合古稱[illegible]他其贈送賀壽之言行狀墓銘之類藏者未可勝紀茲特據舊志及新[illegible]以書十篇

瓜步山碣　鮑照　南北朝宋人

哉合龍紀月巡爲張鮑子辭吳客楚措充歸揚道出關津升高問途北眺氈鄉南瞻炎國分風

本頁原闕字，現據臺灣『中央圖書館』藏本校補。

代川揆氣閩澤內睨天宮窮曜星絡東觀海門候景落日逝精八表駛視四遐超然示念意縱交橫信哉古人有數寸之籥持千鈞之關非有其才施處勢要也爪步山者亦江中渺小山也徒以因迴爲高據絕作雄而凌清瞰遠擅奇含秀是亦居勢使之然也故才之多少不如勢之多少仰望去岑嶺俯視地域滂泼江河疵贅丘[illegible]雖奮風漂不驚雷劃山地淪維隨川門[illegible]盈髣髴曾未注言況乎沉河浮海之[illegible]

本頁原闕字，現據臺灣『中央圖書館』藏本校補。

若夫二南四還八曲之策三湖五遁之丹以為
□□覽觀風爲之平叔見議其是非古誠志

石帆銘　　鮑照

剖流息石橫波下濮地紐上纖星羅峙淵
引漢歙蠡吞沱西歷岷冢北瀉淮河耿淼弘讌
傳□顥連深淪天測際亘海窮陰雲旋未起風柯
不吟崩濤山隧鬱浪雷混在昔鴻荒刊啓源陸
表裡民邦經緯島服聯貢覲晦坎水巽木乃刳
乃鏇既刳既斲飛深沉遠集潭館谷涉川之利

本頁原闕字，現據臺灣『中央圖書館』藏本校補。

謂易則難臨淵之戒曰危乃安泊潛涇濟寞表勸言慘我戒逐留御不還徒悲猿鶴[illegible][illegible]滄煙君子彼想祗心截惕林簡松栢本探[illegible][illegible]慨氣[illegible][illegible]按祭瀕[illegible]揆檢合圖命辰定歷二崤虎口關王風超九折辛[illegible]淚惡電驅潛鱗浮[illegible][illegible][illegible]乘虛衝石賴鱗帝于祭列清山斷河后父沉[illegible]川吏掌津敢告訪途[illegible]縣志

六合縣題名續碑記

自春秋載棠邑文稱爲之[illegible][illegible][illegible]千[illegible]姓氏[illegible]

晉安帝隆安初元於六合山置令臨[illegible]之[illegible]得名而令之見於傳記者晉有范廣唐有[illegible][illegible]翰鄭繼崔儇鄭滂至本朝有王時薛季卿朱定國而已此壁記之不可廢也淳熙辛丑知縣事曹紐刻石於廳之東偏自紹興初稽考年月而列之嘉泰以來又闕不書迺因而續于其後庶幾可以寓斯民之弗忘抑使來者見賢思齊焉見不賢而內自省也嘉定戊寅八月庚子朔清江劉昌詩識宋嘉定志

重建吳大帝廟記　長沙張建宏元人

吳城之山見於地志久矣廟制之立不知始於何年蓋自九有鼎分肇都江左則淮之西土實爲屏翰戍守于兹亦其宜也遂聳石作堰以大滁陽之浸畚土爲山以城行殿之壯外若崇墉相褒內則紀堂廡坦遐山邇水獻奇輔勢綽如也迄其陟彼帝鄉後人因其故宫而祠之猶荆昭王之殿城也下及宋季中間起廢多不可知後有宗子趙淇葺故殿於端平之間先祖

謙[illegible]廣問於至元之始皇元開[illegible]公道休明歲
秋山川之祀命守官刺祭于斯[illegible]物[illegible]諸[illegible]爲
重列一境之內水旱疾災誠往扣[illegible]加響
獨陰無生耳之憂獨陽無龜坼之患痒毀無神
伯有而生惠氣樵牧山林者不逐不若是則神
之福斯上匙大而宮庭卑陋丹青不飾殿陛不
圭奚其稱歟於是先父斗祥常杖屨登慈銑然
有原田之志緒未盡而大歸嗣謀收兄克紹治
言拓故基游巳植[illegible]淨覺負[illegible]俱斬其[illegible]五楹

其深九几其高數仍仍搆後殿以為正寢而虞毋儀焉當宁之像舊服紫而裳弁翊衛承弼者咸無其人俾聰明仁智雄畧之風莫可肅儼過金幘袙袍豊其體而穆其容文有相君武有甲上覩其敝而增其四后亦如之嬪嬙有列而乾剛坤柔之位奠矣神靈妥安人心感悅首事于至治癸亥之臘泰定改元日北至東井梓人告成月合壽星聖像供物斯具饗而祀之凡用其衆若干用其二則勸於人用其三則出於己

□廟門□□□□創新位錫之扁額與當副爲之表將□□□□而使來告曰吾城廟舊無牲饌今幸成則吾先父將不慊於冥冥之中矣遂書大槩以請予其爲我記之無以不能讓焉予不敏謹復之曰子之繼志述事孝也竭誠奉神敬也孝以守之敬以行之百祥戾止神豈嗇諸遂藻飾其來請以爲之記俾歸刻之若其江山之美丘壑之趣尚當策蹇杖枯以遊眵目以舒湮懷舉觴於簷蒲香中爲君賦之時泰定三年歲在乙丑

[illegible]祥晨正吉日謹記

重建龍王廟碑　　茶陵倪元　元人

祭法曰能禦大災則祀之嗚呼
國以民爲本民以食爲天苟風雨不調五谷不登
民之死生繫焉所謂大災者莫過於旱歟能
大災者莫過於神歟六合縣去城東北三十
曰馬頭山有龍王祠在山之巔歷有年
旱官民必禱之無不應特患禱之者誠未至乃
至正十三年秋初六合之境不雨彌月土

民病時邑侯伯[illegible]以爲己心以己[illegible][illegible]一[illegible]沐[illegible]日齋戒三之日夜半精[illegible]一[illegible]晉[illegible]上[illegible]詣祠而致禱焉是夜海無纖雲山無點靄邑侯至止時方昧爽香未焚而雲興祝讀半而陰合坐不移時風雨如注已而沛三日之甘霖回萬畝之生意邑侯乃喟然嘆曰龍之爲神其有功於民如此之博祭法曰能禦大災者其神乎非[illegible]氏祀之者當矣惜乎廟之巍巍日炙風號不

已圯壞簷楹傾頽丹采剥落若不徹而新之非所以尊嚴神像之高明仰荅神庥之景貺於是先捐已俸匠氏僝工乃命耆宿王德用督其事以十月二十一日落成殿庭崇隆棟宇雄壯揭上天之星斗俯下界之風雲吁神人今歡盛事完美苟不記其歲月則神之功於民者虛日久而不彰侯之感於神者恐歲久而不著且與後之禱者至此見之曰某年某月某日某官脩[illegible]祀祠壁歷指祝必有感而[illegible]焉祀神之一不[illegible][illegible]次

休[illegible][illegible]不忘久或木朽損斁重而修之祀神有德所[illegible]而察之豈獨為今日廟貌之奇觀實肅望神功於萬億惠澤生民之意不爽俾侯之休又與神同悠久而不斁也銘曰巍乎高扎茲山之峰肅冉斯征雲氣從龍時有亢旱變年為豐宜爾饗祀唯神有功厥廟翼翼是為神官撤而新之殿達崇崇丹青絢爛户牖玲瓏靈物響應黃甍四[illegible]達伊誰尊之縣侯之衷神功赫奕與俘孚仝休[illegible][illegible]耆宿刻石其中唯神與侯令德高隆後人

思之如水之東

六合縣重修儒學碑記

應天府六合縣縣學唐咸通中肇建於邑治東門街北光化間徙滁河之南以其地爲鹵再徙邑治之東宋治平中復徙城東百步以臨滁水後爲河漲所侵又徙城隍廟東高岡之上建炎兵燹寓縣倉東古官舍繼寓經藏廢院在遷高岡故址紹興癸丑縣令鄭縝陋其卑隘闢[illegible]廣

[illegible]歷元至

洪武初知縣寧陳榆改造歷[illegible]今一十餘年棟柱朽腐崩支綵飾漫漶不鮮正統去十年監察御史彭公勗來

勑提督直隸學校乃謀於巡撫冬官亞卿周公撤而新之規畫措置悉出於公貲費不經公帑兼資樂助鳩工集材百作具興未幾積府尹李公與諸同寅命知縣史忠古主簿宋東典史楊文聰督造功未半文聰以事去而終始漸就謹矣

欽差秋官亞卿薛公瑄監察御史孫公[illegible]劉公仁宅

前後臨視恐前功之或廢也復命今知縣事黄淵典史周紹宗專委醫學訓科孫俊督成其功以繼厥美淵俊於是殫厥心力不憚寒暑勤苦而教諭魏璜訓導陳培何瑄又各悉心贊襄再逾二年始克告成巍巍

聖殿之尊翼翼賢廡之序講肄有堂宿習有齋備聚有庫庖廚有所穆乎其靚深赫乎其顯敞聿新輪奐增宏舊規是宜神靈妥寧訓受樂業作[illegible]新文於是為成淵等以學校一新不可無[illegible]

作育於黌門之外求予言俾勒石以昭
惟學校以育才爲本而育才以德行爲先
周盛世以鄉三物教萬民教之六德六行然後
六藝先其本而後其末也故比賓興之賢
濟濟多士藹藹吉人焉
聖朝崇儒術而以文學取士然其文皆出於六經
聖賢五常之訓仁義忠信之言所謂六德六
藝之教即此而在非若唐宋詩賦之比今之
其職者切切以興學校爲務式覩盛美而凡

講求於其中者宜何如其用心哉事君必思所以極其忠事親必思所以極其孝至於夫婦兄弟朋友必思所以各致其極存之於心而不失措之於躬而弗違見之於事爲而不可奪涵養純熟習成自然充之以學問發之於文詞蓋無非六經聖賢五常之訓仁義忠信之言與成周三物之教固無以異他日出爲賓興之賢又何愧於鄉濟多士藹藹之古人哉若[illegible][illegible]剽浮靡之言僥倖科第以竊利祿又[illegible]

朝廷養賢之本意而有負於諸君子興學校之
也諸生勉乎哉後鑿之以箴曰
儒之黌　迭更廢興　其存者幾
巍巍[illegible]宏　惟聖有作　於乎清廟
惟賢有廡　赫其有耀　鼓鐘於
講肄之堂　朝詩暮書　誦聲洋洋
邃靜嘉　禮樂攸備　重觀盛
將祀事　隆師親友　是習是
也忽荒　今則進修　緇衣有

內聚攸繼　廪餼轉榮　非習之餼

皇明右文　督勵孔勤　樂育菁莪

以陶以甄　有偉名卿　克相厥事

作而新之　益振士氣　青青子衿

報稱何由　敦德礪行　不愧成器

翼翼其亭　隆隆其碑　於千[illegible]

斯文　[illegible]

[illegible]

六合縣科第題名碑記

應天府之屬邑七其五邑皆江南而吾江浦暨六合者則江之北也人才之多往往稱五邑而吾江浦自有

國朝迄于今登進士者才三人鄉貢進士亦不過二三十人而已六合亦然抑何少也世常以扶輿清淑之氣鍾而爲人故靈而吾兩邑者山窮而地僻故其人多鹵裂而不知學科第則視他邑爲獨後嗟乎此果盡然矣乎

國家三年一大比一省則合諸郡之人才其多不下數千人而得與名其選者百人而已禮部合天下之人才其多亦不下數千人而得與名其選者亦不下二三百人而已斷石以求玉而疵瑕之而必盡其良士之得由是而出者亦難矣又吾西邑之大小其視江南之五邑曾不二十之一二夫科目之嚴既如此而為吾西邑者又如此故雖家置一庠序而人人為儒服則亦不能以徧及矣以吾西邑之人為不知學而以其地

者或非也雖然人亦何病於少哉夫臯夔稷
[illegible]稷已就主孤特號稱者人固有以
少爲貴也是故舜有臣五人而天下治武王曰
予有亂臣十人五人十人亦少矣天下後世凡
稱堯舜文武之治則未有能及之者不貴於多
也魯哀公以儒號於國中無此道而爲此服者
其罪死於是人無敢儒服獨一丈夫儒服立於
公門問以國事千轉萬變而不窮是魯一人
世稱以禮義之國一儒何少於魯哉[illegible]

之人才不惟其多惟其人耳使人[illegible]一[illegible]也舜五人也武王之十人也天下無不治矣不如是雖多亦何以哉是則今吾鄉邑之人者甚少也不足憂惟其不能如所謂十人五人如所謂舜一儒者斯可憂也六合[illegible]名所關俟御陳公士賢來督南畿學政[illegible]張君佰次第其名氏于碑而求予記予來[illegible]也年陽信唐君[illegible]而復以是請予近進士三人今六人[illegible]邑之人之所以

者如此且以勵吾同志無忝天下後世得以必告爾邑之人

成化七年春三月望日

賜進士南京行人司左司副前翰林院檢討江浦莊昶撰

六合縣儒學修造記

天地間一是道之流通充塞而無間者也道者何君臣父子夫婦長幼朋友之倫日用事物當然之理是已原於降衷而具於民彛是以自古

聖君必修道以爲教而由道以出治故三代之學皆所以明人倫其以此夫然道非教不明治非道無本學校者明道之地而出治之本凡爲民牧者之所當先務者也苟不務此而曰我能勉於事功抑末矣此君子於學校之興廢可以觀人志尚之趨舍風化之美惡政治之得失焉

六合京郡之屬邑也舊有儒學正統間巡撫工部侍郎周公以殿廡卑陋請於

朝命知縣事淯川黃君淵撤而新之棟宇壯麗數[illegible]

十[illegible]天經三十年[illegible]目[illegible]成化[illegible]
年[illegible]陽信庠者命[illegible]首以興學[illegible]
而圯圯然殘缺欲葺之以歲歉民困不忍役惟獨修
其甚者而已越五載大稔明年又稔曰可以有
爲矣乃白提學侍御戴公出公帑羨餘[illegible]
材大事修葺凡殿宇門廡梁棟榱桷之[illegible]
易之陶瓦之破壞者補之黝堊之漫漶[illegible]之
墉壁之傾圮者正之以至庭陛階級甃[illegible]
今易以石兩廡內外舊皆土壤今甃以磚先是

配哲塑像剥陊加以彩繪木主樣小俱增[illegible]
漆以龍鳳飾以金碧櫺星門逼近居民房[illegible]
公命君喻民他徙酬以白金立門三其[illegible]
中稍曰泮宫始翼然即廣等牲房神厨[illegible]
更其舊講堂後堂及東西兩齋皆增爲新[illegible]堂
舊在講堂後今改作於西齋之西仍存其[illegible]
入諸所新役[illegible]之解宇三攤諸生之[illegible]
一乎[illegible]衍所斁楹於舊饌堂後學[illegible]
其[illegible]之射圃舊偃爲隘今遷於[illegible]

[illegible]舊[illegible]而新葺[illegible]賢[illegible]君[illegible]其[illegible]數[illegible]不以[illegible][illegible]葺於斯者皆償以直未嘗妄役一人至於助其勞相其成又有績於判簿陽信王君典史南昌萬君郁焉工始於今春二月而成於夏六月於是廟貌學制靡不完備巍然煥然其壯麗視前又加數倍矣儒學教諭貴溪周君鳳等以爲斯役也寔我唐君作興之功諸君匡贊之力不可無文紀之以垂不朽乃具顛末命諸生

來京以請惟夫學校之教所以明此道也縣邑之治所以行此道也故教有未明道何以行此于滁之弦歌武城所以必以歸之於學道也歟唐君儒者也其志尚所趨一以教化為先務故其治邑相與諸君尊崇學校以為師生講道之所其倫理安得而不明賢材安得而不盛風化安得而不美哉宜其持廉秉公仁民愛物有守[illegible]而得為治之道者矣故今京郡稱屬邑之以唐君為推君信有徵矣遂處紀之以

[illegible]之不知本者鮮焉

[illegible]歲次乙未仲秋吉日

賜進[illegible]通議大夫資治尹南京禮部侍郎[illegible]翰

林學士侍 文華殿講讀直東閣兼修 國史

錢塘倪謙撰

六合縣玄真觀重建殿閣法堂記

應天府屬邑曰六合即古真州之棠邑也其山

有六峰連亘蜿蜒而来鮑照所謂因迴爲高據

絕作雄者也其水自滁河縈流而出瓜埠王[illegible]

所謂合五十四流而輻輳者也夫山水清淑之所必有琳宫法宇以據其勝者豈山川美盛固有所萃亦必待人而後發舒也歟孜於玄真道觀可知矣玄真在邑治之西自兩晉唐宋以來世為香火焚修之地我

朝考求焚修之地靈勝立為叢林俾朔望良辰得揚醮禱冠蓋相承凡九十餘載矣雖弘規大範先後一然殿閣法堂幾久為風雨所浸蝕將[illegible]磚甓漫朽非力巨而志專者莫能遽就求[illegible]

有道者許拱四[illegible]道錄清微傳受其處
誠求泰以未孫觀泰字玄淵六合西里人也自
幼英偉敏悟長愛道法益加精進得三洞要訣
平居端謹素食以丹藥濟四方不求人報而人
所以得之者自無不至每遇亢旱輒消潔壇界
行道誦經躬具悃誠拜聞高厚每獲感通得霖
雨以甦枯槁六合之人敬仰道真以爲恃賴由
是囊服之盛日增月積異於衆流乃慨然嘆曰
吾之所以奉聞至道致人欽仰者祖師之力也

可不宅心締搆以答恩萬一者乎乃首捐巳財鳩工啓土創建玉皇寳閣一所於殿基之後輿以迴廊上塑昊天聖像坐鎮閣中左右侍衛儼在天表閣前爲真武殿殿前爲三清殿以祀三境天尊皆繪以丹青文綵凡幡幢護擁之儀薌花供獻之具罔不咸備又於殿閣之東新搆法堂左右有廊接以第舍以居道衆自買生銅二千餘斤陶鑄真武聖像離觀數咫建樓一所以專祀禮其所費之費一皆出於玄淵素蓄

非[illegible]公善士之所在功可謂難也已工成大公
其[illegible]戊過之見其工程浩大深加奬嘆以為衆
人之所不能為者而玄淵能之非惟道門壯觀
煥乎一新而六合山川亦皆為之出色真羽流
之宗餘而玄門之巨擘也是宜有文以示千古
一日來京師具其事之始末求予言以彰厥美
將以勒之貞石予曰然夫天下之工費莫難於
土木況廣於締構以有司之力欲有所營于持
郡檄不免傾惜況於清靜之流無為澹泊乃能

以一身之積弘建一閣二殿一堂二樓與夫傢設供具罔不備周自非與道有緣戮力教門者能如是耶故可以特書大書以示夫悠久奚役之屑屑於門道倡行於斯息於斯者皆不忍捐以之功而致景仰徵羨于無窮也歟既紀其盛又繫之于石於篇終并繫之以詩用贊[illegible]云

六峰相摩綿亘關河中有玄宮高拱峨峨[illegible]挺秀開創自古歷晉踰唐奄鎮茲土歲久[illegible]

[illegible]于[illegible]風煙[illegible]望非[illegible][illegible][illegible][illegible][illegible][illegible][illegible]
木欣和慧明敏恪[illegible][illegible][illegible][illegible][illegible][illegible][illegible][illegible][illegible][illegible]
濟人利物獲豐于貲遂嫣工[illegible][illegible][illegible][illegible][illegible][illegible]錢
何時而闢華峙次殿次堂次樓次𦼮繪[illegible]煌煌
丹青煌煌滁河以東楊子以西載瞻琳宇鳥跂
翬飛范金為爐煑銅為像載瞻帝[illegible]孰不皈向
昭昭大尹來覩厥成不泯勞勩徵文表靈自然
之真天作之合與道長存永光茲邑
賜進士朝議大夫南京國子監祭酒前翰林侍講同

修　國史兼　經筵官吳節撰

六合縣社學碑記

君國子民者必以教學爲先故三代盛時皆立大小學以教民焉洪惟我太祖高皇帝奄有萬方法古圖治故既立儒學於郡邑以擬古之大學復立社學於鄉閭以擬古之小學制度教法悉遵古道是以民皆革心從化風俗丕變此聖朝所以比隆三代而非近古之所能及也欽[illegible]

[illegible]下詔邑守令鮮[illegible]
者十八九矣應天六合固畿內[illegible]社學者[illegible]無廢
所民鮮知學蓋闕典也成化五年山東陽信曾
君韶來令斯邑歷任數年百廢具舉尤注意於
學校既脩緝大學煥然一新復立社學於縣東
隙地創立堂宇堊飾四壁黝飾兩楹周圍繚以
高垣使絕喧囂門罪道塗靡不具備且費不及
[illegible]選廉民子弟以充生徒招延學行可爲師範
者教之定立學規嚴加程督隨其人賢愚皆

進益邁儒學增廨員欽則選其聰俊可教者
之至於鄉都莫不有學有師以教誨焉由是
夫野叟之子弟亦多頗諳字書粗知理義
乎
學朝德化之被故絃歌之聲達乎四境洋洋盈耳猗
歟盛哉於戲
爲國家需賢以圖治而賢由學校出是故自帝王之
天下未有不興學校而克致風俗之美人
者也然學校廢興人材盛衰又皆由乎

[illegible]賢者即六合一邑觀之槩可見矣然則往[illegible]

[illegible]小補扎故因唐君之[illegible]爲

縣來司民社者勸於是[illegible]

成化十一年十月吉旦

賜進士前翰林庶吉士河南道監察御史熊[illegible]

撰

貞晦先生記

有唐貞晦先生廣陵郡棠邑鄉陳君迪曰默[illegible]

年七十有一遊不出鄉老終厥命嗚呼至哉先

生學逾賢之道據不仕之貴貧不稱之名達人覩焉斯亦極矣予貞元中寓居是邑言歸京國道出其鄉始見一鄉之人義子孝孫長惠幼恭不聞爭忿之聲不見傲慢之容雍雍穆穆甚足樂也因揣嘆曰此鄉之人豈必盡仁必有賢者生於是遂停車訪故老果曰吾里有陳融者孝慈仁信惇學不仕鄉人見之皆欲遷善遂罷亦不知其所以然也今也則亡清風猶在予於是憫然痛先生純德至行沉落光耀官缺旌表之

諸□□□□歲之文□知尚不書我執直殺汾考□銘
檢德謙□□□□嶼先生徵其行實遂石于□川□
將表之存□□□云貞元五年秋八月□□□流

按此文據嘉定志云
過云與成化志少異

盤城先生郭淵哀詞

郭淵字巨川六人唐汾陽王子儀裔也宋季群盜起淵聚族共保若一障曰蔡堡六人依爲天下已定民爲占籍吏撓之民見縣有爲丞相奴名者無敢呵相教爲丞相奴淵謂民賊王民也

奴重人奴也使世世爲人奴與王民孰愈民愧而止復劇吏吏用休息旣而奴客困皆來謝曰歲居幾不免大德末淮大饑淵作饘粥食之生者甚衆是時人多鬻子自救淵取困甚者假予養之十餘年皆爲娶婦居數載大穰一朝縱之曰若事吾良苦及吾時歸毋久留爲之皆流涕曰公生我今驅我安之願留終公身淵曰此恩後吾子孫不省事將以爲奴卒縱之有[illegible]爾家者已醉而出遺所賫金千門淵遮[illegible]

侯之明日遺金人從西家求金西家誠不知怒以[illegible]拘求之急西家怒益閑其人困則欲自刎才[illegible]淵聞之遽出呼其人與其所遺金人皆驚始信蔡堡群少年共刼一人將殺之淵呵曰此何罪至殺群少年曰疑徃伺爲諜而將襲我故殺之耳曰吾所爲相保以生誠惡死也今疑而殺人禍將及少年怒淵私計奪之力且追殺之乃曰吾代之贖何如群少年喜遂免之後至㪇昇市中有戴粗粄盤鬻於市者遇淵置戴盤叩

頭泣曰今日遇公天也幸臨過我我有母皆願見公謝淵故辭假以爲誤去之市上老人[illegible]曰世稱長者此真是耶初六界北邊民習兵[illegible]文淵與父諗以詩書俎豆爲業人慕之多化者至今六多儒淵既卒諡曰盤城先生其孫[illegible]言[illegible]李孝先所作墓文請濂哀以詞濂求及爲言[illegible]死豫章可悲也始言與濂游語及當世[illegible]齒語皆驚人聽者掩耳避去及操筆[illegible]海蜃吐樓而芝爆翠葦隱見玄濛閒可怖可愕

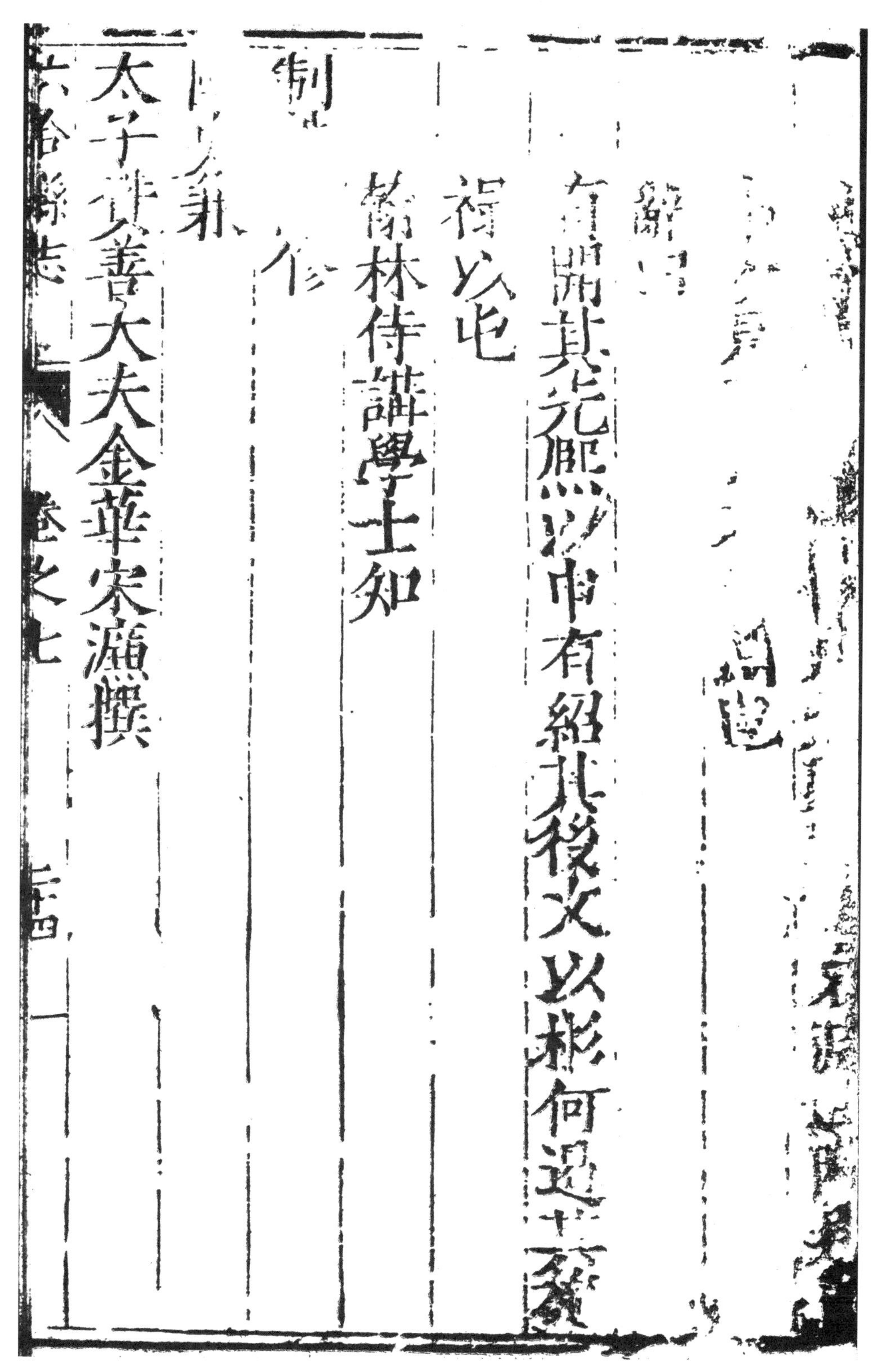

辭

有開其先熙以申有紹其後文以彬何迺十蕃

褐以邑

翰林侍講學士知

制誥修

國史兼

太子贊善大夫金華宋濂撰

六合縣志序

郡邑之有志猶國有史也史書天下之政志書一邑之政二者雖有小大之殊其記事紀言則一而已曩者予以史職改官南京謁今大理卿夏公於太常時公與博士方公者方修太常志書予得而讀之見其所載其少卿者死節洪武末時其事甚備蓋非公則將終於泯沒而已予遂以爲

上命予既不足以展然文不足洪然以退[illegible]

紛□□□用心苟得從夏公後修所□□□□
家□□□滁邑志其或得載如太常某者亦□□
道□爲無補而吾素發之譏亦可以少逭矣求
幾□老父母俱病大故荐罹痛入心髓自□
暇而況有及於是乎予時未嘗不羨夏公之得
以從容文字而嘆予之迂拙也今年夏秋官主
事六合鄭公過予請序所謂六合志者予叅以
爲未暇未從也既而公之子時泰暨國子生孫
□輔者以太尹□君之命來請且持一帙示予

金六合志已其間所書風俗人物善惡褒貶冊不可觀蓋編集於□□經先生校正於周先生筆削於公而綜理裁酌以成於唐君者子於是文不能不為諸公叅纂而益以迂拙自咲也夫古之人不得以行於時者必有所著述以垂訓於後世如孔子之刪詩書定禮樂贊周易修春秋是已豈獨孔子然哉下至於司馬遷劉向賈誼之徒亦各以其説自表見於時以垂於□自汩沒也今之人何所希及惟古聖賢人□□

予於一志之成也將以示於今人之不暇而況繼
有以及於古之人哉予益重可嘆也唐君敏學
人帙已告訖工而亟請予文夫予雖朽鈍無補
□亦不知所以自訟者乎遂敢僭書於此以識
首簡

成化十二年丙申十一月朔

賜進士南京行人司左司副前翰林檢討江浦莊昶
書

六合縣志後序

古者列國皆有史以紀國政文獻有足徵者至秦郡縣天下而漢始有地理郡國志所以辨土疆陳職貢同貫利彰人文凡事無鉅細無古今皆在所登載也後世郡邑志書蓋[illegible][illegible]此歟其爲志者必也洽誦訓之制遵[illegible][illegible][illegible]使統紀相承名實不爽夫然後可以質前聞而無疑屬稽猶而無識也予六合舊有志存亦多々散佚不存間有一二蠹蝕之殘編蓋得之[illegible][illegible]漫[illegible][illegible]中闕絶之餘或得此而失彼或缺[illegible][illegible]

民賢哉舉其略而逸其詳卒無完書以示於則
於時物之全誠缺典也成化己丑陽信康
當令合邑下車之初深致意於是顧[illegible]
先務之急靡暇及也又明年十八通人也
舉乃聊致仕李先生韶之於公授以舊志欲令
參輯先生直任之而不辭遂斟酌舊典採擷新
聞芟繁而取要因畧以致詳門分彙別詮次成
編中間不無魯魚亥豕之處又得儒學黃教周
先生爲之校讎焉然後是書愈爲明備而無復遺

憾也侯以予爲進士時嘗參
採江西輿地志恐亦知其端緒仍之再加隱括蕪
以後所見屬予年邁才盡不能著喙於其間而
方則不敢辭也嗚呼文獻不足徵則採擇不備
去取不精無以取信於世非爲政得人則倚道
不篤見義不爲不能圖傳於後今是志也
主之纂述而燦然以明得唐侯之勸有成矣然
以傳信所謂文獻足徵而人存政舉者也
[illegible]則其意篤[illegible]

[illegible]慕於遠近見者取而倣之則於一邑之[illegible]

民物雅俗古今興替究然在目使少暇[illegible]遊人[illegible]

[illegible]風俗之媺治化之隆與章文物之盛人[illegible]

[illegible]之實後之人或有考焉亦可無文獻不足徵

之歎況資之以廣見聞以充知識又取[illegible]之

誠意以為治身守官之法則是書之於政教豈

小補哉唐侯於一邑之志者其用心之周密且

如此則於一邑之民不言可知觀其當道文章

之薦

朝廷之與異之及於是益可信矣侯之政績昭灼在人之耳目猶猶不足於盈也以之登入名宦[illegible][illegible]操循吏之實深有望於後之君子也

成化十二年九月朔旦

賜進士第秋官主事邑人[illegible][illegible]序

六合縣儒學記

六合之學敝久矣師生因仍以苟且歲月者若無睹也故廢日甚正德甲戌縣君安[illegible]

是役既和緝其[illegible]如議拓而新之繼時[illegible]議甚
芮氏方泉就圯今日夜砥新之今尹因謂
曰予爲我造工而講肆無所斯吾責其何敢不
力頹垣荒之餘民不可重困吾姑日緝月累而
徐圖焉其可乎民間相謂曰學諭方急訓吾子
弟無學居尹不忍困吾民而躬苦節省吾俸[illegible]
坐視非人也於是耆民李崇憲首出白金以倡
從而應者相繼不終日聚金五百以告於尹尹
喜曰予民尚義若此吾事不難辦矣然吾職務

樹孰可使以鳩吾工者乎學諭曰尹爲吾師生甚勞苦父老奮義捐金既資其財又盡其力丙與一二僚請無妨教事以敦民間相謂曰尹不忍困吾民學諭方急訓吾子弟又不忍吾勞而[illegible]重一吾儕獨坐視非人也於是耆民王彰陳許珮前請任其役從而應者十夫以學[illegible]君嘗曰吾民尚義若此吾事不難辦矣[illegible]史張君適至聞其事而嘉歎之衆益趨以[illegible]月辛卯尹乃興事學諭經度規劃以[illegible]

太湖之郭仁慈典吏鍾相察其惰勤稽其出納修大成殿修兩廡神廚庫前為戟門又前為欞星門又前為泮宮坊皆以石殿後為明倫堂為東西齋又後為穿堂會講堂又後為尊經閣明倫之左為三廨以宅三師前區三圃圃前為名宦祠又前為鄉賢祠又前為崇文倉明倫之右為致齋所又右為饌堂又右為射圃而亭其圃之北曰觀德致齋之前為宰牲所又前為六號凡為屋百九十有七楹十二月丁巳工告畢役未

逾時也閭閈之民尚或未知有興作聞而來聚觀者皆相顧錯愕以為是何神速爾是何井井爾煥煥爾庠生鄭泰李崑等若干人撰序其事來請予記予曰甚哉誠之易以感民也甚哉民之易以誠感也有司者賦民奉國鞭笞累縶不能得則反仇讎視之今縣尹學諭一言而民之應之若響使天下之為有司學職者咸若是天下其有不治乎此可以為天下之為有司學職者倡矣民之愛其財與力至競刀錐斬[illegible][illegible][illegible]

[illegible]而不[illegible]感[illegible]
道[illegible]十[illegible]令[illegible]功[illegible]此[illegible]以天下[illegible]
[illegible]有感若是天下其有不洽[illegible]
民俗矣夫民蔽於欲而厚於和[illegible]
然且不憚費己之財勞己之力以共其上[illegible]
欲爲士務於民而志於道修其明德新民[illegible]
以應邦家之求固不必費財勞力而可能也[illegible]
有以感之有不翕然而興者乎吾聞[illegible]
六合不數月而士習已爲之一變使由此而

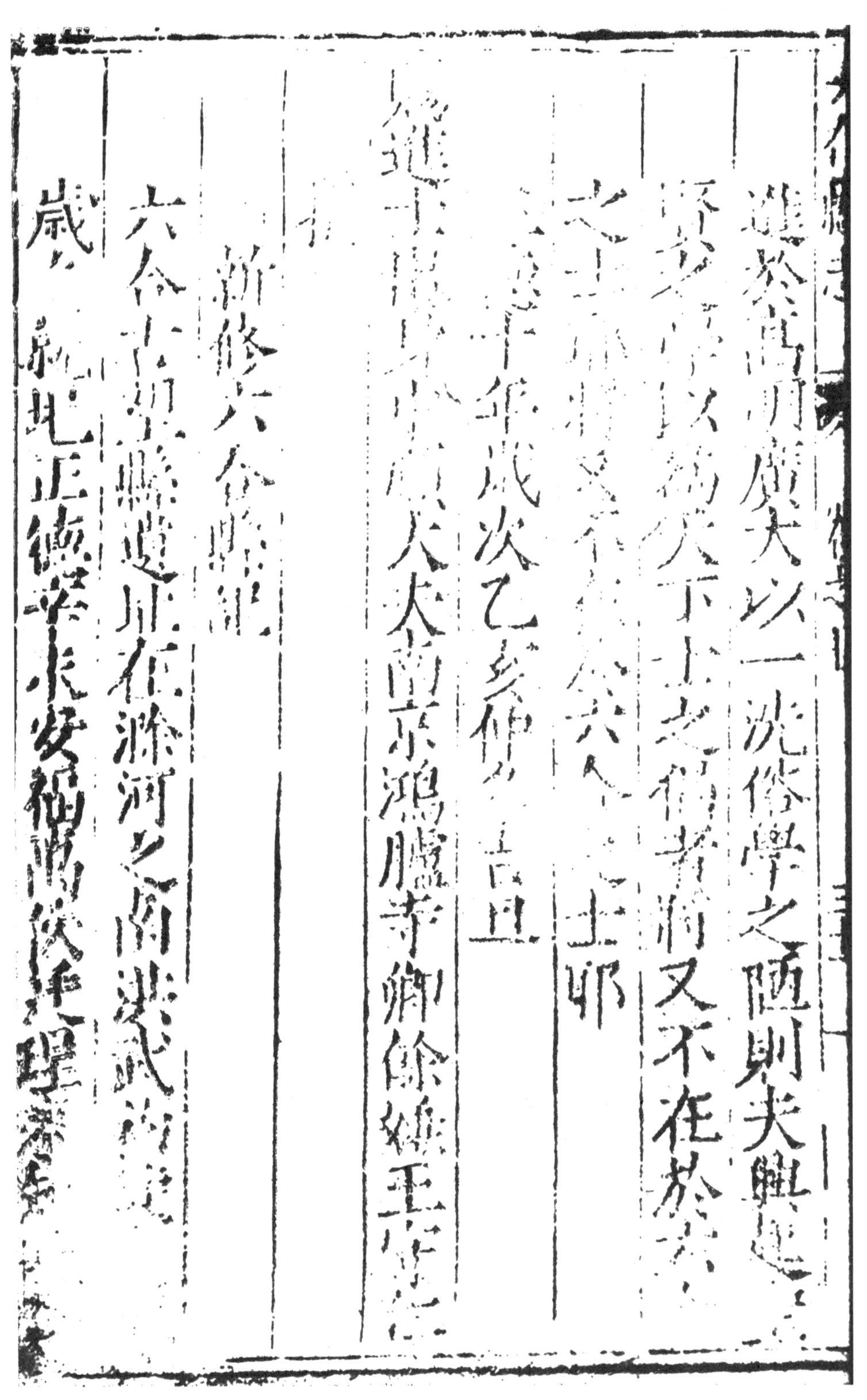

進於古則庶乎以一洗俗學之陋則夫輿地之志
學者亦以為天下之要務而又不在於六
合之士亦將有以發於六合之士耶
萬曆三年歲次乙亥仲冬吉旦
賜進士出身中憲大夫南京鴻臚寺卿餘姚玉峯史
撰

新修六合縣志

六合古棠縣遺址在滁河之南洪武初遷
歲久縣北正德癸未永安福州徐手理縣事

議首葺之顧儒學亦圮[illegible]逮乙亥秋七月風雨驟作廳事阽危屬江浦[illegible]巨稱一葺滕梳材者入縣游得者以獻侯喜曰吾方欲[illegible]葺乃爾陰其有札子者乎遂自當道得報取官隙地令富民得出貲以佃尚義者又樂爲之助爰率幕寮鍾相衆邑民陳謨等相與營治之亦甃甓爲大門構譙樓于上高約三十餘尺周五倍之傍挾以大序進十四步爲儀門又進三十八步爲廳幕次

庫貯版于二庫之旁凡若干楹穿堂亘其中退省堂
横其後翼以側房各二藏籍册也兩廡爲楹十
四胥役也旌善申明二亭𩰚拱大門之外神
祠獄二區屹峙儀門之左右僉曰完矣侯曰
官斯若胥宜有棲焉爾堂後基置官廨二廡北
列吏舍二十七又瓶厰棟十有三工展力民忘
勞五閱月而告成適
召進主留都比部事瀕行衆德之泣曰吾侯挽不獲
矣[illegible]爵覿兹邑愬平或曰情隨事遷兹保[illegible]

無繇記譜石之[illegible]而有孝[illegible]
翻詳譜諸文之繇龜世安知無以事者廣矣
於[illegible]邑尹徐君丙朗而定之詠曰率諸生從而
往拜令來請記夫易慎動必無咎可不慎[illegible]
誌[illegible]分職各有所自省部寺監暨百司府[illegible]
振圮內得　請始事外祇遣監司得[illegible]以
嫌沮傳金而視固也浚民自封迷恐罹于[illegible]者
宜也汲汲有衆弗恊無亦動而昧於時之[illegible]
于亦無取焉侯令茲五祀矣廢以次興人神[illegible]

贊[illegible]舉信貞吉罔咎矣曰求終譽抑娛諸衆[illegible]之同志也倘究觀前迹恒嗣而葺之牧[illegible]是以求焉夫盍早拓臨將以勦強字弱也閫內綏外將以摘伏禁慝也朴而匪華而靡奢將以攄貫決傍也遊于樹以[illegible]思致桑麻之捻歌[illegible]烏爰止求厝老倪之安集凉軒燠室覺片霞上烝者居多雨㘰風無熱寸阜下乏者容有朝而[illegible]溢于茲夕而退休處于茲爾日夜心思[illegible][illegible]修庭戶之間而覯絃誦于百[illegible]

然則[illegible]所謂信于邑乎在而亦侯之志庶
至望也夫[illegible]無待于此至所以轉移變
動之機哉嘗見賂前邁不重有感發于侯者哉
於以見侯之譽維令且永有攸遂而邑人之思
足恃以不忘者蓋有不待形而自固者存也然
存者顧恃形以爲固抑惑也予病倦屬文且非
其人辭弗獲而竟志[illegible]所俾觀者其有激也
正德丙子正月吉南京太僕寺卿武陵楊褫撰

六合何尹去思碑

朝廷分官列職蒞務掄材選良以布遐邇以守令為近民重得民心其選為尤重令為守所轄孚洽振刷以獲上下而効位司其職為尤難周有縣正春秋有邑長秦為縣令漢因之矣唐有知縣之名宋以朝臣出為知縣思慎縣務選士朝行蓋亦重難之也是故服役樂業謂順歡欣交通謂和貴德知耻謂正順和正謂得其心也是故臨之則帖淪之則煦去之則思詠爲求之以志帝志寔維在人而已南京兆之六合邑小而四

通[illegible]以[illegible]陰陽沴靡定易以之環遶大江群
[illegible]以[illegible]或[illegible]嘗恐無所於需之則輸
[illegible]無以逭咎多姦多慮四人靡寧蒞是
者舞以恒狀去順德何君宏來星出星入勉意
爬梳鴻細畢舉論匿使歸童昏以熙橋梁弗征
舊刻新便蓄儲荒政也息暴横以緩徵納不干
虐營夫役頻繁歷門自助館舍傾圮葺理有方
作士氣清圓扉凡可以利濟人者皆究心也夫
本之以内美防順志虔無蕩心加之以精敏分

析磨勘無怨心清勤修飭業履嵓確無赦心順和正是以有民心也靜而不擾俗而寡之凌宕若無赦跳躑下蒙仁上聞恩是歲八月徵之行以大其柄君行速民莫之留竟得靴而藏之爲[illegible]愛追去後又從而言之靴之爲物歲久易壞其舊不求諸不朽者以析厚須乃相率而告諸縣贊宋君元朝曰願有以成之以畢羣心宋君於予爲舊誼嘗與予道何君之事遂欲予文之石予惟以爲官得民心爲

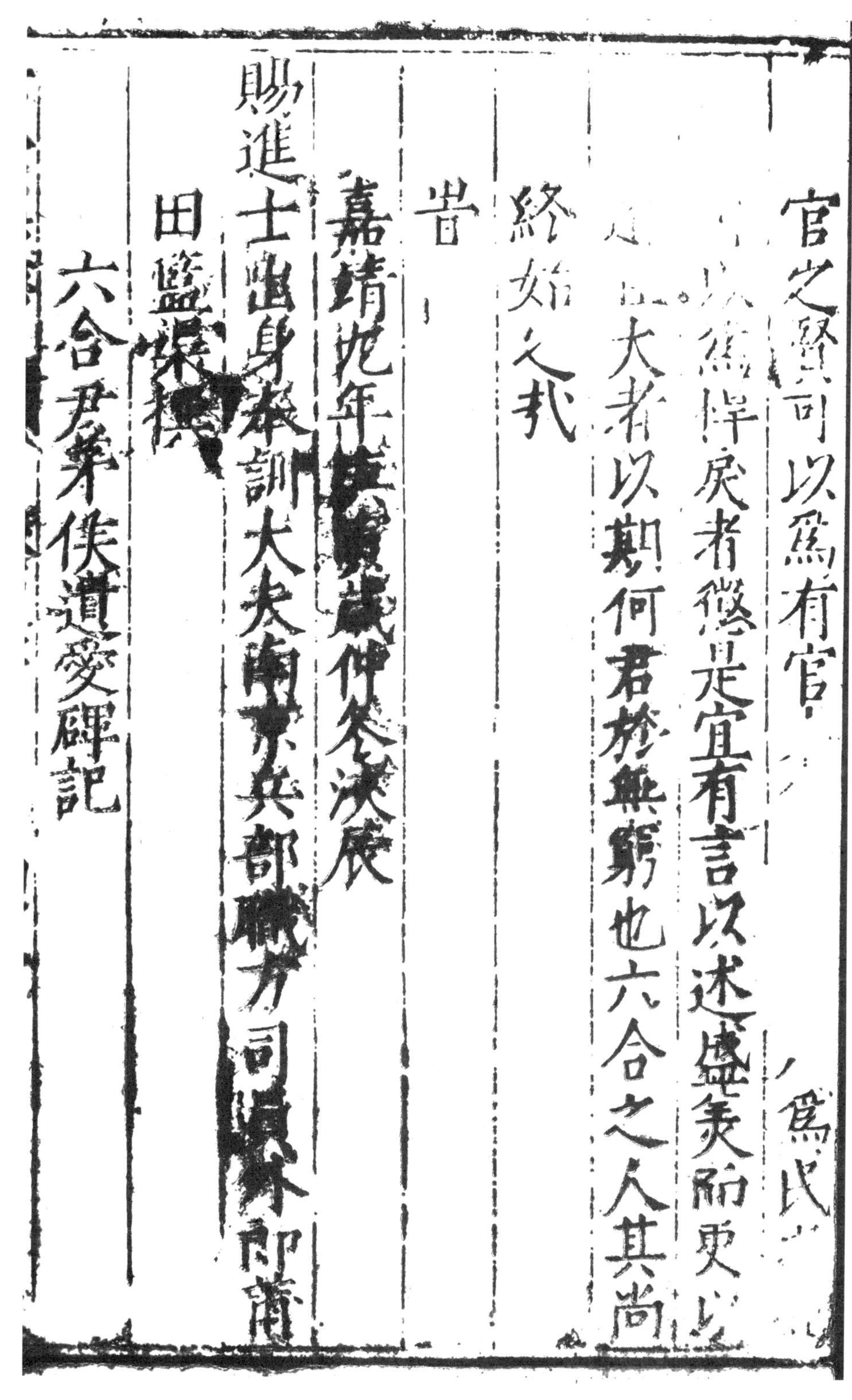

官之賢可以爲有官[illegible]爲民[illegible]
[illegible]以爲悍戾者懲是宜有言以述盛美而更以
遠[illegible]大者以期何君於無窮也六合之人其尚
終始之哉
昔
嘉靖九年庚寅歲仲冬決辰
賜進士出身奉訓大夫南京兵部職方司員外郎蕭
田鹽溪撰

六合君筆侯遺愛碑記

六合古棠邑今爲應天府屬號爲[illegible]治[illegible]嘉靖庚
寅奚侯以進士來知是邑越五年政成惠洽
天子聞其賢徵爲刑部主事其行也邑父老卧轍攀
轅留之而不可得則乃相與謀曰盍以報侯之德
惟昌順德何侯有惠於我其去也我爲[illegible]
政[illegible]茅侯繼之政與之同我亦俾之以無
侯之德也不亦可乎議既當[illegible]合則乃[illegible]
族宋元朝元朝于嫺也乃爲[illegible]
之來謁文于周之曰爾侯之

昔齊[illegible]之[illegible]

則皆頓首[illegible]侯[illegible]也[illegible]

乃無[illegible]法無私[illegible]而[illegible]今其

言徐以片語折之人服其公不煩笞撻而

吾黟吏及民不師化者則必寘之法未嘗

也邑當孔道疲供億久矣自侯之來所傳

之供十損三四費為遞減而民不知勞凡

役視產高下為差皆侯親為序次吏無所售其

奸常賦之供歲有定額而巧取者加耗或至倍

荒則每戶先給片楮明諭某戶應輸正耗若干實乃不受詭輸者頓首侯居官廉俸貲之外毫不取民有罪當罰鍰者則令其入粟于廩積至二萬斛歲凶則散之民賴活者甚衆創學宮廣爲修葺嗣後稍暇輒詣學宮爲諸生解析經義此皆侯善政之大者其細者雖更僕不能盡也故曰我侯之來也其在野無惰農士知勸學歲雖時豐風淳俗美已無寇攘民鮮流徙此其我侯之賜也若夫[illegible]之何其[illegible]

嘆乃喜執茅侯之爲政也夫侯之所爲皆其職分所當爲者非有所加也然世之爲政者不能人人如侯則侯爲是多矣夫不爲侯則亦已矣乃或淫而刑焉濫而罰焉仰拾俯攫唯恐利不盈橐焉則乃民之大蠹也嗚呼民亦惡用若是者爲之令執其去也民亦有思慕之如茅侯者乎若侯者殆今之良吏乎予方慨近世吏治之鮮循而喜侯之事有足爲勸者故樂爲之記既以慰邑人之思且告夫爲政者侯名寧字治卿

山陰世家云

嘉靖乙未歲秋九月

賜進士出身嘉議大夫南京禮部右侍郎莆陽林文俊撰

六合縣重修儒學記

六合縣儒學舊置在縣西宋紹興間移置縣東墅于大尋復故址入

國朝以來興廢者亦屢矣正德甲戌縣令萬相呈與諭徐君丙嘗修葺之陽明王先生為之

[illegible]比有經[illegible]
[illegible]王寮乃嘉靖庚戌陽信董君邦政來
知縣事始視學旣憮然曰吾事也而恭政[illegible]人
和乃白于督學侍御鄧巖黃君下其議于京兆
尹僉謂須若干金將復中止董君毅然曰吾爲
令而學校弗修何以令爲乃捻俸䝉羨金若
干請于上可之卽日鳩工聚材凡榱宇楹桷之
朽蠹者瓦甓墻垣之頹敗者悉撤而新之規制
未備者增益之爲以尊經閣爲

敬一亭伐石以勒
碑[illegible]以宰牲所爲　啓聖祠限於地也入學門數武
爲奎壁樓以壯形勢其他師生廨宇齋舍畧如
法而[illegible]修[illegible]所觀矣經始　於辛亥十月迄工於明
年四月計所費金爲　有　殆七百有奇止動官
銀若干餘皆[illegible]力應[illegible]　衆之勸諭成服[illegible]
贖皆令躬自輸作而官爲督之出入有徵而不
敢非議公無所費而民不妄取君子謂斯舉蓋
心存[illegible]壽十定以懋之也惟其庠生[illegible]

□科舉來古未有為記余惟天下之事惟盡心而已詩云秉心塞淵騋牝三千牧尚然況為政乎然政與學一也盡心以為政則為治盡心以為學則為真儒以言乎體則盡心知性而知天以言乎用則盡人之性盡物之性以至於參天地贊化育皆不外乎吾心而已心之外固無學也學之外固無政也是則有司之所脩者修其在外之學以為士子術藝之所□所修者修其在內之學以為國家致用之具盡

圻有責焉耳矣六合爲畿輔鉅邑長江繞其襟帶左右山川之秀鍾而爲人代有名世之士出乎其間者若徒爲取科第爲華要之計而已吾特假此以爲出身之地也[illegible]修學之意荒矣蓋於余同年進士大參瑺之子孟能世其學者今宰今[illegible][illegible]務凡舉芳聲四馳修學其一節云是役也[illegible][illegible][illegible]郭襄司訓徐[illegible][illegible]何佳寔襄厥成[illegible][illegible]所官寮銑則董其事者法得附書

旹

[illegible]十一月望日

賜進士出身資政大夫兩京刑部尚書吳興顧應

祥撰

六合縣君省餘董公去思碑

隆慶己巳四月繼君省餘董公奉

明天子命父母我邦敷政宜民澤流啟溢元臣疏薦

當路交推會[illegible]有限大條普施宇內額[illegible]

好雅志乞休予[illegible]解綬即趨來[illegible]

寓符什器賜貽悉置弗攜飄然而歸凡我耆倪

攀轅遮憝擎禱失怙恃追之隣郡環之城[illegible]莫
賑留爰祈禱影爲畫像作頌奉容懸[illegible]
恩[illegible]感戴思之[illegible]乃代琛陳績詞察爲記
[illegible]賽隸輩倪丹[illegible]言曰得人維公知公維
子[illegible]令先君尹臨朐公爲傳清白今日之事子
盍記諸遂不可違[illegible]政有幾幾歸思戢君
恩也于去位不于蒞官于明農不于遷秩于金
石永被不于口耳僅聞休茲勒銘覩治覩俗尚
亦有賴於公寔心平恕砥節貞[illegible]性斂而[illegible]

寵宏而奉約单車之任鼎[illegible]
[illegible]入成坐體親則觳為告帝者[illegible]
戚軫念膏肓剏鐫戒石持氷蘗絶色宜[illegible]
賂咸充積貯市廛里甲不染纖毫經費百需無
內外無鉅細恒貲常祿祿貲不給往往取盈于
家所埋蓄八十金土物稱是刷卷公罰故事坐
在官者特出私帑左右止之不聽杖繫嚴經[illegible]
賜終歲帀須弟于員深懼乾沒詐司[illegible]仙[illegible]
自持無贍僕人燃燈毋行車以為常我本

□輔行衛冠蓋相望惟痛省供億未嘗損下媚人間有踰分僞儒折夫覬餉任怨峻辭用是謗讟聲寢稀齊應支寢節視昔倍蓰作人歎惆瘵乃身躬任信義父老日親饋饗儼然相與屈盡饋儀勸輸興發出穀而賑以萬計設廒與飼而活各以千計勘洲而得捐租滲凡四百有奇勘屯而得淮災衛凡三十有奇周急而繼苞廩士凡二十有奇甚至薄賦緩征鮮衣極瀙逋楷擾完類非世吏所能辦皆稽社粟講民瘼[illegible]業利

源建白惟久□□龍津之閘昇截然江浦之道
任許嚴運河
□□捐貲濬泮既作祠興砟刻公移頌在他碁
□森格夜禁嚴練閱勤騶從減飲膳悉擇雅然
惟獨收停子稅干請拒力役紓莫非便於民念
民有放造庭隨剌是非令之講解一笞不妄□
紙不科堂無□置無呼無勾攝獄無淹滯廉能全
邑不遠千里皆來質成平反息爭直欲庶于止
辟尤仰承

制伎恪服
德綱弁穎孝友世家章察累業樹風聲而悍人紀君
子亟以知務稱之跡公伇行大都應匪懈仁匪
悸勤匪懈明匪徼公慎而匪夸毗節愛其紀元
元自不忍釋傳云所居民富所去見思者公其
有焉夫惜公之去在民繫民之思在公治嘉從
徵三代直道徵茲自今思視豐碑永世無斁歷
恕來牧開觀風傳列秉筆足詔不朽獨思公也
[illegible]哉公名潤字濟時世為東魯濟寧望族

[illegible]隋癸卯鄉縣[illegible]文不詳[illegible]

[illegible]伯鏡諸左敘爲記以[illegible]請[illegible]

詩詩曰　維棟孔峻維惠孔長[illegible]

湯湯公去民思水流山峙流峙[illegible]

直述口碑僉歸稗史自史識之[illegible]止

隆慶壬申秋八月甲子邑人陸察撰

新建文昌祠記

予昔會試北上燕于潘宗伯水簾公之第閣公

具述文昌星燦爛威陟心竊異之比校六合學

接鄉宦師生數言六當作新文運什甲斯與予輒隨其所欲而致力焉僉謂治北水龍宜續氣脉而祠文昌於是剗阜以陸其河又橋以階其石築構墁埴以成其布六之人樂事赴工計時就緒擇以元戴三月之吉爰貫相司禄諸星之宮清景出闕紫霞漲空上薰下畢巍若錦幛予與邑博英侯桑侯盧侯及費庠諸生停杯象色既而相與縱御嘯豎未待予鮮[illegible]倡似之于吉之宮賞眺[illegible]

嶷然而起取特立也環其外者堵截然而壁壘首之也踞其後者稍頽然而稜取登我也過其前萬備隆然而備取柱棟也簷階其椅為主人之列閉扃書金為第宅之表鄉離出坎以作庥明實桐虛地以發廣大為毘業之占由此蒙後星羅宇內上應天文為宗伯公席上爾述之驗則予與文星胥有光矣三師聞之命諸生前逕而謝欲予紀諸誌中予愧非能文者因次其所答述以記歲月而俟諸後云

萬曆元年三月上澣吉旦知應天府六合縣事

臨海桐栢李箴撰

新遷應天府六合縣儒學記

隆慶壬申予典京兆事屬下六合諸生以遷學請于予以振文運予悼民勤財匱煩難之既而檄郡籍得二百金先樂資之以倡其工宰邑赤城李子箴復請大臺天使輿出俸資得數百金又多助之以就其緒而予適奉

命撫浙將祖道門學諭錢塘吳子邦學訓寧州

丁羨東昌盧子文衢上南都求予文勒之貞珉予弗遑若其志三子遂颺言于庭曰以明道者惟學校以載道者惟文章以行道者惟賢哲倚其地而不得於詞則不彰得其詞而不得於人則不傳今幸在上一行道家志咸趨是以遇之也奇而求之也切奈何其拒而弗若也予應之曰予天性亢直與世俗不相比乃請以予之文治於世乎然情諒諭訓之求義關長吏之重上既成矣心既慰愜矣予又安得以予之不[illegible]於言

乎予按六合誌嘗載科第與其忠賢無之白近年始夫文運由于天而文行由于人今有家世華戶不扃筴蓋不驕姓字人所不識惟以行與天合天爲之躋仕極位或生才子出傳名臣固何限也又有席寵素封貽儋脂肰莫解恃浴有鄰詒狀遂性積非天厭之以鄙獲戾又何限也夫天運人事相爲循環傳闔宇內多以一人與一家始一代者寧有庶士之文行交修而[illegible]天下[illegible]之師者[illegible]

人以知衆觀一家以知邑觀一代以知無窮者自今修之則出爲忠烈縉紳可祀於
國入爲端厚鄉先生可祀於郡者亦自今有之而已又何必啚青紫之華多祿食之奉而戀戀然志
溫飽也哉諭訓三子闡以爲然稱服唯謹遂命
書之以記諸石
隆慶六年春王正月下澣穀旦
賜進士出身授通奉大夫奉
勑提督軍務巡撫浙江等處地方都察院右副都御

史東泉鄔璉撰

新遷六合縣儒學記

予君合以學古入官爲志辛未會試後乃授今

官至郎拜

文廟登明倫堂與諸生稽古論學率歡躍有嚮進

心惟言及學宮則僉患偏邪無以稱崇祀

聖師作新士類之意惓惓欲予徙之予聞南昌裴

侯先倡其議繼至武林吳侯東昌盧侯復

舉於是首自縣中捐貲措置規制乃[illegible]基

本頁原闕字，現據臺灣『中央圖書館』藏本校補。

錫稽師弟子之資處閭里富家之助治克從
稽安神人□□□□□皆所未歸漸次以成元歲二月
丁巳六祭從欞星門左而入見神闈宏哉聖道
比夷又從儀門左而入見
文廟聖師四配十哲如在其上兩廡先賢大儒如
在其左右儼然而望之曰奕哉芊乎可以祀矣
事竣由廟庭之西入闕門之路而後登於堂見
鍾鼓傍懸案座咼列階級周正廨舍比聯井然
而旅之曰翼哉將乎可以教矣予又出而見大

本頁原闕字，現據臺灣『中央圖書館』藏本校補。

士宿有齋序號有房敬一有亭尊經有明倫堂禮門有樓陶然而樂之曰曼哉敞乎可以[illegible]矣於是師長率諸生揖而送予予與諸生語曰是校也其無忘改倡之意也哉序祀所以明有報也用教所以明有施也序學所以明有行也崇報之誠可進于禮順施之化可進于仁力行之效可進于智由是集學校居鄉里則稱曰孝子曰悌弟曰庶士曰義夫取科第服休采則稱曰正色立朝曰盡忠報國曰伏節死義曰託[illegible]

諫鏁與日月爭光可也又何忝於聖賢[illegible]
所學而提調與師長亦何不困之而求益哉
諸生復強予記其言予謂記宮室以壯麗一時
記學校以昭示萬世故亦陶成之豪不忘學古
之功讀是記者宜惕是心毋徒曰華葉爲可玩
云

隆慶壬申正月上日知六合縣事臨海李箴書

六合縣靈巖塔碑

國於金陵之西北百三十里曰六合朕江咽河

祈蔽舊畿去治所若干里丁水東溜一山環之名曰靈巖其上傳有鳳凰[illegible]值月鹿跑龍池峰格之勝甲江東西形家謂其位巽方其像文明使山能言能衍塔之植也不俟今矣維邑實罷瘠十户告欲後先茲土建除爲責厥有廬陵蕭令公白意赤躬斥羨勸輸廢財鳩工始於事而諧庶子來不月之會規始一階維任生忌忌生口官之方簣乃執其咎令既徙只耄倪啼只釁田市旅百務傾圯後之嗣者毋寧羨是吹噂沓

以動易身以民雖有亮烈其能不噉際及我長公來自新喻世受太史之鴻緒焉意人文交餒思餔爰庭父老嘅然身曰此壘者土九仞而嘶前事弗終後人之恥晏諮之音烏足以函所人仔肩圓其頂者山靈是矣乃召役夫鼛鼓淨運擿板登登削棊冏同始之以培埴卒之以豐隆曾不市朞飛甍絕栢承霤榱室告成之屐若木揚鬐紫霞射紅諸父老洎文學博顏而言誰始始詐終終前有廬陵後有新喻唯我二大夫之

功自玆以還山崔嵬以如矗水瀰迆而不瀉風氣抱固阜壤沃野士生其中英明贍雅流邵鼓闡載於天下斯亦天地山川公侯兆庶共造以有成者於是邑廩生孫國光越江而來任石言於宣城舊史史實有慨於中太息言曰國家興廢之故豈不以人哉得其人千百年未有之利益可一朝舉也千百年莫已之疾青可一朝洗也沓沓壘壘精身家子孫之畫國之朝夕民之絲粟慮不屬於心目何以綰尊綬而靡肥穢

為宣有良郡地豪宗敗之不封而用代往代未易更其末之許也舉千年之闕軼垂萬載之應備天贈昌鼇地薦言塏人奏協類聚于一代大明之治不亦偉乎蕭公名象烈甲辰進士令為南刑部主事張公名啟宗與蕭同舉江西庚子後先為令成茲塔若設之緣十年樓募最勞勸者邑人陸守信督工許堅許鉞賈芳汪坦吳承祖沈孚熊部王化舊吏氏本其首末韻次之付之孫生樹之靈巖之巔

萬曆四十三年歲乙在卯孟秋上浣之吉

賜進士及第南京國子監祭酒左右春坊庶子諭德

中允兼翰林院侍讀編修記注

起居撰述

制誥宣城湯賓尹撰

重修六合縣志敘

古者紀事之史謂之志太史公史志爲記班孟堅復于漢書立十志今世志郡邑者並皆効法孟堅而其大原實起于爾雅義例悉祖諸六經是故疆理憲諸禹貢法制準乎周官風俗備爲五禮之脩褒貶稱春秋之旨象大壯而顯宮室謙風雅而綴歌詩昭往蹟鏡來葉雖邦國都邑小大之不侔其究一而已矣故邑志之脩不繫今尹之淑慝今匪其人則纍負爲家乘功爲[illegible]

書曰法律有醜顏矣而况其他乎有其人苟匪其志將玩焉忘務有其人有其志苟非其時又况焉未從若是者鮮不塵翳浮梗乎記籍矣志也易乎哉有人有志有時矣而操觚執簡以從事事者或朦昧跼蹐其人非譸張幻眞則斷梗裂幅其不貽誚于木偶唉于觀聽者幾希志也易乎哉矧古棠

邑輔衝衢其關繫視他邑尤重前尹雖未嘗乏[illegible]

[illegible]與時兆雍伯焉茲典所以久淹而莫[illegible]

縣[illegible][illegible]山董侯紹衣[illegible]德[illegible]邑[illegible]
裝[illegible]覽而宣哲邃入官公廉明[illegible]
典而鉏蠹清三年而政大乂民[illegible]
死咸草薙而禽獮之凛如也暨[illegible]紺緋闊
暇輒集于衿道先王寥寥乎文獻之林目人目
志曰特可謂無值之者[illegible]遇禮灕端士相與操
觚執簡以從[illegible]凡紹之曰志也史可以交經
可以師[illegible][illegible]勞作齊懥爲附諸君子
極矣心[illegible]批剛采風搜統以仟綱析類以點

目濯舊飭新，闡幽綜實，越三月而成編。君子曰：居者可以觀俗，仕者可以觀政，學者可以觀教，六之志其足作史傳矣乎！昔昌黎考圖經于韶郡，紫陽首問志于南康，董侯之志是也。賢人乎？賢人乎？侯名邦政，別號北山，齊之陽信人。居六凡三稔，而薦牘旌檄積三十餘，上下遐邇嘖稱良吏，其來裔未可量云。

嘉靖癸丑歲仲春既望

賜進士第義烏賓湖王宗聖汝學甫撰

六合縣陳侯去思碑

應天之六合雖名爲赤縣而濵江處僻小土瘠而民貧又時有郵繻傳符之累以是之益困陳侯之始来六合也召見吏民盡得其惆苦狀慨然曰我必蘇之庶人在官者裁爲一百三十人人各與定直毋得爲低昂以九則授役役稱其家毋有訾窳偏跛因之

詔下侯精心覆行勾稽得其伏匿之數且半既而曰

上意非益賦也欲平之而已盡析[illegible]出而故[illegible]

之稅減半又因以寛蘆洲之稅補開河損田之直若干贖鍰金不入官籍而易穀于東歲侵凶之民不告饑圩堰陂塘以時築濬灌溉不乏侯廼曰囷巳藴矣可以施教矣遴其耆碩以爲三老嗇夫明飭

高皇大訓使里頌而人習之旌其淑者而扶其蕩佚自以時之學宫集博士弟子而誨之經術傍及秇文靡不俞然趨風侯食不再簋衣必三澣每出按行郊野不多從騶呵一榼後隨不[illegible]

八十之日餘俸自給拜徵之頃轄學齋僚供帛[illegible]
沐祐以至都鄙士女田叟旅人毋不悲泣追挽
胥吏徹編而曰我曹日洗手而從事然未有及
一敗者始實苦之令而後知侯賜也蓋侯拜尚
書郎于宦不為易貴去且久而其人益思之不
忘相率推士人陸察季照黃域沈坊華綸不[illegible]
以請公實敦史章為一言紀侯德將伐石而[illegible]
之以示永永不佞覓以侯所用致思之狀[illegible]
前十餘事要亦皆循吏之所恒稱者耳非[illegible]

[illegible]可喜可愕之事而不知踔絶可喜可愕之事固少年輕鋭之所繇聞而實非所以得民之真精也夫循吏之所向称正向吏之所不能蹈也令方加意元元歲大計吏課其無良者而為錫書宴賚以旌其英者郡邑之人又能追旌其賢守令若此龔召朱卓之輩當接踵而起矣

戊春號澄渠濟南之歷下人萬曆庚辰進士

萬曆十六年　月吉旦

賜進士第南京兵部右侍郎吳郡王世貞撰

六合縣張侯去思碑

六合縣金陵爲湯沐邑邑小政煩青城張侯以戊戌蒞茲土凡三閱稔而著蹟諸監司以政冠郡諸邑賢聲流播遐邇庚子秋侯以艱去邑父老子弟轉相皇棘不啻乳提之失慈母然學諭趙君暨司訓王君芋佐尉典史張君并諸弟子員感荷惓惓受閔惠思侯之政謀所以識其不忘者請記于余余雖譾漢書循良傳所稱述賢守令若卓魯召杜諸君其治行往往爲天下

第一而民愛之如父母謳俗至今誦說不朽考其政大率善政之及於民者深也侯聰明精敏貫達吏事迎刃而解讞論風生姑無論其安民之大者驛書旁午弛多蠹生民受其弊侯設法區處曲為裁省而驛困蘇矣牙儈鴟張商之所困清刷布程而商無稽留之苦矣中貴多事稅徵嚴急侯陰護調停而民賴以安矣瀕江大盜盤詰為姦長吏至不敢詰侯奮發擒剪其黨就[illegible]而盜賊屏息矣衍[illegible]猶習舞文玩法[illegible]

長之如神而[illegible]迅掃矣先是民苦[illegible]
罹異俟出令招撫給以種粒而[illegible]
[illegible]學校則有立與[illegible]課助婚聘喪之[illegible]
約則有旌善懲惡正倫化俗之條條陳北縣政
折而里甲繹累勸課農桑閭閻蘇[illegible]而[illegible]
治凡此皆侯之[illegible]較著列之[illegible]之
口碑即漢循[illegible]第一者不得擅美於
代宜六民之感而[illegible]不能忘也異日服闋
還朝復有恢[illegible] 昔乎

天子以康濟天下蒼赤[illegible]人之恩又當何如耶

禮有功蹟於民者法得書事於石佐屬等[illegible]

事以爲六父老子弟[illegible]其和衷之美而[illegible]

之無已焉因不揣韜[illegible]具俾刻石識侯所建皇[illegible]

署之內俟後賢涖茲土者覩厥蹟以自考云倘

余言有所擬當與須曾之碑董翊守州之碑二

傑同不朽矣併誌以振別號亭衢萬曆己[illegible]

武濟南青城人

[illegible]歲次庚子仲冬吉旦

六合縣知縣友石米公去思記

當米侯有六合之命也邑人士拊手而相告曰
[illegible]是家都下以文章經術爵爲國楨者[illegible]也
一令中州之永寧再令蜀之銅梁以[illegible][illegible][illegible][illegible]甘[illegible]
地者耶是不屑爲俗吏之刀筆簿牒倚大體
與古循良爭烈者耶徼天之幸吾邑其有怙矣
比侯之下車也念其戶稠而民樸於撫字爲務
又念其地衝而役重於軫䘏爲難於是躬[illegible][illegible]材
以爲理釋一切煩苛與民休息日夕聞三老疾

苦質諸士大夫謀所以振業疲民而厝之詳備者時江水泛溢邑幾化為歷陽之湖侯遍走便宜上御史大夫與部使者所以捍禦之方甚具當事者亟行侯議至著為潔令邑人轉相告曰吾不幸而逢陽侯之不若也即又何幸有我侯之為舟筏耶不然吾屬且人而魚其頭矣然邑之耗於牧養久矣亟則思引富民以濡涸繼而待役者又且怵慼若驅諸穽中侯為調[illegible][illegible][illegible]蘇之役以不困鹺法緣私鬻而鹽議[illegible][illegible][illegible]之

奸貫已所年到民之[illegible]淡食者人人如處海王
國也猾吏之為稷秕者大盜之為靈悉者擊[illegible]
無少借公違可以持風里門之犬足無驚矣哉
論于帑手未嘗啟封以視潔甚且舉金矣之言
先論之所陋識者令鄉老為調人曰野夫自[illegible]
民無訟耳素何輕以身下鎖以為鼓里[illegible][illegible][illegible]
小者賑之鬻子女者贖之疲癃者[illegible][illegible][illegible][illegible]
之人人以侯為懲毋也四門鄉約所[illegible][illegible][illegible]
而且月旌其里之善良者[illegible][illegible][illegible][illegible]婦人[illegible]

子廩廩然以奇孝著聞矣邑爲國學上舍故彬彬多文學士侯至則篤志興起之遴其儁躬自課督且不惜齒牙餘論奬飭以俟其成士亡不爭琢磨以應者酉戌連得舉爲近代所希覯得于侯之化誨者爲多蓋涖任甫二年而僚吏對之如飲氷胥史近之如負霜小民戴之如就冬日士歸之如沐時雨縉紳先生望之如揚仁風則又相與忭手而告曰吾鄉耆謂徼天之幸以[illegible]怙也令果然矣顧安得長庇廿宇下如[illegible]

官長子孫者以觀德化之成乎而侯之治理流聞達于上下益薦京三輔間所称循良第一治迄不訟指先侯於是銓曹以治行聞於　上擢大理評事去矣邑人士聞之皇皇然失所求如燠居者之驟奪其屋飽食者之驟奪其稼[illegible]憮者之驟奪其毋也則争以借冦之事甫匐詣[illegible]於當事者當事者誠不忍百姓之拳拳顧得[illegible]緩須臾以鳩此一邑民即又念侯之資望深且旦夕陟崇膴不能更以百里久淹驥足爲也以

是邑庠生陳紀等以余之與侯善知侯深也謁
然諸而問所以留侯者余辭之曰二三子之於
心于侯而欲挽其干旄之駕情則摯矣雖然若
輩知為一邑計迫欲得侯之德而留之郡國之
間不知　明王為天下計迫欲得侯之才而置
之巖廊之上也且卜上嚮　惟重念江介之民故
藉賢侯以流其豈弟今政通人和侯之望秩抑
亦久矣此而不亟為升進將何如夏侯湛之居邑
累年朝嘆其屈即何以勸然宦而風勵有位哉

敬考民情即三年必世不以為多而戴[illegible]

二紀而遷猶以為淹久于茲土二三十年[illegible]自

為許如　明王之渴賢何於是紀等[illegible]於

曰果若子言吾終不能徼天之幸以有[illegible]雖

然邑人之思則何可已也請紀侯之德政刻之

五父之衢我父老一弟日夕望而謳吟[illegible]侯

以為甘棠之茇而在我邑人以為緇衣之蔽也

則可乎余忻然而應曰甚矣侯之渥於惠[illegible]

之深於愛也夫以侯之冰其清玉其白鳳於其

高雲垂其澤民之戴之洵有無斁于心者即令以儒着謨謀廟堂異日功業積絫以高大矣立碑頌德刻石紀德茲固其始基之耳[illegible]次之以志民思且以告後之吏茲邑者俟余爲[illegible]鍾字仲詔錦衣衛人舉萬曆乙未進士

萬曆三十八年歲次庚戌仲夏之吉

賜進士及第翰林院

國史編修文林郎記注

起居編纂章奏江寧顧起元撰

重修六合縣城隍廟記

六合城隍廟寔漢九江王祠至宋累著顯應之跡於縣事王公立石紀之　國初助
太祖陣於江右遂封顯佑伯主邑土神從來舊矣廟貌間雖增飾然而日月就圮頹垣敗瓦不無風雨之患邑侯新喻張公歆然而新之首[illegible]鳩爲民人重加修葺民爭樂輸一時萃百數十金不煩帑藏輝煌可誒于是殿庭之未廣者濶之丹青之凋落者餙之闌干於階除者石之門然

左右樹以二坊既壯且麗其廟新矣時主祠址隅則刻為行神旛幢擁衛罔不咸備人人知有其神易觀聽而禮事之矣廟所以新者何先是茅公驅蝗董公禳疫固皆以靈顯肆六合之境飛蝗蔽空歲不為凶札瘥代作民不為殃福善禍淫其應如響是神實庇我民而忍負之哉五閱月而廟成復為禁令毋瀆明神余聞之易謂大人者與鬼神合其吉凶中庸盛引鬼神之德洋洋乎如在其上何彰彰明也乃世儒事於延

見委而不信賑先代神靈蔑如也即祀典所應修舉者直輿靡文等莫得加意不待既灌而誠已不屬矣斷鬼神之休享得予跡城隍之事詎不甚洋洋哉而公可謂知敬而遠矣頃工竣陞生懷橘偕董事人屬記於余余不佞為述其大端如此

萬曆癸丑春三月吉守崖州古灼忠春榮譔

七卷終

卷八首頁原闕

芳草澗邊灌木陰青〻別有歲寒心都緣飄蕩秋風後才子臨流亦費吟嘉定志自此以下十首皆郝滄濱古詩

塔山二首

此山元以形如塔貞觀年中改疊層圭字峰尖真似畫塔名不語為高僧嘉定志

疊〻山形似塔形崔嵬聳翠幾稜〻人皆乘鷗訪羅歸禪院佳境原来盡屬僧嘉定志

獨山

獨山有峰插天表湖水臨溪棲官道我歆浩歎

一登遊不忍足踏青青草 嘉定

廣澤之中是獨山恍疑翠帶遶層巒登臨絕頂遙相望唯見烟雲萬木攢 成化志

惜水灣

惜水紆迴懼水奔春潮帶雨晚流渾雲歡除口常縈遶沙際磯頭只見痕 見成化志叅嘉定志有數字不同正之後多倣此

龍池

波光杳靄遠連天鷺宿沙頭王一叅料相沿

深莫測龍潛潭底抱珠眠

池水清可[illegible][illegible]隱鷺鷥如人出闢孝澄澈無涯

[illegible][illegible]水底蔡荷祈禱雨連綿嘉定志

晉王城

隋收建業臨江渚東望金陵築此城正與石頭爲對峙從茲一統六朝平嘉定志

符融城

秦人百萬征南日衆地符融築此城把隘亡兵今有幾蓮峰之下誤爭名嘉定志

龍津橋

橋[illegible]蠕蝀臨滁水十八衖高似月輪不是[illegible]兵燹後至今猶復跨龍津

永定圍

梁朝瞻見長圍秀巒[illegible]川流寺壽基香[illegible]松門千萬緑山亭溪樹[illegible]垂嘉定志

冶浦橋

冶浦橋連香積寺東出城門五里遥遠[illegible]有園[illegible]閑防逸通在雲[illegible]

滁河

滁水源從滁州塘支流六九合流吳經過瓜步

趣江海惟有人心難測量 嘉定志

寥清風亭 嘉定志唐時縣治有清風亭縣令獨孤及建至郝濟時已廢

舊縣元基城畔隅亭軒高檻離清滁風生六月

思蕭颯百里風波剸割餘

廢士林 嘉定志士林鋪在竹鎮其地召儒業多仕宦郡游時已廢

士林鋪側舊儒流朝上庄田隔近阪鼻靴人數

難駐泊千人剗棘走麞麏

廢如歸館嘉定志如歸館在東門街非若宋驛然郡旁時已廢

旅況凄涼南北涯每投新館便如歸當年勝槩

今何在却使楊朱淚滿衣

城隍廟

縣布城隍有感靈只緣劉項霸江津古來廟貌

依然在福廕江壖萬萬春嘉定志

儒學舊基嘉定志儒學在河南牛市街郊旁時學已遷其地有杜荀鶴所植檜松二

午市街中儒相廟衣冠俎豆五經書不知[illegible]

今雙檜蒼虬猶存焉

[illegible]公[illegible]定[illegible]假松在中[illegible]文[illegible]王[illegible]

[illegible]松[illegible]若[illegible]清[illegible]數[illegible]傳云[illegible]鶴[illegible]

[illegible]松下

有尾[illegible]

千年松樹枝芳偃屈曲如人拱揖形見說[illegible]前

藏檜下杜生題後定時名按以上二十首[illegible]滂詩五十首今成化

志所載僅數首耳餘皆舊定

志中得之然尚未及其半云

宋

冶浦橋　祖榮僧人

繞入維揚郡鄉關此地達林[illegible]初[illegible]西風送歸

[illegible]湖江火明沙岸雲帆礙浦橋客衣今日[illegible]寒

[illegible]近来饒

白龍池　沈大椿 邵丞

[illegible]欲胚胛血龍藏氣象靈天心欲雲雨不[illegible]起

[illegible]從有日分清[illegible]小[illegible]界利生終不涸泉

[illegible]接滄濱 維揚志

長蘆寺　劉攽

戲[illegible]安商[illegible]紺園金刹起中霄魚龍德

[illegible]竹里夜深[illegible]

天闊梵音遙心知水陸供誰服借靈犀不

用燒　成化志

蜀岡　王安石

城郭千家一彈丸蜀岡擁腫作蛇蟠眼前不道

無蒼翠偷得鍾山隔水看　成化志

舟過長蘆寺　王安石

水落草搖洲渚昏泊船深閘雨中門回燈紙燃

孫歸夢兒女紛紛亦無　成化志

蜀岡　秦少游

蜀岡精氣蓄多年[illegible]有清泉發石田作飲肺[illegible]
俱澡雪久窺枝復[illegible]沙炊成香稻流珠滑煮
出新茶潑乳鮮坐使二分鄉思動放抔西望欲
押懺

早渡長蘆江　梅堯臣

背月出寒浦殘星渡水濱帆開風色正舟[illegible]
花分霧氣橫江口鳥聲聞岸闊天晴建[illegible]
岫起孤雲志成化

[illegible]永定寺　豐稷

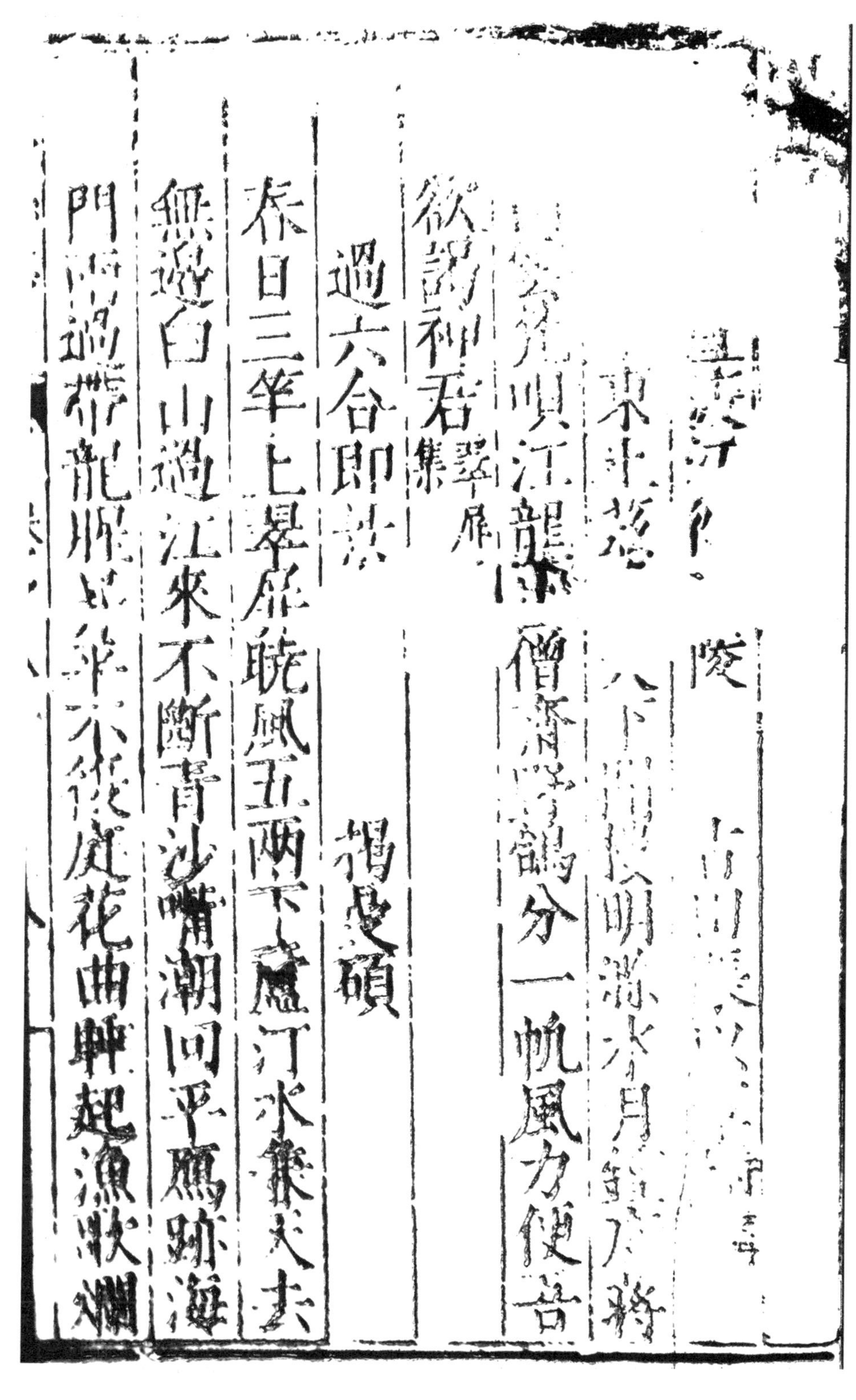

[illegible]濟[illegible]陵　[illegible]

東北落[illegible]八[illegible]明滿水月[illegible]大將

[illegible]合[illegible]門江龍[illegible]僧[illegible]鍋分一帆風力使音

欲訪和春翠屏集

過六合即景　揭㬊碩

春日三竿上翠屏曉風五兩下蘆汀水雲天去

無邊白山過江來不斷青沙嘴潮回平雁跡海

門[illegible]過帶龍川[illegible]不[illegible]花曲畔起漁歌瀾

熳聽按此詩亦見翠屏集翠屏即張以寧諡也燭成化志作揭曼碩恐誤今仍存名氏併註所疑以俟知者

宿淮南長蘆寺　薩天錫

楊花冪冪春歸去[illegible]青脫渡江屋外松聲

擬風雨道人一首 [illegible]成化

國朝

供祀次瓜埠　周啟

迢迢瓜埠隔滄波漢武南巡昔此過舊壘氣[illegible]鬱葱茂陵烟雨泣銅駝文明啟運

[illegible]遭典淮恩世戚多秋望有期淮甸瀾萬方志

[illegible]淵中歌 志

宿長蘆寺　　錦官張貴 戶部員外郎

春夜宿山寺松濤滿耳聲圍棊燒燭短對月把
盃傾巷指亭亭古銀河耿耿明終宵渾不寐遥

憶錦官城 成化志

和前韻　　吳興談俊 監察御史

春日住山寺山禽弄巧聲曉窓睡欲起官耳聽
來須宦途延歲月柳眼望清明故國思親遠

飛到鳳城志成化

又和　　江浦莊昶行人司副

窮幽吾性僻驅馬及鍾山烟月何年在功名此心違遠空群岫立斜日大江明若但吾徒事須拄老化城志成化

六峯八景　　錢塘許安儒學教諭

千[illegible]滁流勢若奔經過要路到龍津緑楊水拍[illegible]

漲[illegible]紅葉風飄暫作烟烟裡釣魚依[illegible]

頭[illegible]閘江人黄金賸為輿梁費一任[illegible]

龍津[illegible]渡

猶瓜仙去尚留名境與因高對景生自是波濤
拖海色不憑風月動江聲古今形勢千年壯劉
夕英雄萬歲鳴若欲濟川思利涉奚能[illegible]外一
舟横觀瀾右瓜埠

朝如翡翠暮瑯[illegible]積素凝華凍不消點綴雲烟
迷嶺岫依稀溪徑絕漁樵遊僧問寺扶藜杖歸
鶴尋巢啄碧霄我忽聞鐘駐馬半山風[illegible][illegible]
首進右靈巖積雪

托石爲根踪跡深六峯似侶總無心巷苔滿地曾移影紅日當空未弄陰藉草萋萋遮欲遍山花粲粲許誰尋從龍要爲蒼生望定作祁祁歲旱霖 右定山出雲

高樓跨水接樓臺更有軒窓向水開落日滿林檣影外晚潮入浦櫓聲回紅塵路口擔柴肯綠柳堤邊沽酒來海上爲誰添片玉新詩吟就擲篋栽 右冶浦歸帆

睍[illegible][illegible]倚[illegible]南門鼓柝漁歌到曉聞[illegible]詠三星

□上看千般畫□□□□□□相漾屋

□動錦紋愼勿深□弄舟楫卧龍幾度欲

□□龍池

□□樂綢

百頃芳塘浸碧空繞塘青草起長□□□□細

琉璃滑水暖魚多翡翠慵芳樹無□□□□稀

楊拂水綠溶溶欲搖畫舫中流醉又□□□□卿

卧龍布草蜡

卧龍春色

渡水來尋最好峰□鐘聲隱隱出禪宮晉人□

仰南鉢今日鯨鳴入夜風隔岸□時雲□□□

山聽處月朦朧停驂暫借蓮臺宿又見高僧在
定中長蘆晚鐘

又六峯八景　天台張疇儒學教諭

長淵[illegible]四達經龍津[illegible]詩渡無晨昏病涉何人
施[illegible]浮梁巧駕通車輪滁河閱世知多少滄
海桑田信屢遷道渡廢梁成是何年蟻穩延安[illegible]
時了曾聞橋毀驚神魚乘時變化歸天池[illegible]
澇

大江瀰漫渺千里潮落潮生二日今古風濤泊[illegible]

□□維泒合川湘有源委機頭坐磯沿徑通淺
淺淺波天青青積瓜仙子得妙觀尚遺此蹟存焉
佳名望迷林暝未歸大一點孤燈隔江寺右瓜埠詩
湖
靈巖之山高百尺雪積嶙峋如削玉千花亂蒸
妙化工萬徑千鋪絕行跡 堅瑕壯夜生蟬鐸
瀾恍托蓬萊君亡二儀奇濁忽顛倒歸鶴失棲秦
復飛低恐雲收偶然御山色卑舊復如故右靈巖
晴

定山岩峩列群峯四時雲出根其中觸石變化靡定跡膚寸倏忽瀰長空雲收山色濃欲滴遥指芙蓉青朵朵山因出雲名益彰雲不自高功乃溥從知舒卷固有時沛澤行見從龍飛右定山出雲

冶浦水合滁河流蕪葭莽蒼迷重洲返照紅分野色暝歸帆片片疾未收夕信初平月在[illegible]帆影恍憂瓊空裏輿梁横處亂風檣欸乃[illegible]過耳徘徊景色四垂忽然宿鴻杳杳鳴[illegible]

城南有池龍[illegible]淵深[illegible]

[illegible]絕之舟勿[illegible]

心開澄淨如練聚網漁人扣舷歌[illegible]驚風

[illegible]伊何托[illegible]最僧徒居[illegible]

[illegible]

風暄草暖柳絲短嫩綠嬌黃色初染一溪映出

[illegible]琉璃[illegible]陽倒射光閃閃春深紅紫競紛紛[illegible]

點[illegible]妍[illegible]光臨池觀[illegible]茵軟落花木[illegible]

文章欲挽東君莫[illegible]東風飄亂飛絮[illegible]
色

折蘆渡江蹟神蹤皇錫肇自梁普通傳[illegible]
木魚響一百又八聲春容四郊[illegible]
[illegible]瀛晉振虛寂恍若鯨鳴九霄上達應遺物良
足惜客舟幾多泊江邊夢覺一聲霜滿天[illegible]
僅○以上
俱成化志

又六峯八景　海岱董邦政知縣

滁水接盧梁能津一泒長波搓兑文[illegible]濤

光沁鳧下蕪磧[illegible]不[illegible]多陽[illegible]入[illegible]愁絕何

[illegible]鳴柳 右龍津[illegible]度

暗色浮瓜埠江頭潮正來銀山[illegible]

春雷白石跳珠上孤帆帶雨開[illegible]

媲巨川才 右瓜埠[illegible]例

積雪俯巖兠經旬凍未消平鋪明月砌高疊白

雲巢樵徑已埋没僧房逼寂寥勁寒猶徹骨[illegible]

折老梅條 右靈巖積雪

靉靆來何處悠悠起定山隨風飄海上伴月到

人間沛澤龍歸濕留松鶴共閒看生[illegible][illegible][illegible][illegible]
望不能攀　右定山出雲
虹橋跨冶浦潮起漲平川鷗泛輕波一帆歸遠
[illegible]邊綠堤煙樹接夾岸人樓懸笑殺天隨子浮
家八幾年　右冶浦歸帆
[illegible]月春初暖龍池看打魚小舠纔舉棹一網已
[illegible]車水漫籬落短風暄楊柳舒鱠京是[illegible][illegible]叟
隱穎公絲[illegible]　右龍池[illegible]網
江郊[illegible]池滿水初平芳草迷行[illegible]

攬勝高帆沽酒市斜日晚花寮歸去遊驄模糊
外[illegible]村落竹塘
家邑宿鷗寺鐘聲入夜聞遠醒孤棹夢高閣隔
江雲鎖鬱蔥去迷任鏗鞳合又分塵埃多航常頓
此詩朝昏晚渡右長蘆

又六峯八景　從化劉[illegible]

至仁從古重津梁況有橫流一派長車馬去來[illegible]
續星河擁漾夜珠光曉行良袂無潮[illegible]遥[illegible]
帆捲夕陽岸北岸南樓館外漁歌幾處起風櫚

右龍津

張度

長塹東流去復迴，去迴不盡自天來。光[illegible]

圍翻順勢接洪濤，起怒雷漸漸中流[illegible]打[illegible]依

依平岸兩沙開，忘情鷗鳥依蹤在，誰羨川舟有

右[illegible]觀潮 [illegible]

列陣參差石路遶四郊，無礙凍雲消綠風 [illegible]

[illegible]鶯爲佩映月疑花嘆鵲巢萬國

近九淵龍臥夜珠寥，明年瀧那知多

右長[illegible]參條 [illegible]

風

[illegible]句張初[illegible][illegible]山[illegible]湖落[illegible]

用[illegible]外邈鈇龍驄[illegible][illegible]

風[illegible]態去來開邦懷往悲今[illegible]

自攀 右定山出雲

二水會流如帶合一天紅日照[illegible]川參差雁[illegible]

層樓外路下牙檣返[illegible]棹[illegible]叫[illegible]

輕寧帶風懸猶閑舟子[illegible]水[illegible]歌[illegible]

少年 右谷沭歸帆

叙[illegible]澄潭萬頃餘碧雲[illegible]魚休誇大澤

還揮劍勝鑒昆明不用萆綢大[illegible]一方心獨快緲
分萬目手中舒夜来風動微波疑有神驪故
弄珠　右龍池　梁綱
東風吹候到江城嫩綠初鋪十里平水蓧漾中
翻浴鷺野花飛處滿啼鶯雲山[illegible]近千層盡歌
管頻喧百和聲日暮歸途同一[illegible]不堪猶有未
終情　右草塘　梁綱
古寺蕭蕭秋久熏樓高無礙林[illegible]門[illegible][illegible]已別
廿凡罷餘響猶驚遶白雲來[illegible]寺

[illegible]黑水中分得開仙[illegible]多少詩[illegible]

[illegible]樹右長[illegible]連

又六峯八景

臨淮李遜卿

南望浮梁俯大河脂轡秣駿往來多[illegible]移聲遠闠裏行人度影過橫帶似龍常[illegible]行[illegible]或如路可府摩濟川不待公孫惠灌剛安行[illegible]咲歌 右龍津待渡

萬山[illegible]迸擁大江中挺出開[illegible]雄浪浪洪濤[illegible]道日湧層層高浪與天通白鷗點水驚[illegible]

[illegible]瀲灩風渺迅逢士庶嬉遊長眺樂不知洄洑[illegible]

[illegible]疃 右祇埠[illegible]

山巒聳寺觀古今傳獨貯飛甍絕仞顛素[illegible]

猶偃月白龍鱗甲淵跑泉望盈瑞色余[illegible]入夕[illegible]

徹清穀

玉斗前不是小臣容易積

天王順應屢豐年 右雲巖積雪

岡峙南天嵐氣流五雲縹緲比[illegible]

無[illegible]屹秀出山光草莽[illegible]似

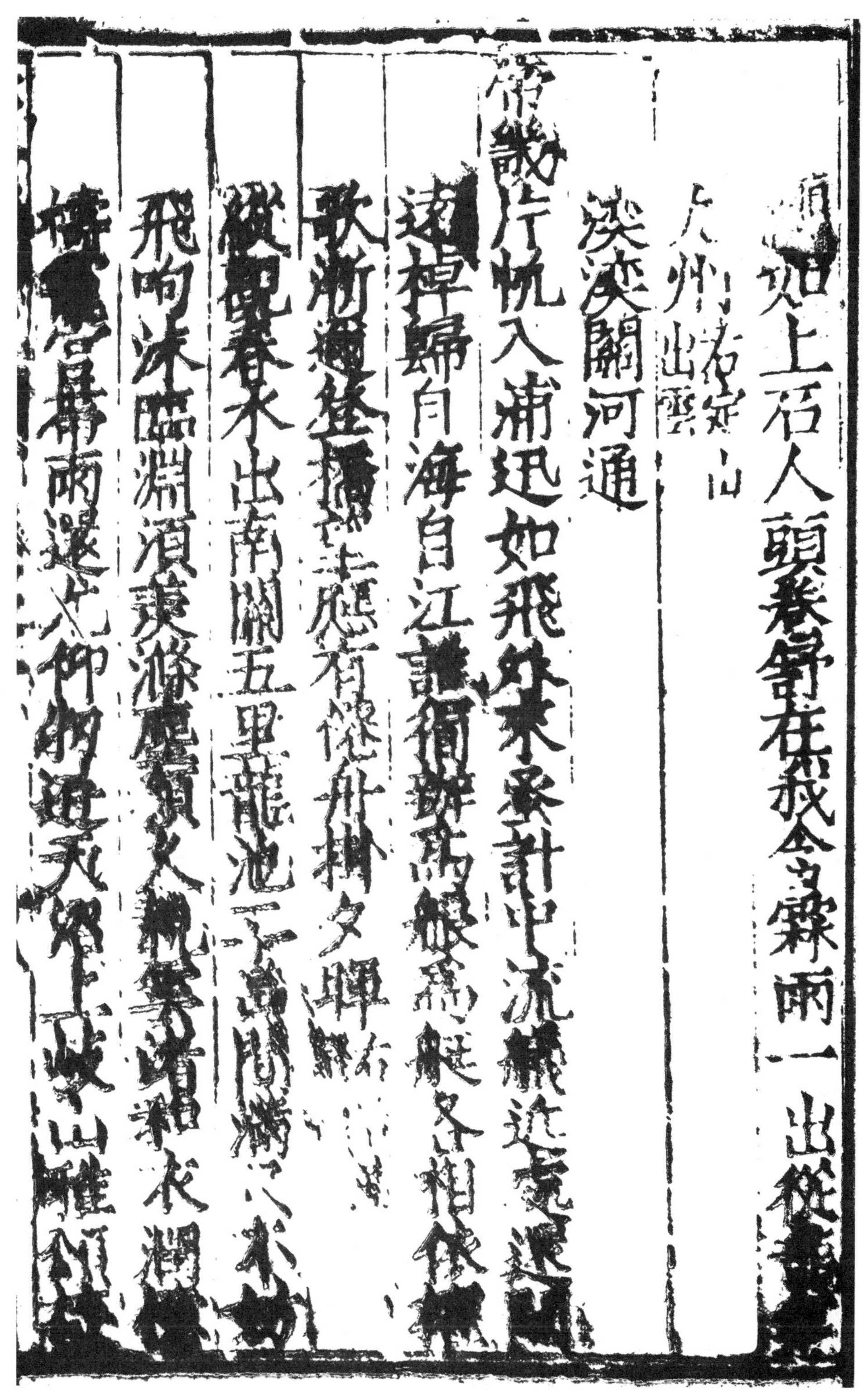

巔如上石人頭卷舒在天我今霖雨一出從[illegible]

在州治安山州出雲

浹淶關河通

[illegible]識片帆入浦迅如飛外來[illegible]計中流轆近[illegible]遙[illegible]

遠棹歸向海自江[illegible]循[illegible]爲艘爲艇各相[illegible]

歌漸過登[illegible]共聽有[illegible]舟楫夕陽[illegible]

縱觀春水出南湖五里龍池一[illegible]

飛响沐臨淵須[illegible]滌塵[illegible]久[illegible]衣瀾[illegible]

情[illegible]兩還[illegible]仰俯過天際[illegible]山雕何[illegible]

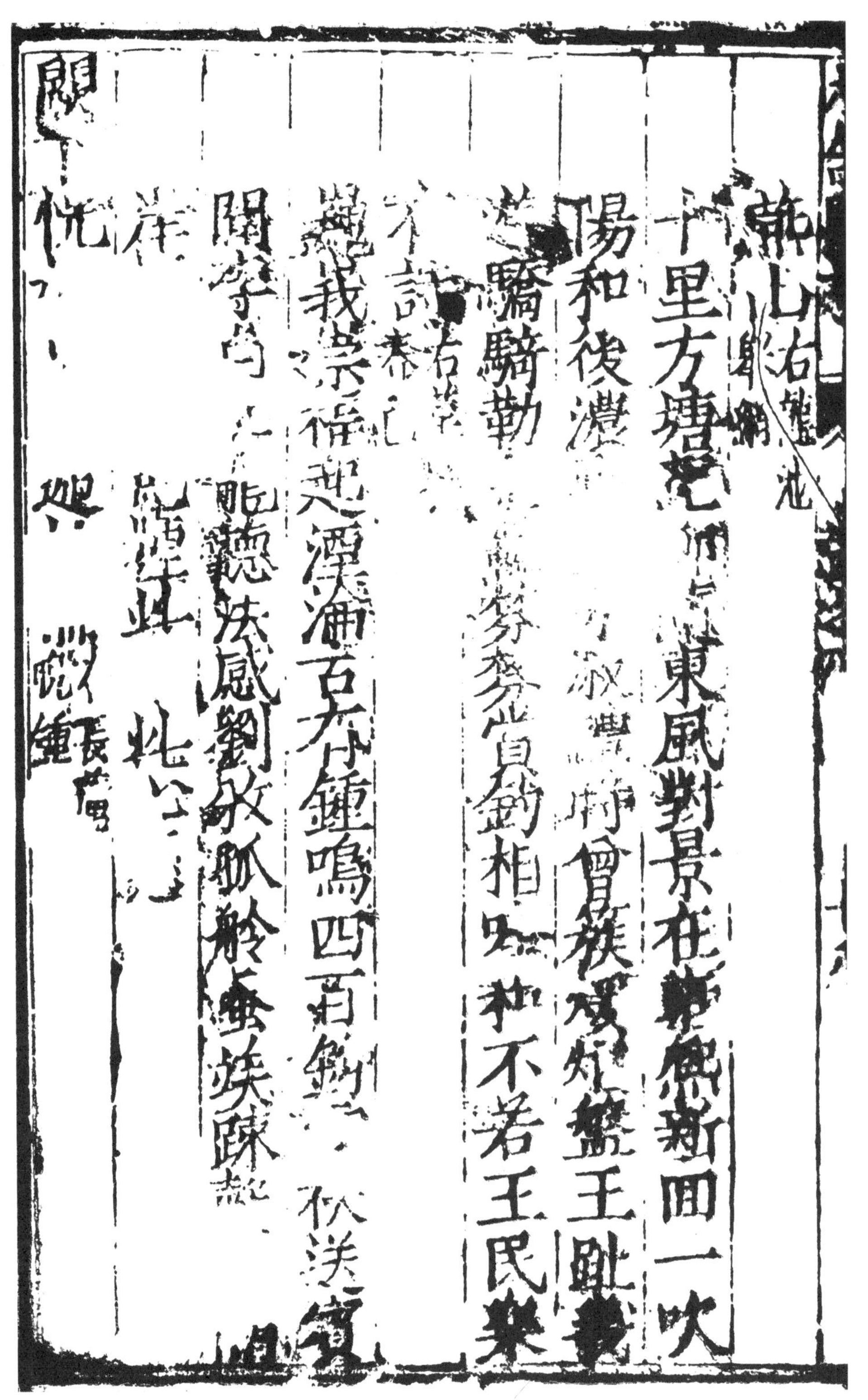

龍山[illegible]右鏡池

十里方塘[illegible]東風對景在[illegible]回一吹

陽和後濃[illegible]叔豐[illegible]府會族[illegible]灯盤王畝[illegible]

遊驕驕勒[illegible]務奔[illegible]負劍相[illegible]和不若王民樂

不詠[illegible]右[illegible]

嚴我崇稱起渠滿百井鍾鳴四百餘[illegible]伏羨寶

關李句[illegible]臥聽法處劉[illegible]舩[illegible]蛛[illegible]

岸[illegible]此[illegible]

閱[illegible]恍[illegible]與[illegible]鍾[illegible]

同袍張二學[illegible]　吴丑[illegible]文宗

攬袂臨風一眺高巨靈千古控江皋層[illegible]
[illegible]巍塔渡海金鰲拂遠濤亭盖漸依紅日近[illegible]
衣輕捲白雲驕醉翁不减瑯琊興滿耳行歌助

欒陶

攀民部汪主政黄葉二孝廉登江樓

張啟宗

嶙峋高閣枕江潯政簡公餘一快臨滌湑底須

涉厲揭洛陽寧遣病煙沉飛虹泊浪紆關鎖赴
海奔流綰帶襟六合肅清皇路穩濟川須識古
猶今

重修黃公祠謁而志慨

張啟宗

就義從容抵洋濠英風千載怒江濤神饒孫許
班三鳳氣鎖河山重六鰲堂隩儼紆新保障[illegible]
靈巖聳舊髻袍冊心終古應無改夜夜精光[illegible]
白旄

又六峰八景　張啟宗

[illegible]雨沙明野渡空倚草坐瞰碧溶溶片帆欲捲三千浪六鷁應須九萬風誰信中流能繫楫何知五馬獨成龍先登遙指清皇路多少驅馳屬後蹤右龍津待渡

種瓜僊去不知年回首滄桑世幾更浴日濤奔晴亦雨排山浪激水瀰天神盧佛子寧姝棹強弩將軍直控弦我欲憑虛俯靈若橫看萬頃一平川右瓜埠觀潮

崒嵂層崖倚碧空六谷細剪下穹窿馬蹄蹴破瓊瑶地鶴羽鶱翻璧玉籠循塔步穿雲毋滑迹簷坐列槃珠叢持盃索共寒梅咲踦踵陽和轉化工

右靈巖積雪

白石嵯峨聳翠微晴光靉靉度林霏將來壁府澄霄練捧出金輪散旭暉乍蔟碧巖迎虎跑遥從嶽極護龍飛中天一任閒舒捲霖雨須教遍九圍

右定山出雲

野渡悠悠注合流高帆掛雨望中秋鷗鳧[illegible]波

前川淇橋檣波分隅岈桃〻青雀鸞岡栖鶴渚斷

……下方洲海天空濶明河迴任取浮槎送

斗牛 右冶浦歸帆

千頃澄〻一鏡明盡看於例屈昇平懸知西伯

條弛禁卻信公儀匪吊名濶目底渦窮網罟託

網未許漏長鯨較龍應久需雲雨一聽秦備上

大清 右龍池舉網

陽春送煖入芳塘芳草萋〻春正長盛運不殊

欲恍愛龍樂公寧恐弄池潢臨俯界綠波紋燦花

片傳紅水鏡香造物靜觀還自得一泓雲影漾天光

右草塘春色

瀟瀟野寺暮烟中一吼長鯨萬壑空大器直堪侔禹鼎先聲應自遠[illegible]宮五雲影裡停歸雁九陌風前駭去驄移振玉樓清禁曉天顏懸為啟重瞳

右長蘆晚鐘

六合道中

王光祖 御史

六合山下行人稀匹馬江頭暮雨微堪羨舊衙當塗口風香先到兩京畿

宋景炎元年大丞相文天祥與眞州守苗再
成議以揚州兵取六合　臨海李侃知縣
耿耿忠懷復古業密運眞守𠄘繼揚若教赤縣
兆城郭不使蒼生污犬羊氣蓋三軍凌北障詩
援六合保南疆定山試望廬陵月千古文山居

大荒

元至正十四年孟秋元脫脫圍六合來惟
皇祖帥師與耿再成戰瓦梁壘解其圍
烈烈

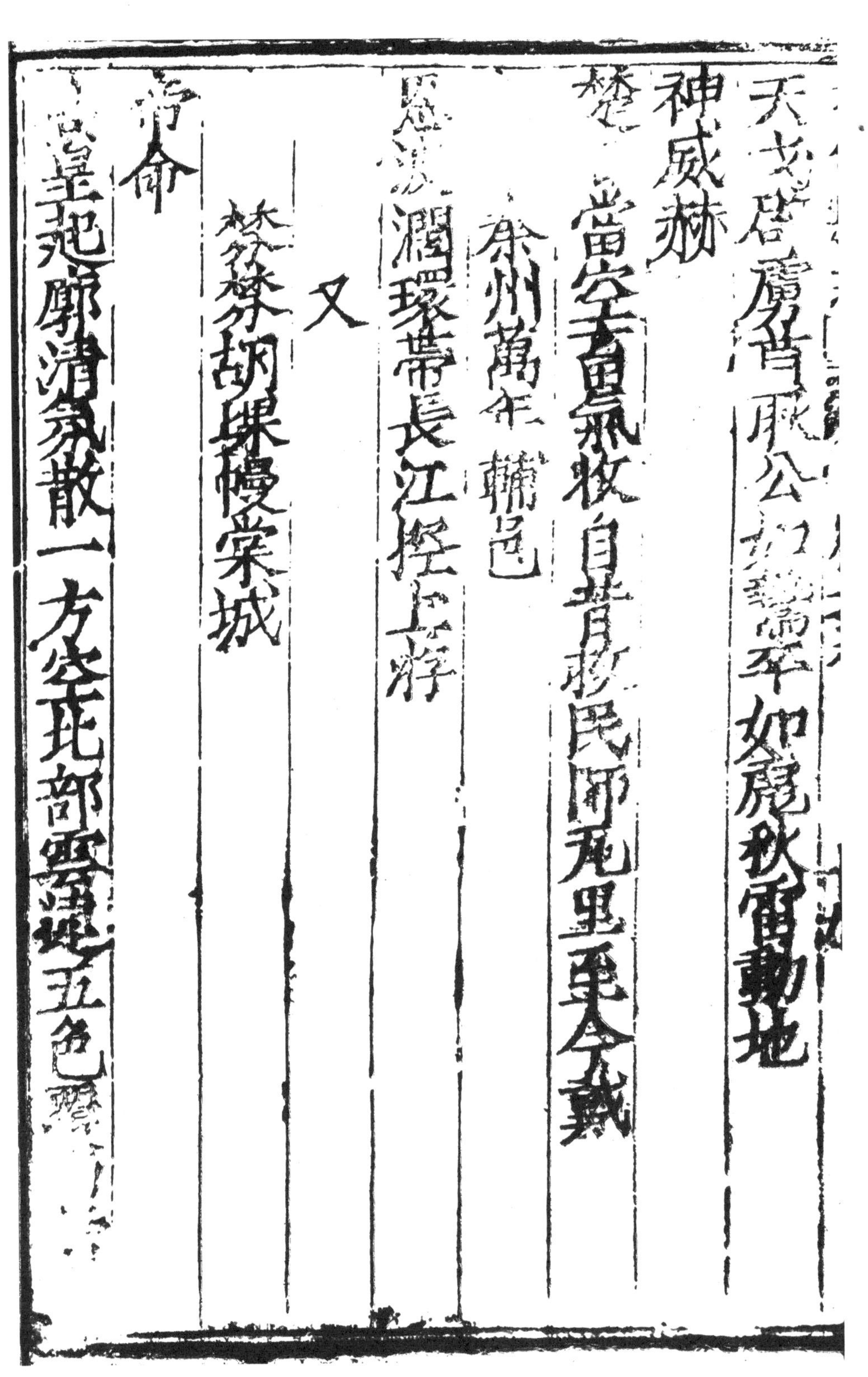
天女居震響厥公[illegible]卒如霹秋雷動地
神威赫
楚[illegible]當空寺宙氣收自昔移民那兔里至今戴
余州萬年轄邑
臨[illegible]潤環帶長江控上游
又
楚楚胡堞慢棠城
府命
[illegible]皇起廓清氛散一方空托部露速五色[illegible]

四下盡靖腥鐘難桃葉山加草木[illegible]
弦誦曉來如聽凱歌聲

又六峰八景　邑人楊鄰

當年衍渡小舟[illegible]門浮梁一彩[illegible]尚憐
成書竟流觀不覺往行蹤迷津舟[illegible]
[illegible]林光掩映中誰復燃犀照幽窟龍津深[illegible]
[illegible]龍津衍渡
[illegible]亭高處俯江流滾滾洪濤上海洲今古[illegible]
雙月[illegible]眼乾坤千坐一浮漚浪花堆雪過京口[illegible]

影斷風向石頭獨把漁竿消歲月沙邊老郡渡川舟

瓜埠觀潮

巨靈高處擁寒威三白奇觀滿翠微草樹六分皆㸃綴峯巒萬玉競崔巍眩生銀海呈作瑞淸遥接天展素輝寄與灞橋驢背客好移幽卜近山隈

靈巖積雪

名山高出大江濱山氣鍾靈吐作雲觸㵝[illegible]千變化卷舒常是護嶙峋憫時一霎爲十[illegible]慰頻年以散人對此閒情渾不厭文顚[illegible]

巘定山出雲

孤煙晚景淡烟斜隱隱歸帆兩水涯風力[illegible]

村[illegible]迷櫓聲帶暝亂[illegible]啞分被鷺[illegible]搖[illegible]

沙頭浪起浪花却指層崖堆紫[illegible]

[illegible]治浦

清波玉藻躍龍紋[illegible]影天光一鑑圖[illegible]

開境界花封幻出小江湖錦鱗[illegible]網備成[illegible]

鮮[illegible]鮮可待沽却咲季鷹歸棹晚秋風繼[illegible]

龍池

其魚[illegible]聚網

一氣潛浮六管灰草塘迎暖綠先回明年不必燒痕斷生意還教柳眼迎風開五言婦花[illegible]合一寸報春聲青皇最識遊人意預展輕茵待王孫草塘春色

達磨宮殿楚江瀕向晚清空隔遠聞華國[illegible]方斷續禪林月下已黃昏三千靜界從[illegible]八洪音緩泛頻屬耳小堂閑坐久水沉消盡一爐薰長蘆晚鐘

遊祇洹寺

萬疊青螺一逕斜有興乘興到僧家庭餘[illegible]

添蝸篆座空蒲團掩法華禪外交游惟[illegible]

[illegible]弄亦煙霞偶來不盡三生話[illegible]

煮茶

過永定寺有感

招提猶憶舊時遊遍閱殘書兩歲留燈火僧伽

[illegible]不厭情懷花鳥亦相投林含霧雨藏玄豹草

籍外雲臥白牛四大于今誰復借禪關半掩夕

陽收

路入遙山數里餘閑雲深處老僧居[illegible]
花初掃石逕無媒草不除飛錫何年留勝[illegible]停
軒此日訪眞如參空五蘊浮榮薄一喚林立老
故廬右遊三光寺

遊靈巖寺　　邑人黄驊

春晴遠向碧山遊與客携樽到上頭縹緲樓臺
青壁映芳菲林谷翠煙浮草茵就石移[illegible]花
氣乘風入酒甌一醉眞成文字飲淋漓詩[illegible]

又

十年不到上方游舊日識僧伽已白頭護引色空諸梵部悔將藪利贅閒浮勞生幻裏情千種過眼韶光酒一甌寄語山靈莫相笑老懷從此為君留

又六峯八景　庠生孫憁

濟川功在翊王明善政寧緣小惠生移橋變傳先代蹟艁舟重見後人情追盧不着吾樓意日午暄接踵聲塵景何殊非待濟昔津千一有

遺盟右龍津待渡

一上丞山望眼明幾人曾此看潮生盛衰應月
元無約朝夕如期似有情遠出海門猶吼沸怒
憑風力更雷聲欲將造化眞消息說向陽侯作
主盟右丞埠觀潮

雲積層巖照眼明凝寒巧避太陽生山如浮洗
氛埃意天爲彌留潔素情日射光浮珠玉[illegible][illegible]
融[illegible]瀉珮環聲要知[illegible]瑞逢三白先後[illegible]
有盟右靈巖積雪

[illegible]然陡船亦[illegible]門[illegible]入[illegible]山麻[illegible]數日[illegible]入

[illegible]行[illegible]

滿蘆葦人[illegible]雨聲[illegible]渡停[illegible]看[illegible]時誰[illegible]

右定山 營盤出寶

冶浦橋邊夕照明江舡入境趁潮生片帆已從

風波險千里誰無兒女情漁火漸明分[illegible]

歌不斷到鐘聲四方弧矢懸弁[illegible]

右冶浦 營盤歸帆

泄經龍卧太清明淵邊多魚種[illegible]生[illegible]

觀異態時憑罨網得深情縝紛柳影[illegible]鴻照[illegible]

乃漁歌雜鳥聲近有賢侯嚴撙節歲輸[illegible]

通盟何龍池罨網

方塘千畝鏡空明春色年年逐草[illegible]

爭迎句放舟堪適老逋情水雲深處[illegible]

伸盆川鳥弄聲灌溉久徐時雨惠屆光[illegible]

詩明[illegible]

梵鐘[illegible]聲傳兩[illegible]景長處自野生[illegible]

[illegible]

[illegible]衛有[illegible]生勤使護不効到一

[illegible]

遊靈巖寺　　河東薛瑄禮部侍郎謚文清

靈巖有路入烟霞臺殿高低擁千家風滿[illegible]
飄墜葉水流絕澗泛秋花青松閱世風霜古[illegible]
石題名歲月賒誰謂無生真可學山中亦白[illegible]
年華

宿靈巖寺　　薛瑄

梵宇深沉夜景遲僧房禪榻思幽期鳴虛牖

風過嚴霜落寒巖月上時紙帳燭光圍白玉石[illegible]
爐香熖藹青絲紅塵馬首明朝別只恐山靈[illegible]
勒移

秋日靈巖道中　薛瑄

路入山門景便幽高風不斷石林秋照人霜[illegible]
紅於染拂袖嵐光翠欲流幾過野橋橫[illegible]
從古刹見高樓北登寺[illegible]與天相接更擬[illegible]

上[illegible]右三詩[illegible]

百年未了青藜杖又向靈巖坐晚晴我與白雲

同作客月交秋夜極今門奇不熟因其能大白

鳥浮空本自清俯仰崢嶸男子事肯將容易負

六合山生長

早行茶亭道中　邑人黄宏南京戶部員外郎

驛路迢迢行復行俯詢民隱責非輕擲應遂馬

秋風急薄冷侵人旦氣清雁字橫斜書漢碣

聲斷續鳩搗新晴喜看故國依稀到山邊歸第一

段情

同蘂黄門遊靈巖次韻二首　黄宏

風雲何處可依乘欲學逃禪尚未曾覽勝来遊同竹伴得閒坐久窮途僧徧尋古蹟從吾又向此巖絕頂登喜有年家豪邁客敢辭杯酌不能勝

肩輿並出遠村乘記得登遊昔日曾天際輕陰如護客山中好景却輸僧遙岑不礙吟眸[illegible]壁都憑健步登非望君門烟樹外江湖廊[illegible]思何[illegible]

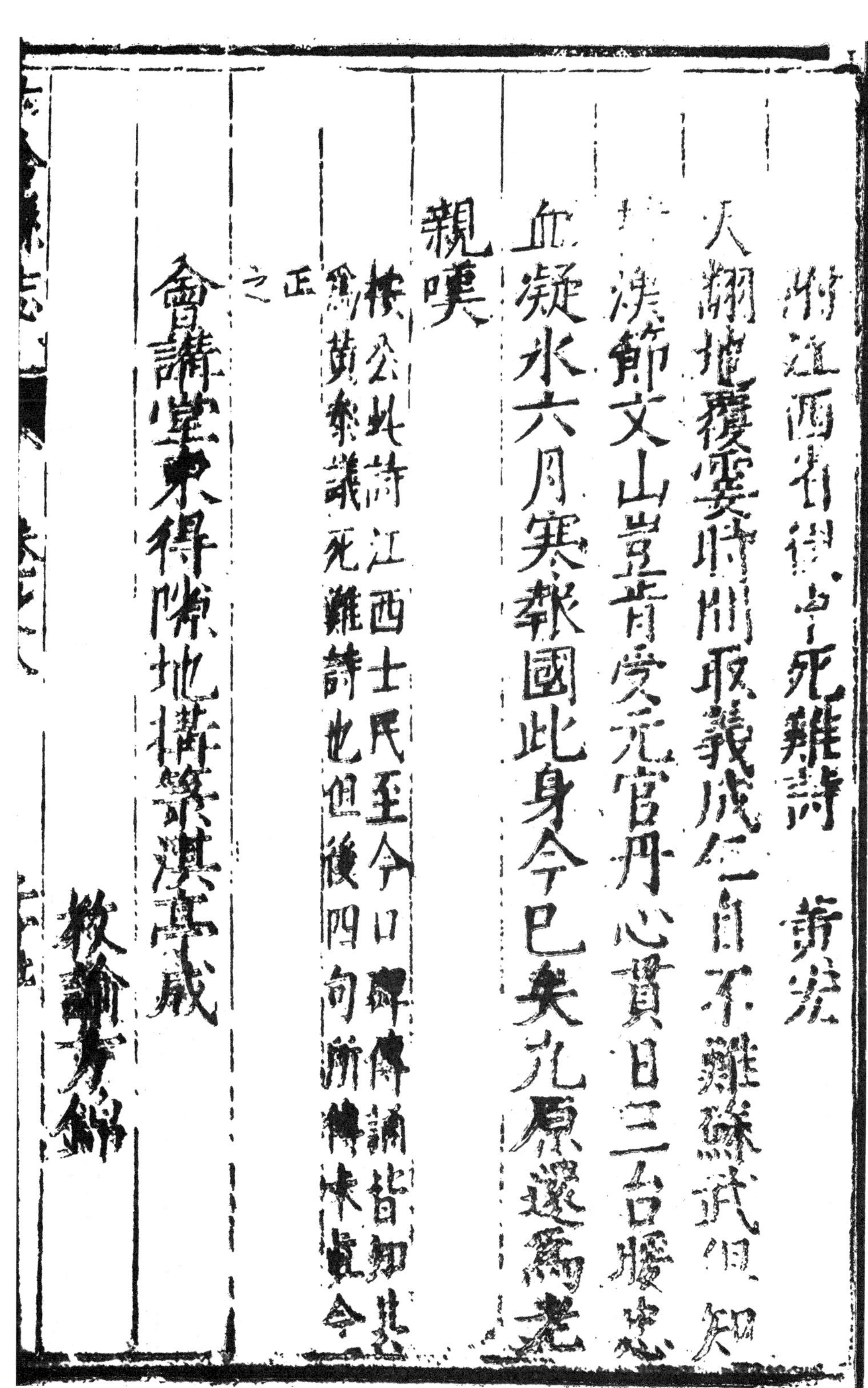

附江西省僉事死難詩　黄宏

天翻地覆異時閒取義成仁自不難蘇武但知持漢節文山豈肯受元官丹心貫日三台暖忠血凝冰六月寒報國此身今已矣九原還為老親嘆

按公此詩江西士民至今口碑傳誦皆知其為黄參議死難詩也但後四句所傳未盡今正之

會講堂東得隙地搆築淇澳歲

教諭方紳

小亭新構講堂東，築竹猗猗興味通。一節中虛涵妙理，數竿勁直引清風。明時瑞集雲間鳳，群色寒侵嶺畔松。遙想武公千載上，琢磨元自有深功。

登黃董山　邑人黃紹文 教諭

秋淨乾坤萬象新，寒泉一派出雲根。雨餘遠近添山色，水落高低見石痕。牧豎獨穿松下徑，老樵自閑竹間門。歲餘豐稔家家樂，禾黍[illegible]村

梁塘道中觀農事有感　錢塘吳邦[illegible]

曉發江門傍柳煙千村萬戶盡桑田[illegible]丁丁月[illegible]

[illegible]秋冬大有年時雨已開[illegible]

[illegible]作朋姊妹[illegible]女耆廬松菊雁凋落[illegible]有[illegible]草

太玄

夜坐龍池待月有感

龍池雲斂淨烟波野曠天空良夜何山吐蟾[illegible]

[illegible]平水涵桂影倒銀河浮生世路時將[illegible]

家鄉夜夜過何日没閑謝塵鞅辭衣[illegible]

漁歌

江上二首

楚水一何急翻濤若怒雷舟疑天外落人向雪中迴易感江山恨徒懷湖海才孤忙應有待空憶鳳凰臺

破浪一江濶乘風幾度驚撼山天欲裂[illegible][illegible][illegible]將傾不斷千帆影空流萬古情人生若[illegible]迴穴月[illegible][illegible]浮名

寧州[illegible]

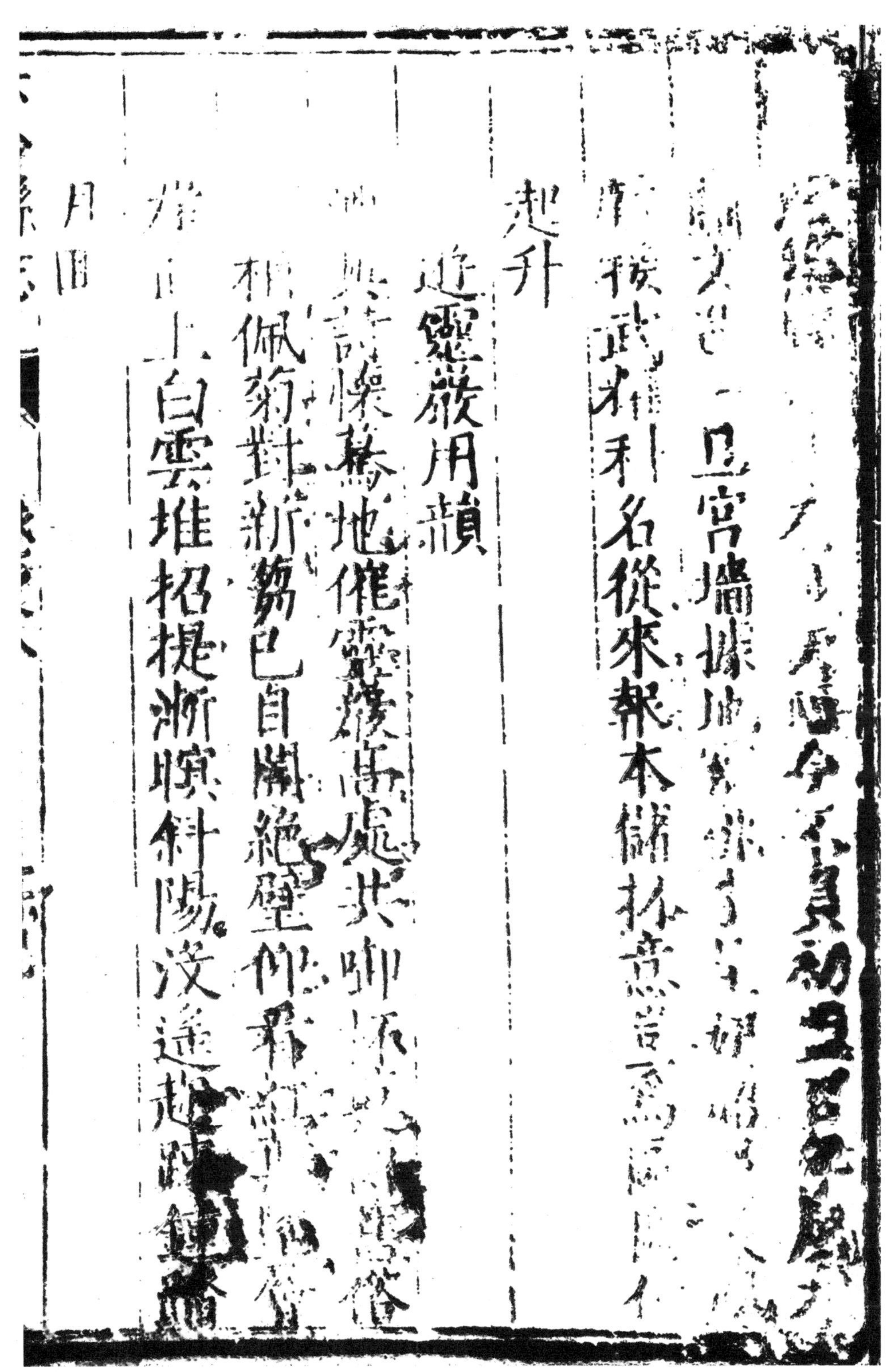

[illegible]今不負初且召允屢方[illegible]
[illegible]一旦宮牆[illegible]
[illegible]武才利名從來幇本儲抃意[illegible]
超升
遊靈巖用韻
[illegible]詩條藤地作靈巖寺處共卿[illegible]
相佩菊對斯勢已自開絕壁似[illegible]
[illegible]上白雲堆招提漸暝斜陽没遥起[illegible]

梁塘道中觀農用韻　冠縣盧文衛訓[illegible]

和風甘雨逐詩新綠野芳原力穡人莫[illegible][illegible]無憂

忘　帝力慚予何事老儒身山村莫[illegible][illegible][illegible]鳳

仕路從來有棘榛傳語風波名利客何如百畝

事耕耘

登靈巖

眺望乘幽興登臨歷翠微披雲來梵宇[illegible]

[illegible][illegible]一逕松蘿合頻年車馬稀詠歸月

[illegible][illegible]沾衣

冬至玄真觀習儀[illegible]

夢裏雞聲喚醒難羊裘不[illegible]五更寒殘[illegible]

天將曙宿雨初收路未乾道院偶逢仙客拜

祗猶戀故人懽擬知明日途長至萬[illegible]春風馬

上看

衣裳顛倒步趨難舊日謝恩膽尚寒瀚海幾番

頭半白封章連上黑初乾天道長三陽泰

聖主恩深萬國懽慚愧小臣官退斗止存風力外[illegible]

看

春日江上　　邑人季維致仕教諭

輕舟出瓜步浩渺春江闊鷺起若導予前飛值
花落桃李誰家墻鳥啼傍幽郭鍾山紫氣高和
永正寥廓

江頭送黃少參　　季維

人生非無衣所哀任知己我哀惜少參一[illegible]
豪兇窺國者何人貪天索綱紀衣冠諸俊良
殘肆凶究安有忠貞心肯識往悖餌或以[illegible]
賊不辭碎支體或以頭觸柱罔顧流腦髓[illegible]

三四八〇乗生如[illegible][illegible]精氣化刑[illegible]卅[illegible][illegible]史
在漢為[illegible][illegible]勝在晉[illegible]副[illegible]平生學何[illegible][illegible]
目[illegible][illegible][illegible]就擒昴磔若羊豕唯君其不[illegible]
食[illegible][illegible]祀巍巍我
聖皇褒功及遐邇容臺千丈光常燭覆載惠老親勿
痛悼忠孝本一理有兒能大倫含笑入松楸天
眼自古明不為國士眯前徽未云沫書香更孫
子九原如可呼吾當叫君起短歌招君魂歸[illegible]
渡江水滄波浩且深濯骨髮無滓茫茫齊城[illegible]

生死是者幾君既免愧怍有喙孰敢訾訾任兒輩一[illegible]

[illegible]烈故難已

[illegible]鋪吊黃沙際　澶淵王溱總撫御史

地下[illegible]聲名滿世間孤忠誰後許一死自

希顏白月憐泣水高風仰定山佳城[illegible]

草亦斑斑

春日郊遊　邑人李傑僉事

人間佳節兩初晴尊酒相攜傍郊行[illegible]

[illegible]綠東風爛爛送寒輕哦詩韓動[illegible]

[illegible]白[illegible]兩輩弟兄天性樂何須博士傳

迎城

春水迎雨夜來晴士女紛紛陌上行[illegible]

啼鳥樂風微雨後落花輕傳杯到處[illegible]

[illegible]家訓家野哭聲莫道詩人無好句偏師[illegible]

棠城

陪林約齋送客宿[illegible]山寺　是與徐西[illegible]

偶陪王節城西遊蘋花黃花明汀洲行杯不[illegible]

古訓發故人十馬[illegible]愁[illegible]風雨花[illegible]

鶴一聲天地秋粗豪感慨不成寐老劍耿耿横

床頭

九日靈巖望涪都次約齋韻時嘉靖紀元之

前歲也　　　　徐丙

人豪談笑戲邦畿幸我斯文亦有依同上雲霄攜

覽秋色坐中王氣藹晴暉江流百折朝滄[illegible]

勢千重擁太嶽惆悵去年戎馬暗康平今[illegible]

孝茶川生祠落成韻　　徐丙

[illegible]小根安[illegible]公[illegible]

[illegible]生[illegible]浚識稱文[illegible]然

[illegible]作[illegible]生

謁米公祠　倪綱[illegible]

茂宰彈琴日經過歲月深無名[illegible]傳[illegible]野
人已寂[illegible]空遺像綢繆尚好音臨風重悵佇[illegible]
滿故山岑

遊峨竹山　[illegible]州王人明[illegible]

聞說峨[illegible]勝[illegible]絲[illegible]稱米[illegible]花[illegible]休日[illegible]

誰開瑤草斐以綠珍禽語何諧悠然有真[illegible][illegible]題

石掃莓苔

春日遊三光寺　王大用

野寺三光古春風二月深石泉雲竇落澗草日

華沉欄飯分僧供鳴鳩亂客心他年如結社此

地即東林

偕礫谷王老先生遊瓶山　邑人張[illegible][illegible]

谷有人間別洞天偶來山寺結因緣眼[illegible]

一[illegible]界身似蓬萊五百仙傍仰隨花[illegible][illegible]

[illegible]

[illegible]類

遊三光寺次韻　張昂

地暫訪古寺步步入山深日[illegible]川[illegible]

水沉鳥巢霄漢木僧衲歲寒心盡日無塵慮烟

霞自滿林

夜宿瓜步山聞風雨有感　張昂

夜宿瓜步山風雨陡然來飛石撼庭柯巖[illegible]

烽[illegible]余更殺氣重不覺心中悸因憶戡武關此

是行宮地山前列千官轅門擁騶騎升高望金陵山川亦碎易春燕巢林木嬰兒貫槊戲今夕是何夕寰宇無一事仰荷太平年短詩聊述記

曉過茶亭寺望金陵　邑人孫簡太學生

好風拂面出南岡剛爲尋幽到野亭飛鷺一行林外白遠峯數點馬頭青鳳臺樹色凝秋翠早風光挹曉晴翹首渾不厭江湖廊廟動深情

過淳聖寺

林間好鳥[illegible]

興逢偕更謔[illegible]

迤池閣午陰綠樹依依歸路晚殘虹斜日動

孤吟

兩峰黎侯作奎壁樓成九日同登

古閩王鎮汝治儒學

奎壁樓成勢插天江山遶抱五雲連風傳杂

仙宮遂日弄瑤華

聖廟鮮酌酒論文河洛見傳闡與餘斗星懸莫

帽[illegible]為登眺能記巳陵詞[illegible]二篇

登雨巖過黃忠節公墓　上虞張建

從容就義當年事久遠彌光此日丘隴生
來雨[illegible]思千載恢松楸乾坤正氣追前烈
冊芳名第一流若有偷生人過此仰瞻能無面
顏羞

罵賊當年顏氏舌盡稱今日九原丘日星
一抔土霜露悲生[illegible]樹楸草節英聲神
[illegible]止山前路[illegible]

[illegible]聞鐘 謝以敦

[illegible]夕忽地聽鐘 [illegible]野館人初宿[illegible]

[illegible]和樹暗漁火 [illegible]江明馬上敲新句銀

鉤已掛城

登奎璧樓 山陰徐夢熊

何處江山得飽看危樓時陟一乘閒坐凝參壁

聯輝際步入乾坤兩在閒俯瞰滁流拖匹[illegible]

瞻鐘阜勢[illegible] [illegible]諸生托此藏修地士志學[illegible]

與類

登奎壁樓　沅江何桂儒學訓導

聯輝奎壁北山樓南望棠城接[illegible]川[illegible]地文章鄉具眼古今人物幾同遊身[illegible][illegible]鶴駕故[illegible]里景快瀛登第一洲更有岳陽憂樂念英才期待仲宣儔

過梁塘舖　何桂

誰構郵亭新氣槩政成餘裕北山公江流[illegible][illegible]綴[illegible]歸浦岫出祥雲鳥矣空駐節六峰[illegible][illegible]繡[illegible][illegible][illegible]

路見清風桑麻影裡絃歌沸導在[illegible]

陶

乾塘　　邑人鄭洛致仕訓導

以草得名芦向先春綠茸茸四畔同汪汪千

足農夫未須憂歲事想如欲一鑑果誰開廣

㳅賴良牧

龍池　　鄭洛

一池水淵澄傳是蛟龍窟蛟龍日飛騰鱣鮪肥

長育網罟紛沓來老少後先逐漁歌亦可聽隋

襯弄回洑

瓜埠凹雪東董大尹　縉雲盧勳熙大理卿號後溪

頃刻雲拼萬里天繽紛白雪洒江邊扁舟瓜[illegible]

係行客對酌鍾山望列仙何處地爐時有[illegible]

笑茅屋午無烟東皇不是輸勝六欲教今秋[illegible]

寶全

續增

唐宋諸詩

送封太守赤岸山　王維

忽解羊頭削聊馳熊首轓揚舲發夏口按節向吳門帆映丹陽郭楓攢赤岸村百城多候吏露冕一何尊

還至方山自傷　陳沉炯

秦軍坑趙卒遂有一人生雖還舊鄉里危心

未平淮源比桐柏方山似削成猶疑屯虜

畏值胡兵空村餘拱木廢邑有頹城[illegible]識既已盡新知皆異名百年三萬日處處此傷情

瓜步渡　　周庾信

校尉始辭國將船欲渡河[illegible]軒臨積岸旌[illegible][illegible]江沱觀濤想帷蓋爭長憶干戈雖同燕市泣猶聽趙津歌

六合山　　唐韓翃

江聲六合暮楚色萬家春白紵歌西曲黃[illegible]
此人

瓜步泛舟　　　　[illegible]良卿

瓜步寒潮送夕陽楊柳秋雨落衣故山南望何處秋[illegible][illegible]天獨歸

渡江二首　　　　梅聖俞

始發碧江口曠然諧遠心風清舟在檻日落水浮金瓜步逢潮信臺城過鴈音故鄉何處是雲外即喬林

風駕晚潮急浪頭相趁迴水歸瓜步小船下秣陵多鷗舞不停翅燕飛輕帖波今來學楚客[illegible]

暮愛漁歌

瓜步望揚州　王安石

落日平林一水邊蕪城掩映祇蒼然白頭追

當時事幕府青衫最少年

宿瓜步夢中得小詩　蘇軾

吳寨煎葭空碧海隋[illegible][illegible]柳只金堤春風白[illegible]

無情水吹得東流竟日所

渡瓜步洲　駱賓王

[illegible][illegible][illegible][illegible]柳下[illegible]州[illegible][illegible][illegible][illegible]馬[illegible][illegible][illegible]

[illegible]下月迥黄沙浮風急夜江秋不學浮雲影他

[illegible]滯流

出儀眞西泛大江　歐陽修

孤舟日日去無窮行色蒼茫杳靄中山浦轉帆
迷向背夜江看斗辨西東滮田漸下雲間雁霜
日初丹水上楓蓴菜鱸魚方有味遠來猶喜及
秋風

渡揚子江　楊萬里

祇有清霜凍太空更無半點荻花風天開雲

東南碧日射波濤上下紅千古英雄鴻去外六

朝形勝雪晴中携瓶自汲江心水要試煎茶第

一功

黄紹文曰志者記也信以傳信疑以傳疑作志者之筆也是籍也文雖不工而準則無悖焉

陸察曰祭適累世見聞僭爲志畧適承茲役詳酒此依遷就成編事多刊落則不孝之罪滋甚可

重脩六合縣誌跋

古人以作史爲難具三長乃
可言史予謂三長固難信筆
尤難有信筆然後有信史誌
亦史類詎可無信筆乎是與
也桐栢李侯創其始以三邑
待蒞之以鄉大夫黄望山總

於事同事六人秉公一志隨
事、實書罔敢以私見獨任懼
弗信也開館于東嶽行宮試
筆於萬曆癸酉嘉平之廿脫
藁于甲戌二月中浣中間天
人地理治化文章古今事跡
縣凡誌邑所當紀載者[illegible][illegible]

已其亦加采輯至于沿革人物民數差傜軍需課貢田並州塲或踈漏簡率而考索未盡或因革損益而先後不同謝又搜羅番閱博采群書總類分科質以成案視舊愈詳諸公之功孝廉陸庠士察爲

力居多于灘側其未不以與
陋自謏于[illegible]硯亦有分代之
勢故于事體切要係于一方
輕重利害處閒出己意竊附
數言以備採取文藝工拙
所計也所重賢能茂[illegible][illegible][illegible]
具[illegible]遺愛循[illegible]已[illegible]不[illegible][illegible][illegible]

[illegible]則又槩舉一二以樹効法[illegible][illegible]而重拂與論者則弗書善善長惡惡短也書弗書以寓美刺懲勸攸存庶幾信筆文獻有徵後此而官常六事以德以功將垂不朽于六者披閱之下不無小補然以當

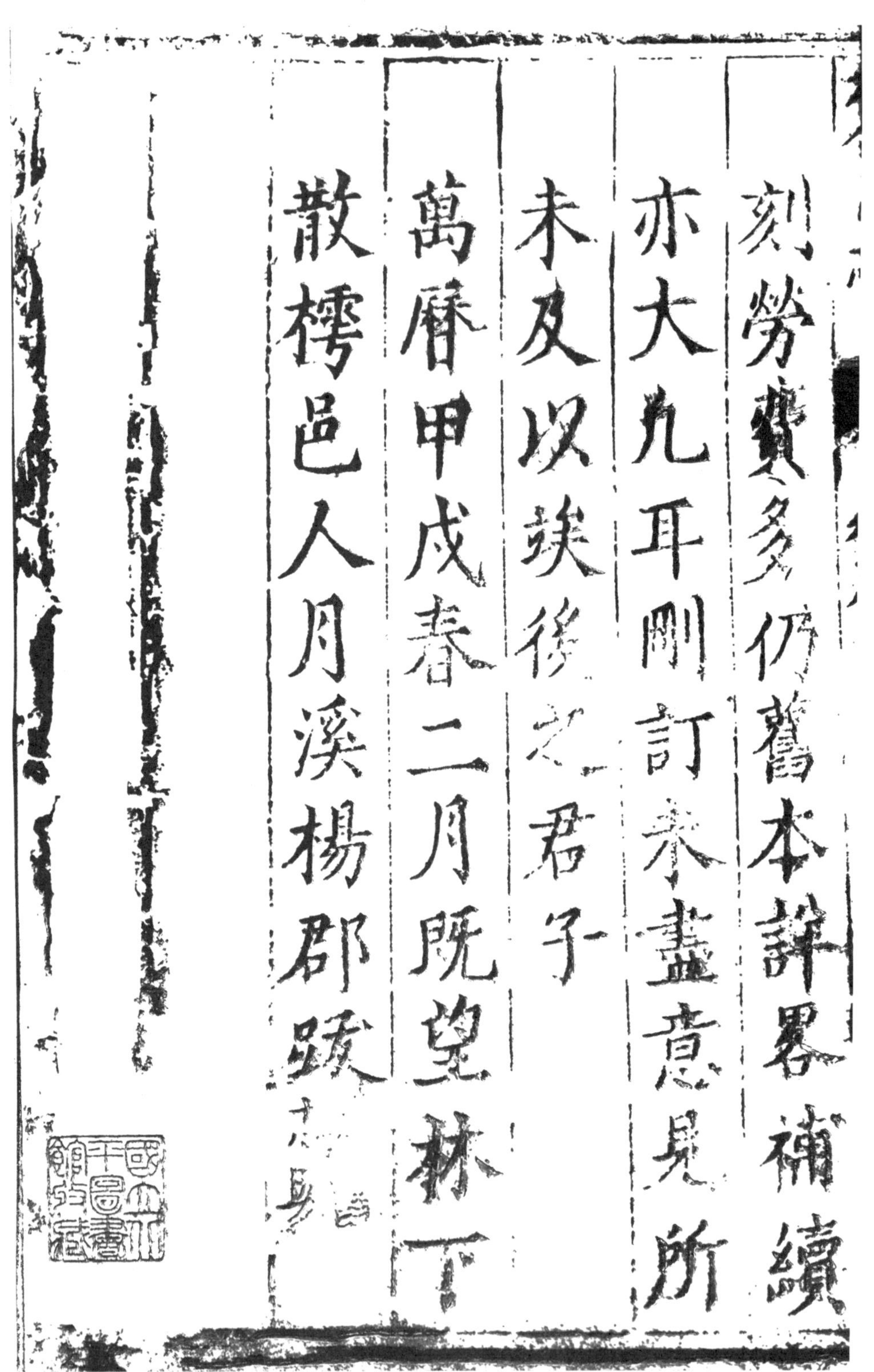

刻勞費多仍舊本詳畧補續亦大九九耳刪訂參盡意見所未及以俟後之君子

萬曆甲戌春二月既望林下散樗邑人月溪楊郡跋